U0117308

林恒雄著

願力長在我心

——林恒雄將軍回憶錄

文史哲出版社印行

國家圖書館出版品預行編目資料

願力長在我心：林恒雄將軍回憶錄 / 林恒雄
著. -- 初版 -- 臺北市：文史哲, 民 108.07
頁： 公分. --（將軍傳記系列; 10）
ISBN 978-986-314-479-3（平裝）

1. 林恒雄 2.軍人 3.臺灣傳記

783.3886 108012182

將軍傳記系列 10

願力長在我心

林恒雄將軍回憶錄

著 者：林恒雄
出版者：文史哲出版社
http:// www.lapen.com.tw
e-mail：lapen@ms74.hinet.net
登記證字號：行政院新聞局版臺業字五三三七號
發行人：彭正雄
發行所：文史哲出版社
印刷者：文史哲出版社
臺北市羅斯福路一段七十二巷四號
郵政劃撥帳號：一六一八〇一七五
電話886-2-23511028 · 傳真886-2-23965656

定價新臺幣六〇〇元

二〇一九年（民一〇八）九月初版

著財權所有 · 侵權者必究

ISBN 978-986-314-479-3 78410

序一 允文允武 無愧無憾

曾永義院士
中央研究院院士
世新大學講座教授

林恒雄先生，八二三浴血金門。半生戎馬倥傯，建功異域，歷越南、高棉，榮膺駐瓜國顧問團團長；官拜少將，任政戰學校副校長。解甲而奉獻社會，為紅十字會終身義工。乃年登耄耋而入上庠，攻讀博士。允文允武，無愧無憾，蓋足以養生樂事而典範人間矣。今其《回憶錄》初成，奉讀感懷，賦七律乙首，以献左右。

炮火沖霄八二三，橫飛血肉盡兒男。
從戎棄賦當仁義，報國由心備苦甘。
跨海翻山為建業，將文就武不停驂。
而今耄耋逍遙也，最愛花開酒亦酣。

2019年7月2日晨 曾永義謹題

序二 永遠年輕：林恒雄將軍回憶錄

二〇一七年六月四日，中文系博士班面試。一早我來到學校，在電梯裡遇到一位長者，穿著整齊，戴著棒球帽，精神抖擻目光有神。我知道，這一定就是今天將來面試的國防大學政治作戰學院副校長林恒雄將軍。這是我對將軍的第一印象。面試時，將軍走進會議室，首先向口試委員立正行舉手禮，把大家都逗樂了，也都由衷的敬佩林將軍，八十高齡熱心向學，真的了不起！

開學後將軍忙於課業，在博士班裡非常用功，特別是所有的課外學習活動他都一定參加，比方學術會議、碩博生與系主任座談、論辯會等等，將軍永遠第一位到場，是所有學生的典範。二〇一八年三月我們舉辦研究生論辯會，由我指導，請碩士生和博士生辯論「高中國文教材的文白比例問題」。學生們都按照自己的工作準備演練，將軍擔任主持人。我有時覺得年輕的一代面對知識、論證、知性的思辨問題，缺乏基本尊重，有一點疏懶態度，好像是迫不得已非要交差了事。將軍每一次籌備會都先帶了茶水來給大家喝，從頭到尾盯著全場專注聆聽，真的非常可敬可愛。當我覺得年輕人不聽我的，感到徒勞無功時，一看將軍貫徹始終的敬業，一點不擺長者架子，從不批評任何人，我就釋懷。將軍八十多了都可以忍，我不到六十，有什麼不能擔當？

將軍博士班必修兩年日文，他認真學習，有時來中文系辦公室聊天，談到這把年紀背日文單字極為吃力，看他苦笑訴說，真是不忍。後來我們用將軍以前學過日文的成績單，適度抵免一些必修日文課程，皆大歡喜。我知道將軍的學習成績相當好，每學期平均分數都在九十分以上，這學期結束，將軍就可以修滿學分，專注寫博士論文。

林恒雄將軍來到世新中文系我特別高興，這還有另一層原因。將軍一九五五年進入政工幹部學校，是第五期學生，而我的爸爸張放（一九三二－二〇一三）是幹校一期戲劇系學生，算來是將軍的學長，因此有一種親切的感覺。將軍一九八九年升少將，回母校政戰學校任教育長，一九九一年至一九九三年任副校長。回憶錄中提及復興崗的國軍幹部信條：「冒人家所不敢冒的險、吃人家所不能吃的苦、負人家所不肯負的責、忍人家所不願忍的氣」，讀來是這樣的熟悉，彷彿看到父輩叔伯的堂堂軍人風範。將軍後來在黎明文化公司任副總經理兼總編輯，提到一些作家名字我也相當熟悉，田源、姜穆、李牧，都是我爸爸的朋友。說來，世界還真是很小的，因緣巧合這樣有趣。

將軍送來厚厚的回憶錄，我翻開閱讀，一讀就不能放下，將軍的人生這樣扎實豐富，簡直把這數十年來的台灣歷史都歷述一遍，令人感佩。將軍回憶錄中提出一個最富啟發的重點，那就是我們不能獨善其身、不能離群索居，必須走入人群、關懷社會，這不僅是道德實踐，更是一種健康的人生態度。這些年我老想一個問題：人是怎麼變老的？後來我發現，這不只是生理時鐘，更關乎一個人的心理狀態，一個人還追求一些什麼，還保持對生命的熱情，這就是年輕。將軍是一位可敬的長者，也是最可愛的年輕人，誠摯的祝福將軍和將軍家人！

世新大學中國文學系辦公室
張雪媃 謹上
二〇一九年六月二十日

美威斯康辛大學文學博士
世新大學中國文學系系主任

願力長在我心　目次

自序

首先感謝曾院士永義教授講座、世新文學系主任張雪媃教授，在百忙之中，撥冗提筆賜序，字字珠璣的嘉勉，實在受之有愧，無形加深個人正向動能，有如盈滿陽光，催促生命的活力！

逾八十載的歲月，昔日青春，平淡渡過，沒有太多絢麗的風光，如今，時移勢易，生命長河將至臨介點，愚魯如我，領悟力低，不夠聰慧，從智仁勇三達德來說：「智能淺薄，揮灑有限；仁義不厚，雅量不足；勇氣欠缺，阻礙過程」。唯對長官敬重服從，交付任務，矢志達成；和同仁之間友善相處，坦誠以對；待部屬合情合理，講是非，論功過。歸根結柢，只有「無限感恩」四個字，永懷國家的栽培、心存長官的提攜、難忘袍澤的厚愛，追念親朋好友的激勵，使作者從青澀漸入佳境，這麼多「貴人」的關照支助，才能在人生的旅途上安穩行走，循序漸進，為人一世多「積德行善」，人世間世事仍須合眾人之善念，方能圓滿成全。

戰爭是人類的悲劇，作者幼年時代，美軍機不時轟炸台灣，造成幼小心靈對戰爭陰影無法抹滅；又經遇金門「八二三」砲戰及國外的「越戰」、「棉戰」等嚴酷戰役，驚心動魄的戰場畫面，怵目悲慘死傷景況，就如同《詩經》〈擊鼓〉裡詩歌描寫：

> 死生契闊，與子成說。執子之手，與子偕老。
> 于嗟闊兮，不我活兮！于嗟洵兮，不我信兮！

夫妻離別時的誓言，本說好永不分離，如今卻相隔萬里，歸期難望，許下的誓言也無法兌現，詞情非常激烈震撼！盱衡台海情勢，詭譎多變，不得不令人憂慮，兩岸政治基礎，拉開「台灣人」和「中國人」彼此的失離感。兩岸軍事力量對比，逐漸傾斜於共軍，對台灣益發不利。習近平要求共軍積極推動軍事理論、軍隊組織形態、軍事人員及武器裝備的四個現代化，於二〇三五年實現國防與軍隊現代化，建成世界一流軍隊。我國防白皮書早在二〇一五年就評估中共已具備對我遂行大規模聯合火力打擊與拒斥外軍介入台海爭端的能力。呼籲雙方冷靜克制，用智慧，以理智解決兩岸問題。

從各種媒體輿論報導，存在社會「毀風敗俗」事件紛擾不斷，似已脫序法律應有的規範，而各政黨間競相追逐權利與私慾，已使國人極度反感。除了主政者豁達大度，具有仁德取信於民，治理國政慎思熟慮，縱橫捭闔，期望人人講求「溫、良、恭、儉、讓」等美德，彼此尊重，相互理解，多包容、多寬恕，共同來營造溫馨祥和的社會。

作者一直謹守先父在世的叮嚀：「益於他人者助之，害於他人者戒之；利之當頭避之，仁義者，擁之。」自忖：「憨人有憨福、傻人有傻福、好心有好善」的因緣果報。憨山禪師（一五四六──一六二三，明朝四大高僧之一）所說：「到處隨緣延歲月，終身安分度時光。」人生走到最後階段日薄崦嵫，僥倖取得了碩士學位，爾今更上一層樓攻讀博士學位，冥冥之中，上蒼的庇佑，使作者有機會多讀點書，充實智識，讓人覺得不像武夫，有些「書卷氣」，彌補戎馬倥傯所欠缺的人文素養，或許有一天還能再為社會服務！最後衷心向文史哲出版社發行人、安隆總經理林新乾兩位先生以及特助林秀珠、李依庭兩位小姐，致上誠摯的謝忱，使本書在預期內順利圓滿出版。

文化鬥士彭正雄賢伉儷

「安隆」林特助（左一起）、林總經理、依庭

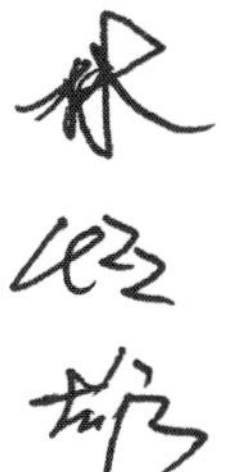

二〇一九年七月十日

▲永遠的校長王昇和來鎮華將軍留影

▲著軍裝神態

▲1984年和瓜國總統MEJIA合影

▲向總統李登輝致意

▲向駐瓜大使陸以正請益

▲畢生榮耀的勳獎章

△一甲子的母校世新大學

△1958年全家攝於潭子糖廠宿舍

▲雙親和子孫於台中住宅

▲芬蘭和松吉訂婚

▲好友林朝河

▲好友盧文龍

▲畫馬的神韻

▲校長鄧祖琳伉儷

▲1989年晉升將軍與親友合照於豐原

▲作者在慈母懷中

▲2019年元月31日三代同堂

▲建邦、芬蘭、建興小時候

▲建邦幼時與爺爺奶奶合影

▲豐原岳父母家留影

▲四兄弟和母親合照

▲1957年於復興崗美術組師生合影，左起第五人系主任梁鼎銘夫婦，三排左起第四人作者

▲1953年參加暑期戰鬥營教官黃元龍（中）左一作者

▲2004年將畢生文物捐贈母校新民高中

▲跳傘英姿多神勇

▲原來作者（左一）也會舞獅

▲校友會會長許明雄伉儷（左三）

▲探視會長林文雄，左一李紹澄

▲內子（著紅衣）和師生合影

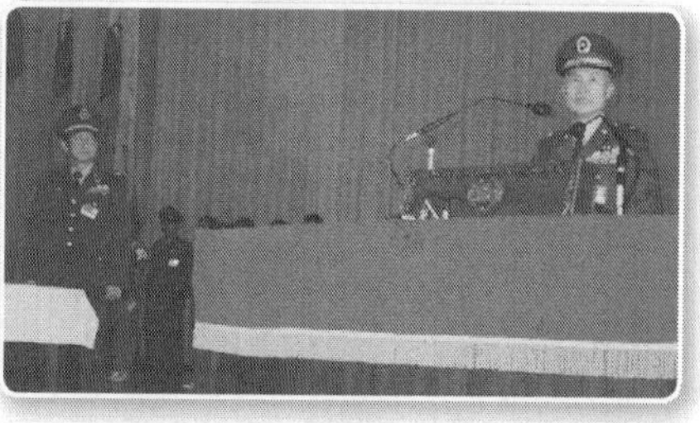

▲向政戰學校師生講話

▲欣賞國劇演出

▲關懷同學，左校長鄧祖琳

▲1992年瓜國總長伉儷蒞校參訪合影

▲父子合影於復興崗

▲1978年經國先生蒞金與班超部隊幹部合影

▲總政戰部前主任王昇上將，左一馬防部司令官趙萬富

▲1978年和內子攝於馬祖

▲赴瓜國前夕連江縣長李麒麟（右）餞別

▲作者檢閱莒光地區民防隊員

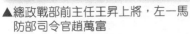

▲作者也是外語學校籃球選手，後排左一作者

▲國防語文學校門口

▲外語學校和美籍老師合影▲

▲學生時期

▲五期美術組合影，右一李奇茂，後排中作者

◀駐越軍援團徽章

▲授課神情

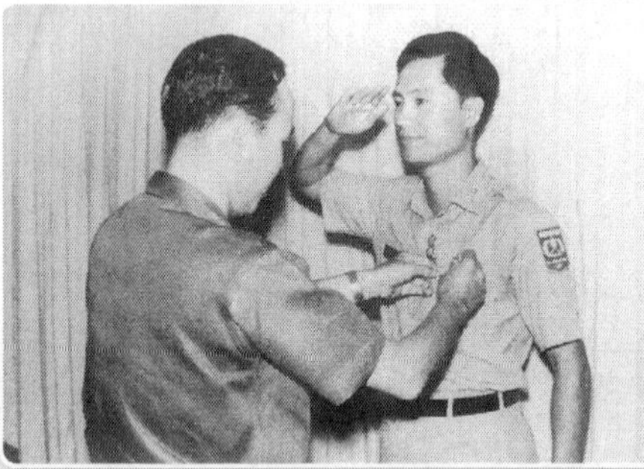

◀越南安全局長頒授勳章

▲於大使館和郭金玲老師、許明雄同學留影

▼與美軍聽取作戰簡報

▲獲頒勳章

▲武局長和顧問合影，左三參謀長趙本立，右二胡儀敏

▲與棉政府高級官員合影

▲高棉顧問團和團長郁光（中）合影

▲高棉民族舞蹈

▲金邊皇宮

▲赴湄公河游泳

▲參觀高棉國家博物館

▲陸大使（右四）和團員、桂務勇武官（左三）合影

▲駐瓜國大使陸以正（右三）夫婦合影

▲我駐瓜國大使館宏偉

▲瓜國儀隊歡迎作者

▲參謀大學聯誼

▲在瓜國為學官授課

▲作者西文老師一家人

▲拜訪軍區司令

▲與裝訓部指揮官羅文山中將合影

▲作者主持裝校辯論比賽

▲慰助貧困兒童

▲和參謀長林天賞將軍合影

▲在金門和張建雄祈禱國泰民安

△陸總部主任林家雄中將（左一）

▲新民高中老同學蒞校參訪裝訓部

▲歡送董事長張明弘

▲編輯部同仁合影，左一為主編陳敬介博士

▲歡送董事長張明弘（右三）夫婦及歡迎新任總經理許明雄（左二）夫婦

▲赴倫敦書展

△高雄分公司，左一為經理張蟄霆

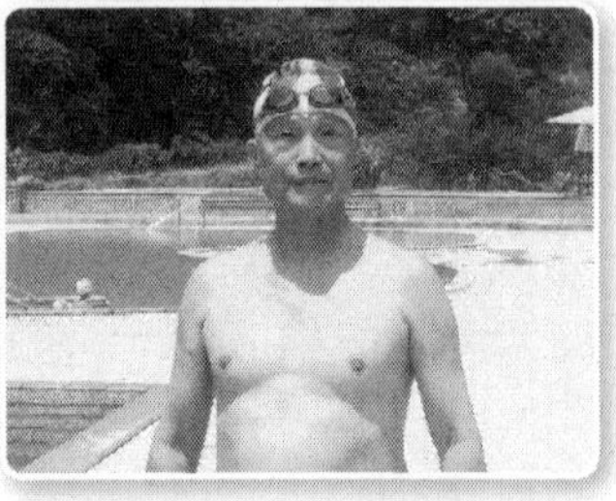

黎明公司自強活動旅遊▼

△伉儷情深

▲政戰學校五期一甲子聚首，會長林文雄夫婦

▲詩人瓦歷斯・諾幹（左二）

▲貼心的至芳

◀三位外甥女笑口常開

△詠雪妹自港返台（左二）

▲龔鼎文將軍寓所（左上）

▲史雄華夫婦（右三）自美返台探親

▲相敬如賓的王坪夫婦在美事業有成

▲埔光部隊袍澤合影

▲1995年陳廷寵上將（右三）伉儷於豐原「犁記」和老闆張汝洲夫婦（左二）合影

▲親友合影

▲向楊亭雲上將夫婦敬酒

▲老師長黃幸強上將駐希臘大使

▲父母和親友合影，左一麗娟姐姐

▲大妹全家福

▲作者擔任「台南榮家」首屆管委會會長，右三夏漢民博士夫婦

▲「嘉藥」碩士班師生蒞台南榮家，家主任朱嘉義（中），陳忠偉博士（左一）

▲老長官胡儀敏

▲「台南榮家」泡茶志工，堂長李昭蓉（左上一）

▲四位志工陪榮民伯伯赴金門

▲和涂耀聖夫婦在桂林打球

▲「珍火」公司同仁敘舊

▲沙巴遊賞，右一吳家煌夫婦

▲麗娟姊、美娜在橘園採收

▲秋霞姐姐、姐夫合影

▼遊太魯閣和駐巴西特派員嚴昭慶合影

▲錦益、家哲於馬祖合影

▲王國聯夫婦（上左），陳老闆（右一）

聯合報

老將軍贈車榮家 載弟兄趴趴走

▲作者捐贈電動車，方便榮民行動

▲當選「榮民楷模」馬總統召見

▲輔導會前主委董翔龍訪視「馬蘭榮家」

▲2013年獲碩士和歐陽宇教授合影

◀在「台南榮家」為榮民奉茶

▲「馬蘭榮家」主任葉慶聰

◀總會王清峰會長（中）秘書長張寶輝（右二）、林欽鐘、陳美芳合影

▲熱誠的白衣天使莊琇棉

▼吳家煌（右）、林欽鐘兩位會長

▲總會秘書長張寶輝（左二）、劉慧明（右一）會長夫婦

▲太座前來鼓舞，好開心

▲2007年第二次橫渡日月潭，總召楊仁德（左一）、林裕峰（右一）

▲監察院秘書長陳豐義（中）前會長劉慧明（左）

▲學員優良表現，接受獎勵

▲探訪林瑞興會長（上右一）尊堂

▲水安隊第一位女會長陳美芳

▲總教練（作者）領航

▲白玉光教授夫婦

▲金門好友戴玉珠夫婦，耿哥（右一）

▲錦益和益洲夫婦

▲張釗嘉博士全家福

▲碩博士班同學和院士曾永義（左三）、丁肇琴教授（左二）合影

▲主任張雪媃（左二）主持論辯會　▼蔡芳定（右二）教授講授「治學方法」

▲左一王瓊玲教授、曾院士、信樺

▲2019年5月博士生學術論文發表會

第一章　歲月成長的痕跡

台灣是一座島嶼

十六世紀中葉，航行到台灣附近海域的葡萄牙人將台灣命名為「Ilha Formosa」即美麗之島，這時的台灣是一座南島語系的複數原住民族居住的島嶼。台灣的面積和愛爾蘭、日本九州一樣大，原住民族有高山族（生番）和平埔族（熟番），各有數個部族，生活習慣、風俗語言各不相同，部族之間少有往來，還有少數的漢人和日本海盜也居住在台灣。

西班牙人於一六二六年佔領北台灣雞籠（基隆的舊名）後，開始興建聖薩爾瓦多城，一六二四年荷蘭人在台南建立熱蘭遮城（安平古堡的前身），兩個國家南北建城，目的在建立政權，奪取資源。一六二六年西班牙派出遠征隊從呂宋出發，社寮島登陸，也就是現今基隆市和平島。隨即在島的西南端修築「聖薩爾瓦多城」。一六四二年荷蘭人北上攻佔社寮島後，將「聖薩爾瓦多城」改名為「北荷蘭」。直到一六六八年，鄭經派軍討伐荷蘭人，荷蘭人兵敗，臨去前曾在社寮島的岩洞內刻字留念，後來被稱為「番字洞」，一六二四年荷蘭人在台南「一鯤鯓」建立熱蘭遮城，為貿易根據地，開始在台三十八年的殖民經濟。當時正處西方大航海時代，西班牙與荷蘭人在台灣南北各建一城，目的除建立政權，奪取資源，也為航海貿易，西班牙在基隆建城，作為航海貿易根據點。聖薩爾瓦多城歷史地位，也是西班牙統治台灣的據點，不論政治、經濟、軍事上，都以此城為首。今城牆已消失不見，原址在現今台灣國際造船基隆廠和和平島船塢處。一六四二年西班牙自台灣撤退，一六六一年鄭成功（鄭氏來台三五八周年—二〇一九年）驅逐荷蘭人，一六八四年台灣成為清朝領地。歷經統治者更迭，進入清朝的統治後，雖然禁止前往台灣，但以偷渡的方式前往台灣的漢人絡繹不絕。隨著漢人持續增加，也就逐漸地威脅到原住民族的生活，連住所也遭到掠奪。漢族人取得新天地的代價，是經常受到原住民族的襲擊，生活在恐懼之中，隨時保持高度警戒。

當時的台灣是一座治安不安定的島嶼，清朝對於取得的台灣並不太關心、不很熱衷。甚至認為台灣居民是「化外之民」，其地是「不及教化之地」，加上台灣是處於熱帶、亞熱帶氣候的島嶼，瘧疾、阿米巴痢疾、鼠疫等地區性的傳染病蔓延各地，原住民害怕的毒蛇到處可見。

簽訂《馬關條約》之後，日本帶著戰勝的氣勢，前往台灣、澎湖群島，這正是日本強悍的統治台灣的歷史起點，持續到第二次世界大戰結束，接受聯合國波茨坦宣言，放棄台灣主權為止，統治時間長達五十年。台灣人雖然把中國大陸稱為「唐山」，對中國懷抱著思鄉之情，但是代代已經在台灣落地生根，繼續在這島嶼上的生活意念十分堅定。

日本統治台灣時期

《馬關條約》始末

一八九四年朝鮮王朝發生東學黨（註一）事件，清朝應朝鮮要求派兵進入朝鮮半島，依照《中日天津條約》知會日本有關行動。事件平息後，日本拒絕撤兵，更於七月二十五日突襲駐守於朝鮮的清軍。清廷腐敗無能，軍備落後，由於該年是甲午年，故又稱為「甲午戰爭」，其後清軍戰敗，清廷向日本求和（清光緒二十一年三月二十三日、日本明治二十八年）。《馬關條約》為大清帝國與大日本帝國於一八九五年四月十七日在日本山口縣赤間關市，即今山口縣下關市，簽署的條約，原名《馬關新約》，又稱《中日媾和條約》，日方稱為《下關條約》或《日清媾和條約》。清廷代表欽差頭等全權大臣李鴻章（註二）和欽差全權大臣李經方，日本帝國政府代表為首相伊藤博文（註三）和外務大臣陸奧宗光。該不平條約的簽署，標誌著甲午戰爭的結束，並導致割讓台灣、澎湖、遼東半島予日本（第二條），造成往後五十年的台灣日治時期。遼東半島割讓後，因俄、法、德三國干涉還遼未成。條約中文原本典藏於台北國立故宮博物院，日文原本則存藏於東京國立公文書館。

《馬關條約》共計十一條，影響最大的就是台灣人民，往後日本統治的五十年，對殖民地的歧視與剝削，引發台灣人民的不滿，進而醞釀各種抗日行動。不僅如此，使各列強國家更虎視眈眈，伺機掠奪，簽訂各種不平等條約，讓中國陷入泥淖深淵中，也為這些不平等條約，使清朝走向亡國之路。歷史是一面鏡子，藉由歷史事件的記載，我們有所借鏡，不再重蹈覆轍。簽約之際，台民反彈極大，據《清史稿》記載當時台灣巡撫唐景崧（註四）憤慨的說：「棄地區不可，棄台地日數十萬之人民為異類，天下恐從此解體，尚可情以立國？且地有盡，敵欲無窮，他國若皆效尤，中國之地可勝割手？」

「日據」與「日治」之爭

一八九五年至一九四五年是日本統治台灣的歷史時期，在台灣素有兩種用語：日據與日治。傳統上，在台灣光復後的七十多年來，居於主流地位的是「日據」用法，含有「台灣是被日本從中國佔據而去」的潛台語，認同台灣與中國大陸的一脈相承的國族立場。然而自一九九七年教育部開始在中學的歷史、地理和社會課本，相對而言承認日本統治合法性的「日治」詞，就取代了「日據」，影響擴及社會其它層面，日漸成為台灣社會的主流稱呼，這一種稱呼是日本治理或日本殖民政治的略稱，更進一步地承認日本統治的有效性與合法性，顯示台灣迥異於中國大陸的歷史經驗與國族情感。基於憲法所保障的言論自由，人們對歷史有不同的看法和記憶，可以容許討論的空間，不宜硬性規定哪一個不能用，這樣才能讓不同看法的人有表達意見機會。

家世故居

在清朝統治台灣的二百十二年當中，從西元一六八四年到一七九〇年代，對中國大陸人民到台灣，採取嚴格的禁止與限制，一七九〇年後，才改變放鬆，到了一八七五年正式開放，讓福建省與廣東省的人民自由前來台灣，那個時候，台灣的西部、東北角的宜蘭地區，全部住滿移民拓墾的漢人。在台灣十大姓中，以陳、林兩姓最多，有一句話說：「陳林滿天下，剩下的給狗咬」。據台灣總督府在一九二六年時，對台灣漢人作了一次祖籍調查。福建人佔總數百分之八十三點七、廣東人佔百分之十五點六。福建人裡面漳州人佔百分之三十五、泉州人佔百分之四十五。目前台灣人，仍是以福老人佔多數。

三百多年前林氏祖先自福建漳州渡海來台，十五世仲林公落腳台中地區，以頂橋子頭住居較長久，歷經多少險阻艱難，化險為夷。子子孫孫在各行各業，尚能恪守崗位，胼手胝足，踐履篤實，勤儉持家與鄉閭村民和樂相處，共生共榮。

父親林庚申承襲十九世，是日治時代台中一中畢業，當選過台中市第一屆模範父親，母親許彩雲畢業於彰化女中，曾服職於報社、電訊局等單位。作者共有兄弟四人，妹妹五人，家父在台糖公司，担任一名奉公守法、負責儘職的公務人員。大家庭日常開銷浩繁頗巨，惟在雙親「省吃儉用，力求撙節」之下，我們兄友弟恭，姐護妹愛，家庭圓滿幸福安康，洋溢著溫馨甜美的氛圍！

雙親生活的壓力不可小覷，九個子女的教育費用，花費不貲，我們兄弟姐妹十分感念雙親培育之恩，每人都有正規的工作和良好的歸宿。當雙親年邁體弱先後與世長辭之際，我們無不哀傷逾恒，悲痛不已。作者非常愧疚，事奉雙親的「孝道」，無法報答養育於萬一。

作者於一九五七年自政戰學校畢業，從少尉基層幹部歷練，一步一腳印直至倖晉將軍，三十餘年戎馬生涯，無不遵從長官教誨與前輩親友的提攜關

林氏列祖列宗追溯（澄堂海）年表

十五世顯祖考乳名仲林公	乾隆乙亥年九月八日生 嘉慶丁丑年五月二十日別世
十六世顯祖考諱志明林公	乾隆壬子年十月二十九日生 道光庚戊年九月二十五日已時別世
十六世祖妣諱藤林媽黃氏	嘉慶癸亥年十月四日寅時生 道光乙亥年三月七日別世
十七世顯祖考諱港風林公	道光二十三年五月二日生 光緒十八年十二月十九日別世
十七世祖妣諱專林媽賴氏	道光癸卯年四月二十三日已時生 明治辛丑年十月七日戊時別世
十八世顯祖考諱金寬林公	光緒二年五月十六日生 民國七年五月十二日別世
十八世祖妣諱積玉林媽楊氏	光緒七年十一月九日午時生 民國四十八年九月八日戊時別世
十九世顯祖考諱庚申林公	民國二年十月二十三日生 民國八十五年十一月十五日別世
十九世祖妣諱彩雲林媽許氏	民國六年三月十七日生 民國九十二年八月六日別世

林氏姓源主要有三：
一、出自子姓，比干之後。
二、出自姬姓，周平王之子名叫開，子孫以字為氏。
三、外族改姓

郡望有西河、南安、河南、濟南等。堂號有松卜、忠孝、九牧、林本、崇本、問禮、敦本等。

明清時期，遷台林姓族人眾多，形成板橋林家、霧峰林家兩大望族。台灣林姓分佈較多之縣市有新北市、台北市、台中市、雲林縣、彰化縣。

林公庚申家系表

父 林庚申　母 許彩雲

- 英明 長子　曾任獸醫院院長。
- 英郎 次子　車行老闆。
- 恒雄 三子　曾任職業軍人。
- 俊德 四子　工廠環保主管。
- 美燕 長女　適施後適邢，餐飲業老闆。
- 美蓮 次女　適鍾，台中一中老師。
- 麗娟 三女　適莊，廚具製造商。
- 瑞珠 四女　適房，醫院行政主管。
- 詠雪 五女　適彭，從事服務業。

注，盡棉薄之力，貢獻所能，達成上級所賦予之任務！

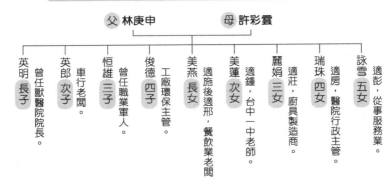

日人治台以後，為協助統治政策的實施，建立了嚴密的警察制度。除了維持治安，還掌理衛生與戶口調查，輔助地方政府施政。一八九八年兒玉源太郎（註五）任總督時，大量增加各地派出所，培訓警察人員，把維護治安工作完全移交警察。一八九九年招募台灣人為「巡察補」，協助正規警察。優勢警力用來對付「抗日義軍」，成效頗著。每名警察管理人口為一比五四七人，台灣已成為「警察之島」。老一輩的台灣人叫警察為「大人」，表達敬畏之外，透露出人民心中的恐慌。警察很兇，對竊盜者一律逮捕，拷打、灌水諸般非人道刑求，逼使盜賊心生畏懼，民眾晚上睡覺不關門，在那時的確產生嚇阻作用。

「皇民化」運動

作者小學三年級之前，均受日本奴化教育，戰亂之故，接連在台中村上公學校（今忠孝國小，創校於一八九五年）、台中公學校（今台中國小，創校於一九二三年）及全家疏遷到霧峰，就讀霧峰公學校（今霧峰國小，創校於一八九八年）。學生早晨到學校，先要向供奉天皇照片和教育敕語的奉安殿敬禮，在朝會時默念「皇國臣民」之誓詞兒童版：

我們都是大日本帝國的臣民。我們以心向天皇陛下盡忠盡義。我們要不斷自我鍛鍊而成為堅強的國民。一邊唱著「海行兮」，以軍艦行進曲的陣容回到教室。

〈海行兮〉譯文中（一首軍歌，神風特攻隊起飛前，齊聲吟唱）

（一）海行水漬屍；山行草生屍。大君身邊死，無悔無返顧！

（二）海行兮，願為水中浮屍；山行兮，願為草下腐屍。大君身邊死，義無反顧！

（三）若我往海邊去，願為水中浮屍；假若我為了天皇而殉國，那我即死而無憾！

三不五時，警報聲作響，就知道美國軍機來轟炸，師生有秩序往防空洞（壕）避難。受空襲影響，老師無心教學，學生也徬徨失措，提心弔膽。日本學童所念師資、設備較佳的小學，而台灣人念公學校（註六），原住民念「蕃童傳習所」，日人和台灣人學子在教育機會、資源上都存在極大差別待遇。

培養最多的是基層醫、農人才，軍事幾乎有所限制，這對爾後台灣在醫學、農業方面，奠定有系統組織性的整合。基層動員情況，不分男女皆納入編組，在校生參加學徒兵（學徒動員）等組織，以因應美軍轟炸與反登陸作戰準備，形成不當兵「非男人」的社會氣氛。

早在一九〇〇年元月起，全台第一批招募約三百人青年入營服役。一九一九年「台灣軍」的編制，基隆、澎湖兩個要塞，後增高雄，台北第一步兵聯隊和台南第二步兵聯隊，屏東飛行第八聯隊、陸軍第五野戰空修廠，分別配屬於各基地的砲兵聯隊及各地軍醫院，後勤業務僱用台灣人擔任軍屬從事。一九三一年在岡山海軍機場，設置第六十一海軍航空廠，擁有維修、裝配及零件補給。極少數報考軍校當幹部，如黃南鵬（註七），是一九二五年日本陸軍士官學校（註八）畢業，還有杜聰明（註九）京都帝大畢業，成為台灣獲得醫學博士學位殊榮的第一人，不僅為台灣人揚眉吐氣，也提升了台灣人，尊嚴和自信心。他一生歷經清朝、日治及國民政府三個時代，貢獻橫跨基礎醫學研究、醫學教育及醫療政策領域，最富傳奇色彩的醫學，堪稱「台灣醫學之父」。

日人一向重視運動，各機關、學校及團體等單位，每日上班前作「體操」，隨播音節奏統一操作，日積月累下來，的確能使人人達到健身有活力之效果。尤其推行棒球運動，更是風靡全台，二〇一四年國內一部由名導魏德聖監製《KANO》永不放棄的嘉農隊，描述嘉義農林棒球隊（今國立嘉義大學），一九三一年首次到台北參賽奪得全台高校棒球冠軍，隨後代表台灣赴日本參加第十七回夏季甲子園大會，以三勝一負的佳績獲得「準優勝」亞軍，震驚日本棒壇，博得「英雄戰場，天下嘉農」的美譽。教練近藤兵太郎教給球員的重要信條：「不要想著贏，要想著不能輸，球者魂也」。今日台灣棒球能在世界上佔一席之地，不能不歸功於日本傳統下來的優良記錄。

一九三六年底，為了讓台灣人更加投入第二次世界大戰，日本揭示「徹底的皇民化教育與鍛鍊」，全家學習日語、申請「國語之家」、穿日本衣、住日本房，展現愛國心。多少台灣人一心想成為日本人，但在日本人眼中永遠只是「次等公民」，母國的利益永遠是最優先的考量，「皇民化」粉碎了台灣人懷念祖國的美夢。日本政府為加緊對台灣社會的控制，同年九月起推展所謂「皇民化運動」，加速台灣人，日本化的程度，企圖貫徹皇國徹底消滅台灣人意識，將台灣人造就成效忠日本天皇的「皇民」，拉近對日本帝國產生認同感，培養帝國臣民忠良的素養，使台灣成為日本對外侵略的「工具」是「內地化」的極端形式，成為天皇陛下之赤子。其具體措施：

國語運動─「國語之家」在戰時配合制度下，可獲得較佳待遇。要求台灣人放棄母語，以日語交談，經地方警察認定已達標準者在家門口懸掛「模範日語家庭」以資表揚，啟領帶頭作用。

宗教改革運動─要求台灣人放棄固有宗教信仰，禁止過舊曆年等，以奉祀大麻神、參拜神社、改善正廳。神道教是日本國教，神社增建，如台灣神社升格為「台灣神宮」，每日向日本天皇居所膜拜。約有一千兩百間寺廟遭到廢除，被焚毀神像、牌位達一萬數千座。

軍事動員─由於戰爭規模不斷擴大，所需兵員越來越多，當局於一九四二年開始，實施陸軍特別志願兵、海軍特別志願兵，並於一九四五年全面實施徵兵制。日本不信任台灣人的忠誠，極少台灣人以正規戰鬥員身份上戰場。台籍戰士上戰場替軍隊勞動者，住宅掛上「榮譽之家」字樣。

改姓名運動─以利誘和施壓要求改用日本姓氏，對於改日本姓的公務員，較有升遷機會，食物配給較多，子女優先升學。比如李登輝改名「岩里政男」、邱創煥家改姓「岡田」等（孫中山日文名中山樵、蔣介石稱石岡一郎）。作者姓林，雖然日本也有「林」的姓氏，但一定要改為大林、小林，不能維持原本漢姓。另外如出生在清末日治時期的阿罩霧（霧峰）林獻堂，林家望族，當時台灣有板橋林家、霧峰林家、鹿港辜家、高雄陳家和基隆顏家等五大家族。霧峰林家不管文才武輩都很傑出。林獻堂在日治時期堅持「一生不說日語，不著和服」，以漢民族傳統和平溫和方式抗日，發起「台灣議會設置請願運動」，爭取台灣自治，可謂三代民族英雄，百年台灣世家典範。

一九三〇年初最具代表性台灣歌謠「望春風」，由日本越路詩郎改填日語歌詞《大地在召喚》為日本軍歌。這首歌每逢思鄉情卻或孤單寂寥時，填滿內心空虛，又能溝通彼此心靈上的契合，已成為世界各地台灣人族群認同的象徵之一。歌詞如下：

〈望春風〉　李臨秋／詞　鄧雨賢／曲

獨夜無伴守燈下　冷風對面吹

十七八歲未出嫁　見著少年家
果然標緻面肉白　誰家人子弟
想要問伊驚呆勢　心內彈琵琶
想要郎君作尪婿　意愛在心裡
等待何時君來採　青春花當開
聽見外面有人來　開門該看覓
月娘笑阮憨大呆　被風騙不知

自一八九六年至一九一五年，據「台灣文化協會」統計，台灣人民抗日被刑罰的人數，總計四四二三人，這並不含戰死或被屠殺的無辜民眾。又據厚生者統計：戰爭期間總計三〇三四〇台灣人死亡，下落不明二二六七一名，其中兩萬八千名戰死的日籍台灣兵，供奉在日靖國神社。戰後台灣總督府編纂《台灣統治概要》內有南方（南洋）各地九二七四八名，日本內地兵工廠八四一九八人，中國各地三七七〇〇名。《中國陸軍總司令部受降報告書》中，列有海外共近十五萬名的台籍軍民，均在集中營等待遣返。終戰前日本前後八次將「高砂義勇軍」送往戰場，各原住民族，具備優異的體能條件，適應熱帶叢林作戰能力，因此被送往菲律賓、新幾內亞、印尼等戰場上，在最前線戰鬥。他們勇猛驍戰精神，讓日本人十分驚嘆。一九四三年十一月二十五日，台灣第一次受到美軍的空襲。從此之後，全島籠罩在空襲的恐怖之中，處處燈火管制，既使夜晚火車也在黑暗中行駛。日軍在台灣空戰，每次遭到美軍攻擊，日軍幾乎全數被殲滅，不再以自己的身體來對抗美軍，也就是神風特攻隊。二〇一五年八月十五日是日本二戰七十週年紀念日，日皇明仁偕皇后美智子在戰亡者牌位前默禱並表示對於大戰深切反省，是歷來首見。靖國神社供奉十四名被同盟國軍事法庭定罪的甲級戰犯，被視為日本軍國主義象徵。

《莎韻之鐘》打動人心

《月光小夜曲》原曲是渡邊濱子主唱的《莎韻之鐘》，為台灣日治時期的皇民政策宣傳歌，一九六〇年代初由周藍萍重新填詞成國語流行歌曲《月光小夜曲》，後也改編為台語版的《莎詠》，由彭恰恰演唱。

一九三七年中日戰爭爆發，日軍在兵源不足下，開始徵召各地日本青年，在被日本統治的台灣，首波被徵召對象，除了駐守台灣的「台灣軍」之外，就是為數頗眾的駐台警察，開赴以中國華北為主的中日戰場。一九三八年九月，一名於台灣原住民村落內南澳蕃童教育所從事教職的日文警手（察）田北正記，接到台灣總督府從軍徵召令，前往中國戰區。因南澳位於宜蘭山區，教師田北正記派莎韻（泰雅語，**Sayun Hayun**）協助幫運行李。九月二十七日，兩人行經宜蘭山區途中，遇到颱風，過渡武塔南溪時，溪水暴漲，在天候惡劣下，同行的十七歲少女莎韻卻不幸於南溪橋上，失足落水失蹤。雖經當地警所搜尋，並無莎韻行蹤。台灣總督為了褒揚其義行，頒贈予當地紀念桃形銅鐘，該鐘即稱「莎韻之鐘」。經報導後，被總督府用來宣揚理蕃政策的成功，並成為皇民政策的宣傳樣本。其後由當時最著名的作曲家古賀政男及作詞家西條八十製作成歌曲《莎韻之鐘》（一九四〇年）並拍出電影，由最紅的明星李香蘭主演。中譯歌詞為：

一、暴風而吹襲著高峰山谷，洪流岌岌可危衝擊著獨木橋，那過橋的美麗姑娘是誰呀？紅紅的雙唇～啊～莎韻。

二、為了捍衛鄉土作戰，就要出征了，雄赳赳的師君讓人懷念，扛著行李，歌聲明朗，一直下，一直下，啊～莎韻。

三、暴風雨中凋零的，落花一枝，哀怨的消失，化在水霧中，部落的森林裡，小鳥一直啼叫，為什麼不回來～啊～莎韻。

四、清純少女的真純之心，誰不落淚懷念思慕，南方的島，黃昏已深暗鐘聲也響了又響──啊──莎韻。

這首《莎韻之鐘》曲子，迄至今日，八十歲以上曾在台灣接受過日本教育的人，多少都會哼唱，作者也是其中之一。當時幾乎大街小巷，傳唱不絕，可見一首好的歌曲，真能永續遐邇，打動人心！

光復後的台灣

首批國軍抵台的軍容

台灣光復是指第二次世界大戰結束後的一九四五年十月二十五日，國民政府對其從日本帝國接手統治台灣與澎湖的歷史事件的稱呼。一九四五年八月十五日，日本在第二次世界大戰中戰敗而宣告投降。由蔣中正日記可知，中華民國政府對日抗戰有三個目的，包括收回東北、廢除不平等條約以及收復台灣。

共有兩支國軍部隊抵台，第七十軍由寧波運到基隆上岸，控管北部地區；第六十二軍由北越海防抵達高雄，控管南部地區，這些運輸任務全都由美國海軍艦艇完成。一九四五年十月十四日約有五百名第七十軍部隊在寧波登上LST-847於十七日來台，十一月初開到北越海防與USS ormsby(APA-49)共同載運第六十二軍於十八日抵達高雄。一九四五年九月九日南京受降儀式後，海軍總司令陳紹寬命令第二艦隊司令李世甲少將，為接收台灣的海軍專員，十月十六日海軍陸戰隊一千五百多人搭乘二十多艘帆船由廈門出發，於二十八日在基隆上岸。總計在台灣日本海軍投降一萬九千餘人，接收艦艇二十餘艘，另外接收左營與馬公兩個軍港。十月二十五日上午陳儀、李世甲等人在台北公會堂（今中山堂）舉行受降儀式，李世甲被任命為台澎要港司令，成為海軍在台最高指揮官，司令部設在左營。第七十軍走下船來，士兵多穿膠鞋、草鞋、背著雨傘、挑著鍋碗棉被，相貌舉止不像軍人，精神不振與台灣人民平日所見雄赳赳氣昂昂的日軍軍容相比，給台灣人民渴慕的幻滅！據考證：七十軍在抗戰時期，是考評優良之作戰部隊，結果接收台灣被譏評為「流氓軍」、「叫化子軍」。

考取初、高商職學校

一九四六年作者由霧峰國小轉學至臺中縣潭子國小（創校已有一百十年）就讀四年級，從國語注音符號學起，當時教國語的老師都是本省人，本身國語的素養尚嫌不足。值得一提的是，那時國軍戰車部隊，有一段時日暫住潭子國小，官兵和師生之間相處還很融洽愉快，從未聞悉部隊有騷擾之情事發生。部隊在操場、禮堂、樹蔭下操課，隊伍整齊劃一，看起來官兵精神飽滿，講求紀律，給小學生有良好印象。

一九四九年五月考入豐原初級商職（創立於一九三五年），校長廖五湖，早年赴中國大陸攻讀大學，一九五〇年當選台中縣第二屆輔選縣長。校長也教我們班上歷史課，教學詼諧有趣，娓娓道來歷史人物，同學們聽得津津有味。在校三年參加歌詠隊（合唱團），常獲邀赴外演出，頗得好評。對童子軍實踐「日行一善」，有深刻體認，啟發了作者爾後在人生旅程上，種下了「善因」，積下了「陰德」。由於豐原初商尚無高級部，作者乃於一九五二年考取台中新民高商第一屆（一九九八年易名為「新民高級中學」。）「新民」之意，朱注云：「言誠能一日，有以滌其舊染之污而自新，而日日新之，又日新之，不可略事間斷也」。方能生生不息，日日進步，故曰：「日新又新，共躋大同」。

在校三年印象最深刻的就是導師王心平，也教班上國文，他要求同學熟背文言文及每週書寫週記，這使作者日後在寫作方面，文路思慮逐漸暢通之原因。學校重視學生表達能力、品德操守，在田徑、珠算、樂隊等活動，積極倡導，頗具盛名。作者很感謝學校每學期頒予之優秀同學「獎學金」，對家境不是寬裕的作者來說，的確助益不少。畢業前夕，在台北彰化銀行擔任經理大舅許傳水已幫作者謀得銀行員職位，奈何天不從願，毅然投筆從戎啦！二〇〇六年新民建校七十週年，應邀撰寫一篇祝賀大慶感言，原文如下：

一九五五年五月自母校畢業迄今，已屆五十個年頭，由少年、青年、壯年步入「長春」歲月。憶及在校三年，高級部第一屆同學只有一班。當時校外各種活動較頻繁，諸如慶典節日參加遊行，慶祝「樂隊」之吹奏；暑假救國團舉辦「戰鬥營」之遴選參與；軍中「服務隊」之組成；全省、全市「運動會」之組隊；全國「珠算」比賽以及「演講」比賽等等，不勝枚舉，皆由本班同學擔任骨幹，可以說每位同學至少任選一項，二至三項同學，大有人在。雖然人少，我們皆採「精兵」策略，同學們的共同信念只有：「發揮潛能，竭智進取，為校爭光！」的確，同學們在校外的活動，受到相關部門與社會之肯定、讚揚。

校外生活之餘，同學們仍然勤勉讀書，進德修業。個人特別要感念師長的教誨不倦與諄諄培育，師長平日付出的心血，沒有白費，已開花結果，從嫩幼的心智，漸趨茁壯、堅強。僅提出七項「精進作為」和全校教職員生共同勗勉：

第一、五育均衡發展

一位健全的學生，要在「身心靈」方面求得平衡，若只在「智能」上獲得心願，而偏廢了其他「四育」，不健全的途徑，或許就產生人格差異的行為。因為短視近利，無法在社會上立足，自然受到周邊人群之歧視。重視「五育」的發展，必使學生釐清觀念、心態穩正、肯定自我、和諧相處、提升視野等積極性作用。衡盱現今社會，強調EQ甚於IQ，未來在社會上出人頭地，有為有守的是能分辨是非、尊倫理、講修睦、重誠信、識務實的青年。

第二、加強外文學習

同學在校，「國文」是所有學科的基石，白話文之外，對文言文要熟背，了解每句的「解釋」意義。作文更不可荒廢，各大報的社論、短評、每日精讀，剪貼參考備用。

學校開設之英文與日文課程，非常適應現今之潮流。不是英日文班之同學，每週學校均排定有英文課，不可有應付「逃避」之心裡。老師對英文基礎不足之同學，能從「音標」再教起，不斷複習，那真是「功德無量。」會因標同學自己就能查字典，奠定良好的發音，可逐步達到「自修靠己」的勝任心理。學好外文，「多聽、多講、多寫、多看」為不二法門，同學務必要求自己，至少背熟「一百篇著名短文」，絕對有所助益！

第三、充分運用電腦

在這個資訊發達的世界，每位同學都要會使用電腦，要把每晚守在電視「連續劇」的無謂時間，拿來學習電腦，不但開啟宏觀國際的資訊之門，還可使人快樂而舒暢的做一位網路「游俠」，優遊自在，活化「腦急轉」增進「腦智庫」。同學需要所獲得的資訊（料），就可隨時從電腦中覓尋得到。電腦時代的來臨，是大家都應必備的有效工具。

第四、廣泛利用圖書館

學校圖書館美輪美奐、環境舒適、座位清幽、光線充足，目前圖書儲藏量已達七萬餘冊，並逐年添購新書。圖書不是陳列好看，同學要善自安排，利用午修或自習時間前往閱覽、收集相關資料，在校三（或六）年期間，對增進智識與人生閱歷，俾益不少。圖書館的幾位服務人員（老而美），樂於助人，親切照拂，同學上那裡，彷佛置身於「溫情滿室的書香。」學校每一學期可舉辦課外書本心得寫作比賽，一則增添同學求知興趣，另一則激勵同學寫作技巧。

第五、師生情感交流

據權威調查，一般學生在校較聽從老師的教誨，對其父母的訓誡常成「耳邊風」。老師除了「傳道授業」之外，應隨機灌輸「做人處世」的道理。老師如能定期或不定期作「家庭訪問」，亦可隨時以電話聯繫，讓「老（導）師、家長和學生」三合一緊密結合，相互交換教學，管教等現實問題，期使學生之行動，從被「呵護」到「自立自強」；讀書「被動」進而「主動」；人際關係「推己」而「及人」。學校的使命何其重大，師生的情誼維持不墜，胥賴三信心建立。培養正常高尚的人品，直間接使社會上不良的風氣與惡習，為之丕變。

第六、配合社區活動

「遠親不如近鄰」，學校宜不時跟附近社區（團）保持緊密協調、聯繫、支援工作，社教活動功能及興衰與否，肯定與學校之貢獻息息相關。校區景色綺麗，清晨民眾入內，「賞花覽樹」、「活動筋骨」、「靜心養氣」，皆是民眾的一大福緣。學校開辦的各種社區課程，已由「量晉階到質」的境域，其聲名逐漸傳開，獲得社會上的佳評。

第七、珍惜個人生命

「身體髮膚，受之父母」，應時時念念「孝道」感恩雙親養（培）育之深，進而反哺回饋之心。人生不如意事，十之八九，一路上有順境亦有逆境，所謂「行行出狀元」，這一條路走不通，我們另尋找他路途。年輕人最怕「遇挫折就退縮灰心喪志，沒有再起的勇氣。」做任何事要「有始有終，勇往直前」，從那裡跌倒，就從那裡奮起。「生命誠可貴，自虐不可取」，珍惜自己，堅定信念，建立正確人生觀，絕不受世俗物慾情色所誘惑、羈絆。

綜上所言，就校友的一份子，提出個人的意見，不周之處，敬請母校師長指正。「今日學生不能以學校為榮，但願日後學校能以同學為傲。」人生的歷程漫長，只要「勤能補拙，厚植實力」，將來在社會上必能一較長短，出人頭地，機會掌握在同學雙手，前景光明靠同學的戮力不懈！

欣逢母校建校七十周年大慶，虔誠祝福「校務昌隆，綿延不息」；全校師長「春風化雨，吾愛吾師」；全體同學「學業精進、身心愉快」！

〈林恒雄校友，本校高商第一屆畢業，政戰學校畢業隨即參加八二三砲戰，歷任駐越南、高棉、軍事顧問，及瓜地馬拉軍事顧問團團長，政治作戰學校教育長，於副校長任內退休，將畢生榮獲勳獎章致贈母校留念，現存校使館〉。

「二二八」不幸事件

「二二八」事件是於一九四七年二月二十七日至五月十六日發生的事件。二月二十七日因專賣局查緝員在台北市查輯私煙時，不當使用公權力所造成民眾死傷，引起二十八日的陳抗傷亡，更擴及後續民眾大規模反抗政府與攻擊官署。事件中，本省人對外省人報復攻擊，國民政府派遣軍隊逮捕與鎮壓民眾。長期在日本統治下的台灣人民，對於中國的社會風氣、生活習慣等缺乏瞭解，見到來台人員的言行之後，由原本的滿懷期望轉變成失望，又因部分人員的法紀觀念不佳而發生違法犯紀情事，與台灣日治時期的軍政效率、治安狀況，形成明顯對比，使得人民對長官公署甚為反感。正當「中日交替」之際，政策不明、經濟通膨、民眾失業等不利環境之下，導致官民關係愈趨惡劣，終因一起緝煙血案而引發民怨爆發。

二月二十七日查緝員在台北市天馬茶房前查緝私煙，因不當使用公權力造成民眾一死一傷，成為事件導火線。隔天大批民眾前往行政長官公署前廣場示威請願，遭公署警衛開槍掃射，使原先的請願運動轉變成反抗政府行動，蔓延至各地，至三月六日外省人受波及，遭民眾攻擊傷亡，依四月二十五日警備總司令部統計，造成外省人死亡五十二名、受傷一千三百六十四名，失蹤十人；又據監察委員楊亮功「二二八事件調查報告」，指出外省人死一百四十七名、傷一千三百六十四名。事件期間各地組織民兵進行武裝抗爭，以台中一帶謝雪紅（註十）領導的「二七部隊」較具規模，雖然地方士紳組成二二八事件處理委員會與行政長官陳儀（註十一）協商談判後，各地衝突稍緩，陳儀仍請求時任國民政府主席蔣中正自中國大陸調派軍隊增援。因原在台第六十二軍於一九四八年十月奉令馳援錦州參與遼瀋會戰，故當事變爆發時，台灣兵力空虛，緊急調派第二十一師於三月八日陸續抵達台灣，展開武力鎮壓，造成眾多人民傷亡，根據行政院《二二八事件研究報告》，總計死亡人數有一萬八千人至二萬八千人左右。陳儀於三月二十四日向中央政府請求派大軍以平怨氣時，中央雖訓令陳儀及軍隊不得報復，並派國防部長白崇禧宣導禁止軍警濫殺無辜。但下層未遵照指示，導致傷亡慘重，使台灣人對中國感到失望，成為後來台獨運動興起及族群對立衝突的主要原因。一九九五年總統李登輝公開向二二八事件受難者家屬道歉，各地亦為受難者建立紀念碑與紀念園區。政府將二月二十八日訂定為和平紀念日，建碑並對受難者家屬賠償與恢復名譽。

二二八事件發生時，先父服務於潭子糖廠（已改台中加工區），全家住糖廠宿舍。糖廠本身配有警衛二十四小時守衛及巡邏廠內之安全維護。作者窺見台中農學院學生，分多批多次，前來向警衛室借取槍彈；在街上遇有不會說閩南語（台灣話）人士，不分青紅皂白就毆打或拖曳，血流滿地，不忍卒睹，在個人年幼心靈上泛起憐憫之心，自感無力制止，同胞之間殘殺，令人不寒而慄。今日政治人物應引以為戒，絕不可因政黨利益與糾葛，肆殺無辜百姓。台灣號稱自由、民主、人權之聖地，主要居住在台灣的公民（Citizen），彼此相互尊重，多包容、多諒解；人人以同理心、慈悲心誠懇對待，期使溫暖滿人間瀰漫在台灣各個角落！

中共諜報員潛伏在台

二〇一九年五月二十五日，九十多位中共黨史、軍史、隱藏戰線的專家學者和其後代的代表，在人民大會廳「台灣廳」，參加大陸人民出版社發行《尋我父親-劉光典烈士的紅色足跡》座談會。劉光典的兒子劉玉平，揭露一段鮮為人知的中共地下黨活動史，這也是大陸首部經審批公開發行，反映在台隱蔽戰線人員生活的作品。劉員一九四七年加入中國共產黨，投入情報工作。

在一九四九年前後，中共情報部門向台灣潛派一千五百人共諜，不過在一九五〇年代被我國政府破獲共諜組織，大批諜報人員遭處決，而劉員逃竄南部內門鄉躲藏。劉員曾把情報放進煙盒裡帶出封鎖線，也曾開設藥房，以此為掩護從事地下情報工作。直至一九五四年被捕獲，於一九五九年由軍法三審死刑定讞，在安坑刑場槍決，妻子王素蓮在三十二歲而立之年在大陸遭受巨大壓力，就抑鬱而終，中共官方直到二〇〇八年才追贈劉光典「革命烈士」封號。

五十年代兩岸諜戰史，當年中共在台的地下網線，遍及各個階層和領域，如時任基隆中學校長鍾浩東及國防部參謀次長吳石（註十二）等，都是地下黨成員。鍾員於一九五〇年十月十四日在馬場町刑場被槍決，而吳石中將於一九五〇年六月十日槍決，最後誰能料到高階將領，竟然是中共地下組織的「密使一號」。中共國安部是國務院組成部門之一，是中共的反間諜機關和政治保衛機關，也是官方唯一對外公開承認的情報機構（註十三）。

「居家照護」中風母親

先父於一九九六年十一月十五日，走完了八十四載辛苦歲月，作者痛心疾首，未能盡到人子之孝，抱憾不已！下面述說慈母中風時，作者「居家照護」之過程：

一、慈母病症緣起

一九八九年寒冬歲末夜晚，慈母驟然中風，經送院治療，即不良於行，唯尚能自行起臥，以湯匙用餐，大小便在床邊設置自動化馬桶，不需全天候照料，每天由大妹前來數次照應。一九九六年第二次中風，情況嚴重，除了左手稍可動彈之外，諸如扶身、躺臥、三餐、洗澡、換尿褲等，均需人照護。作者有感「反哺須及時，報恩在今朝」的使命感，提前四年自黎明公司退休，獨自承擔照護慈母責任。內子因長年身體違和，體恤她囑咐專心治療，心無旁騖。

二、照護慈母之要領

（一）下定決心，無怨無悔：

1.照護是一項長期的「抗戰」，必須妥處自我心理建設，不聽信旁人閒言閒語，「孝」之所在，勇往直前。若遇到挫折就心灰意懶，沒有「愛心、耐心和信心」，是無法負起神聖的照護工作。

2.能常相左右慈母身伴，侍奉照料，為人之子應盡之義務；再累、再苦，甘之如飴。不必怨天尤人，因緣聚合，天理自在，公道自有定論。

（二）飲食定量，新鮮可口：

1.三餐定時—早餐七時，午餐十二時，晚餐六時。除早餐以奶粉、麥片粉加吐司配低脂牛油、果醬外，午晚餐均以地瓜稀飯裝填八成碗餵食。慈母從無食慾不振現象。營養量以一週單位來考量，不必當天齊備所有營養量。

2.慈母因無法裝假牙，菜餚較難選擇。盡量以較軟質性佐食，如魚類、肉醬（鬆）、豆腐、蒸蛋、紫菜醬、茄子、瓜類、麻薏、排骨湯、各種菜湯類等。

3.在三餐之間，再以各類水果打汁或提供蓮藕粉、仙草、愛玉、果凍、布丁、蛋糕等飲食。

4.為使排便暢通，每日充分攝取水分外，另以香蕉、木瓜、蜂蜜、花生醬、杏仁露、養樂多、榴蓮、水蜜桃、自製烏梅等，相互輪換佐食。

5.據林口長庚醫院直腸外科，主治醫師謝寶秀專業看法：「一星期排便兩次以上，都是可接受的，不一定每天上大號不可。」

(三) 穿著寬鬆，被褥常曬：

1.穿著以樸素、舒適為主，衣褲「寧寬勿窄」，否則影響末梢血管的循環。

2.配合慈母淋浴時，將被褥、床單、枕頭套等床具，清洗曬太陽，讓日光消毒，以減少黴菌滋生。睡時聞到曬過的被褥，清香撲鼻，倍感安謐溫暖。常保持皮膚表面之涼爽與乾燥，是每日要留意的。

（四）居住清幽，佈置簡潔：

1.臥室物品以日常實用為主，擺設宜定位，如太雜亂會有壓迫感，影響心情舒暢。照明光線以柔和光度為宜。

2.慈母習慣使然，不願睡電動床，仍以原有木床，鋪設不硬不軟的墊被。床具均備套，隨時可替換。

3.為調和室內氣氛，以花卉配塑膠花裝飾，會有「綠意盎然」感覺。

4.老年人最值得回憶的，一是相片，另一是昔日經常伴隨的紀念物。為了喚起慈母「回憶是甜蜜、未來是希望」的憧憬，選擇過去歲月代表性照片數幀，懸掛於牆壁上，亦可惕勵子孫「孝悌」之情。

（五）洗滌身體，活絡血液：

1.夏季每兩至三日，冬季四至五日洗澡乙次，以乳液使用。間或全身擦洗，唯水溫須比體溫高，動作應敏捷。如洗澡後仍發癢，以橄欖油、綿羊油或凡士林擦拭。切忌用肥皂。

2.視季節變化，自我充當「美容師」，將慈母頭髮留稍長或剪短，以不妨礙日常活動為原則。

3.冬天洗澡應加謹慎，感冒往往上身來，老年人抵抗力差，不能洗太久以二十分鐘為原則，若坐浴盆過久，恐有血壓上升之虞。

4.洗澡先從腳部下肢、全身，最後洗頭順序。

5.充分運用「身體機轉」原理，身體緊貼著，腰不離身，不但節省體力，肌肉、關節不致因照護而酸痛或疲倦。

（六）重視娛樂，互動親情：

1.慈母喜愛聽收音機，舉凡閩南語新聞，忠孝節義戲曲、歌仔戲、說書、國台語以及日本歌曲等，屢聽不厭，偶爾和慈母一起哼唱，狀至愉快。

2.「音樂」來源於振動，人體本身由大量振動系統構成。人體受到外界頻率的振動，會產生共振現象，有益於健康的生理活性物質，使人體保持朝氣。

3.假日聯絡兄弟妹、妯娌偕其子女，前來探視慈母，噓寒問暖或帶些慈母喜吃食物，讓慈母懷著「滿足感」，重溫親情溫馨時刻，不使慈母有被家人遺棄的感觸。

（七）健康狀態，每日記錄：

1.每日清晨起床後或晚上就寢前，將血壓、體溫、呼吸、脈搏及排便等項，逐一記錄，俾便掌握病情及作為改善照護之參考。

2.血壓：使用「電子血壓計」，既方便又容易。收縮壓高於160毫米汞柱或舒張壓高於95毫米汞柱，為高血壓；收縮壓低於90毫米汞柱或舒張壓低於50毫米汞柱，為低血壓。

3.呼吸：自然、均勻、平穩、快慢合宜，正常是一分鐘十二至二十次。

4.體溫：為安全考量，老人不要測口溫與肛溫，以腋溫較宜，夾在腋下八至十分鐘，老人體溫較低，一般是三十六至三十七度。

5.脈搏：以食指、中指（或無名指）輕輕放在手腕上，六十五歲以上，正常次數為七十至一百次。

6.排便：每日檢查「便」與「尿」的量、色澤，如三天以上沒大號，產生便秘，即要採取適當措施，以促進大腸蠕動，達到排便效果。

三、自我調適之道

（一）樂觀親切進取：

1.為了親人，心甘情願，無任何企求。由於你多付出一分辛勤的心血，你的親人，就能減少一分痛楚。若你經常扳著難看的臉色，將帶給親人內心的憂傷。常面帶笑容，對親人是一種無形的良藥。

2.日子總得過，不能沮喪，不可退縮，抱著「珍愛眼前，期望明天」的心懷，勇敢堅毅的走下去。

（二）吸收護理知識：

1.我們日夜照護所累積的一些經驗，如何配合相關「照護書籍」與「護理影帶」，加以印證，會使照護知識和技巧，更加熟練，對照護親人必能勝任有加。

2.「老人要俟機訓練」這是非常重要的新觀念《新世紀老人照護》乙書，日本紅十字會醫療中心主編，漢欣公司一九九八年元月出版，尤其功能逐漸退化的老人，藉由訓練，可改善老人的依賴性，預防併發症，使老人「活得更健康，更有活力。」過分的幫助，將削弱老年人的生活能力。

3.適時剪輯有關「保健常識」文章，作為照護慈母及自我保健之參用。

（三）充實精神食糧：

1.每日閱讀報章雜誌，以啟迪心智，增廣見聞。另如，四書讀本、勵志養性、人生哲學、生死觀等書籍，抽空瀏覽，對待人處事及人生看法，皆有正面幫助。

2.「溫故與知新」是促使腦力激盪的有效方法，將心智能力盡致發揮，以免腦力退化或衍生疾病。

(四) 鍛鍊強健體魄：

1.每日清晨五時三十分，參加舊社公園「太極氣功」，藉吐納和呼吸，將體內不潔之氣，排除出去，強化器官運動，協調人體內分泌與血液循環。

2.每晚八時散步四十分鐘，除可增建骨質，幫助消化，亦可思維和檢討照護之得失及作自我反省。

3.每週一、三、五上午九時至十時三十分至「鄉村俱樂部」游泳一千公尺，以促進新陳代謝，增進細胞的活力與心肺功能。

4.每年定期至台中榮總體檢，預防勝於治療，唯有健康的身體才能負荷艱巨的照護工作。

5.養身保健貴在「中庸」，宜量力而為。多數人以為運動要留很多汗，這點值得探討。

（五）保持親友訊息：

主動和至親好友電話聊談，彼此了解生活近況，訴懷衷情並藉機將照護情形和對方交換意見，讓親友從內心產生「將心比心」情境，進而發出「共鳴」心聲，願意來關懷與慰勉。否則自我劃線，關閉心扉，更加孤僻，易走極端。

四、補強措施

1.始終保持「冷靜、沈穩、毅力」的心境，切忌「心煩、氣躁、性烈」，否則減低照護工作品質，反而造成親人的傷感。

2.飲食講求「質與量」的均衡，盡量符合熱量的攝取，以及空腹的時間求均衡，做好「體內環保」。

3.視氣候狀況，推出戶外，讓慈母更能「心曠神怡，如沐春風」。

4.自我安排休閒旅遊，做到「短暫的休息，要走更遠路」的目標。

以上所述，謹將六年來的實際照護與個人淺見，予以告白，願以下列三句話與「居家照護」大德共勉：

不要推卸－義不容辭的擔當！

不可悲情－積極樂觀的面對人生！

不應侷限－走出社會，結合人群！

人生不如意事，十常八九，個人照護慈母之心，一直堅定執著，從未懈怠。矢志只要慈母在世一天，就竭盡心力予以照護。慈母總有一天要離我而去，屆時我會低沈告訴慈母：「慈愛的母親，安息吧！不孝的兒子已盡力了！」（慈母於二〇〇三年八月六日辭世，享年八十八歲）母親如同暖陽，如同甘露，照耀著我們，滋養著我們，呵護著我們，我們無法報答於萬一。

退休後家庭生活

小兒建邦高中畢業，於一九八七年五月步入鳳山陸軍官校，在接受三個月軍官養成教育期間，作者夫婦曾陪同父親赴官校探視。南部夏季異常酷熱，建邦從小一直住在中北部，有幾次野外課訓練，不經意流了鼻血，還好經過一段時日，逐漸適應當地氣候，身體也黝黑結實壯碩起來。父親對孫子建邦寄予厚望，經常寫信去勉勵打氣。作者書櫃內還留藏著當年父親寫給建邦的多封信札，每封信字體端正、文筆順暢，字裡行間流露著爺爺對孫子無比的關愛與期許。有一封五月二十日父親的筆跡，特予以披載：

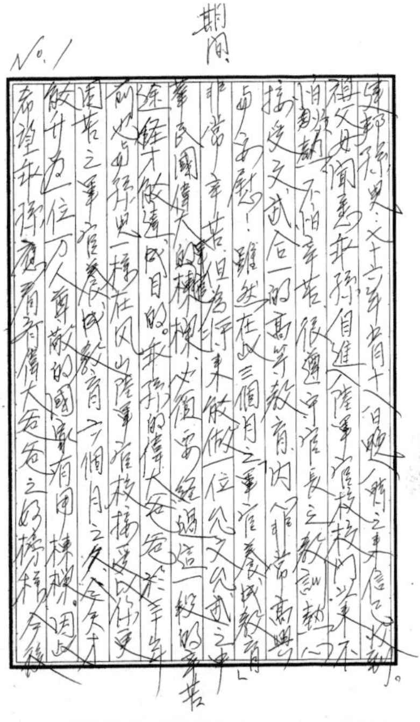

No. 1　期間

建邦孫兒：七十六年五月十一日晚八時之來信已收到。祖父母聞悉我孫自進入陸軍官校校門以來，不但不怕辛苦，很適應官校長之教訓，勤心接受文武合一的高等教育，內心非常高興與安慰！雖然在此三個月之軍官養成教育非常辛苦，但為將來做一位允文允武之中華民國偉大的棟樑，必須要經過這一段的辛苦途徑才能達成目的。我孫的偉大爸爸，於三十年前也與我孫一樣在鳳山陸軍官校接受此項軍官養成教育三個月之久，今天才能升為一位令人尊敬的國家有用棟樑。因此希望我孫應向偉大爸爸之好榜樣，今後

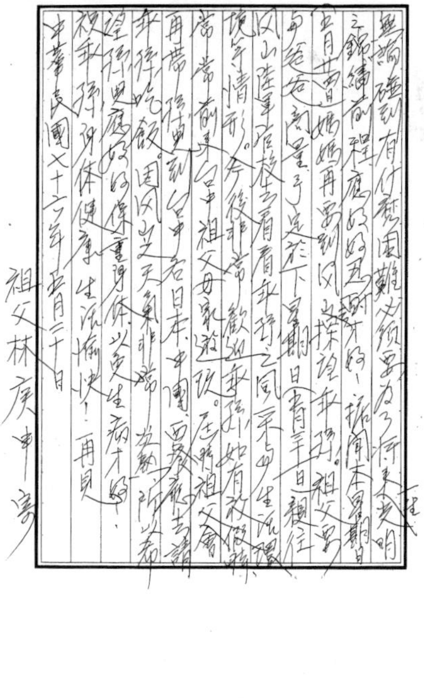

無論碰到有什麼困難，必須要忍耐下去，未來光明之錦繡前程，應好好把握。祖父母於本月廿五日媽媽再次到鳳山探望我孫，祖父母亦想與媽媽同去，並於下星期日親往鳳山陸軍官校去看看我孫之同學們生活環境等情形。今後非常歡迎我孫假如有放假時常常前來台中祖父母家遊玩。屆時祖父母會再帶孫兒到台中名日本、中國、西餐飯店去請我孫吃飯。因鳳山之天氣非常炎熱，所以希望我孫更應好好保重身體，以免生病才好。祝我孫身體健康，生活愉快！再見

中華民國七十六年五月二十日

祖父林庚申寫

同年六月十六日是陸官校建校六十三週年，我們受邀座在家長席上，看到官校學生壯盛軍容，整齊劃一隊伍，分列式、刺槍術及枕木操、鼓號隊等操作，均十分精彩，父親頭一次參加盛會，格外興奮，頻頻點頭讚賞不已。

目前建邦育有兩女，姊姊祐萱中山大學畢業，在澳洲工作；妹妹祐嫻就讀高

雄餐飲大學二年級，媳婦玟琪服務高雄電訊局。建邦夫婦一向嗜好咖啡，半年前在居家附近開了一家咖啡店，圓了他兩平生的宿願。女兒芬蘭經國學院畢業，現擔任幼保老師，女婿李松吉在桃勤工作，育有兩子，長男信樺就讀宜蘭佛光大學二年級，次男信誼南山高中三年級，從他的口中意會明年想去報考軍校。建邦和芬蘭各有美滿甜蜜的小家庭，兒孫雖然不是很俊秀，尚能知書達禮，做好本身份內工作。目前青年男女生育意願極低，據「世界人口綜述」（World Popalation Review）網站預估二〇一九年各國生育率排名，在全球兩百個國家中，台灣敬陪末座，平均每位婦女僅生下一點二一八個孩子，引發國人關注。

內子這三年來，每週一、三、五上午到「忠祥醫院」洗腎，在醫生、護理「視病如親」悉心照療下，身體仍能維持穩定，真要感謝政府德政，若沒有健保良好制度，洗腎患者，大都付不起龐大醫料費用，我們要知福、惜福呀！台灣是洗腎「王國」，洗腎人數高達八萬五千人，世界第一，令人驚悚。

說到洗腎，就是「血液透析」，患有尿毒症的人，腎臟功能變差或喪失，無法將體內代謝產生廢物、水分排出體外，必須靠「洗腎」來將尿毒素、水份排出體外，以減輕尿毒症狀，身體就會感覺較舒服。洗腎可延長生命，有些病患洗腎超過十年以上，要有信心和耐心，一樣能過正常和健康的生活。

作者第二學年每週除了星期二不上課外，餘每天都要到校，第三學年的上學期就可把規定的二十七個學分讀完。之後就可全心全意撰寫博士論文，期望能在後年取得文學博士學位。作者自軍中退下來，仍然保持過往有規律的生活習慣。原則上每天兩次健走，即早晨和晚餐後，就在住家咫尺的「佳和公園」，行走三十至四十分鐘，加上每週一至兩次到「錦和」游泳，保持旺盛體能與精神矍鑠。作者中和寓所一九八六年入住，佳和公園原是「自強游泳池」，怎會想到二十年後變成了公園。「泳池」與「公園」各有其優缺點，這也是新北市政府政績之一，對居民本身來講，公共設施之興建，有正面作用，老少咸宜，獨樂樂不如眾樂樂！

每天和太座上、下午在斗室泡茶，聞香與辨味、靜心與潤喉、覺受與茶氣，彷彿是那麼的平和清雅，氣衝百會，以自然不拘不束悠閒身處，茗品茶香，再配些可口點心，談不上什麼茶道之流，只沈浸於「有茶的人生」，卻是多麼的快活自在。

「風蕭蕭兮雲起，雲颯颯兮葉落，壯士一去已不復還」。戰爭年間的恩怨情仇，硝煙激情都已化成雲煙。「生命之酒滴滴不斷流逝，生命之藥，一片片不斷落下」。回顧一生的因和緣、際與分，驀然回首，白髮多時故人少，去日多時來日少，只有聖潔的勇氣與真誠的熱愛，才能共生共長，共存共榮，永存人間，體現人性光輝的高貴與價值。

附註

註一：東學是朝鮮王朝時期的宋明理學思想體系，於一八六〇年由慶州出身的崔濟愚（一八二四－一八六四，一八六〇年創辦東學，抵制西方宗教入侵。一八六四年三月十日被興宣大院君下令處決）創立，信奉東學的集團被稱為「東學黨」。東學與倡導西方文化的西學相對，旨在恢復朝鮮民族單一神，東學是對儒家思想的改革和復興。東學黨起義，朝鮮稱甲午農民戰爭，韓國稱東學農民運動或東學革命，是十九世紀下半葉在朝鮮發生的一次反對兩班貴族和日本等外國勢力的農民武裝起義運動，亦是中日甲午戰爭的導火線。

註二：李鴻章（一八二三年二月十五日—一九〇一年十一月七日），清朝安徽合肥人，晚清重臣，歷經討伐太平軍、平定捻軍、洋務運動、中法戰爭、甲午戰爭、義和團運動，是清朝地方武裝淮軍的創建者與領導者，並為清朝建立了一支西式海軍北洋水師。他有靈巧的外交手腕和曾國藩、左宗棠、張之洞被稱「晚清四大名臣」。

註三：伊藤博文（一八四一年十月十六日—一九〇九年十月二十六日）日本近代政治家，一八六三年進入倫敦大學學習，首任日本內閣總理大臣，明治維新元老，中日甲午戰爭策劃者，日本首任朝鮮統監府統監。一九〇九年十月二十六日，在哈爾賓火車站被安重根刺殺。安員為韓國獨立運動義兵參謀中將，因擊斃伊藤博文而被韓朝稱為「民族英雄」。

註四：《馬關條約》台灣割讓給日本，一八九五年五月二十三日，台灣人民宣告成立「台灣民主國」，推舉唐景崧為總統、丘逢甲為副總統，升起「黃虎旗」國旗，通電總理衛門表示「據為島國」的決心。五月二十九日，日軍於澳底登陸，兩營軍隊，不敵日軍，台北成無政府狀態，日軍兵不血刃的進佔台北城，六月十七日舉行「台灣始政紀念日」正式統領台灣，唐景崧當台灣民主國總統僅十三天。

註五：兒玉源太郎（一八五二年三月十六日－一九〇六年七月二十三日），台灣日治時期第四任總督，也在中央身兼數職。曾領兵參與「日俄戰爭」升為陸軍大將，擔任過文部大臣並受封伯爵。在台灣的時間很短，實際在台負責政務的是民政長官後藤新平，被稱為「兒玉後藤時代」。日本統治台灣五十年共有十九任總督，第一任為樺山資紀，海軍大將，歷任海軍大臣軍令部總長。於一八九五年五月十日到任，一八九六年六月卸任總督職位。一九四四年底身兼台灣軍司令官和第十方面軍司令官的安藤利吉，出任最後一任台灣總督。

註六：公學校，簡稱公學，是日治時期日政府開設的兒童教育學校，入學對象是台灣本島人。台灣最早的小學是艋舺公學校，今老松國小（一八九六年創建）。日本殖民政府雙軌制教育政策下，衍生出日人專屬「小學校」與台灣人專屬「公學校」的個別發展。抗戰結束，國民政府接收，將小學校與公學校改制成「國民學校」。

註七：黃南鵬（一八九九年－一九九〇年），一九四四年五月二十五日任偽北平憲兵司令兼偽憲兵學校校長，一九四五年與中共秘密聯繫，一九四五年十二月六日被國民政府軍統局逮捕，以漢奸罪判刑兩年半。一九五〇年由香港抵日本定居京都三十載，一直持中華人民共和國護照。黃員和台灣社會領袖林獻堂交往密切，反對蔣介石當局的領導，國民政府屢勸他歸台，始終遭到拒絕。一九七九年二月他回到大陸，奔波於中日之間，致力於兩岸和平統一。

註八：日本陸軍士官學校，簡稱「陸士」為日本陸軍軍官養成之學校，日語的「士官」相當於漢語的「軍官」，俗稱「將校」。該校於日本明治維新期間開辦，前身是「京都軍校」於一八七四年正式成立。蔣介石一九一〇年畢業於日本振武學校（一八六八年八月開辦）即士官預備學校第十一期。

註九：杜聰明（一八九三年八月二十五日－一九八六年二月二十五日），淡水北新庄仔人，一九二二年獲帝大醫學博士學位，成為台灣史上殊榮的首位醫學博士。一九五四年創立高雄醫學院為首任院長也是第一位台籍的台灣大學醫學院院長、台灣大學代理校長等職務。院長專心致力三項深具台灣地方特色與競爭力的主題，就是蛇毒、鴉片及中藥之研究，聞名中外。

註十：謝雪紅，原名謝氏阿女（一九〇一年十月十七日─一九七〇年十一月五日），彰化人，二七部隊抵抗國軍失敗後，轉赴廈門再轉香港。一九一九年赴日本神戶三年，學習日文與漢文。一九二五年抵上海，化名謝飛英，加入中國共產黨。一生穿越了三個不同的政權與時代，亦即日治時期、國民黨時期與中共時期。每個時期都為了共產主義的信仰與實踐，付出很大的代價。日治時期他在台發展共黨組織，被逮捕入獄，坐了八年牢。最諷刺的是，她一生所追求的共產主義理想化，卻承受了三次嚴酷的整肅鬥爭。

註十一：陳儀（一八八三年五月三日─一九五〇年六月十八日），浙江紹興人，日本陸軍大學畢業，陸軍二級上將，曾任台灣省行政長官兼警備總司令，任內發生二二八事件，為事件中爭議政治人物之一。一九五〇年陳儀與中共暗通款曲，變節投共被捕，囚於上海，隨著政局不安轉囚基隆、台北。被控「勾結中共，陰謀叛亂」，經軍法審訊總結判處死刑，一九五〇年六月十八日清晨執行槍決。

註十二：吳石（一八九六─一九五〇），福州人，在武昌預備軍官學校和保定軍官學校前後受業四年，與白崇禧為同期同學，後至日本深造畢業陸軍大學，學習軍事。抗日戰爭末期，他在重慶軍政部部長辦公室任中將主任。一九四九年八月四日，吳石接蔣中正電令即日赴台，他密召親信參謀王強，將二九八箱軍事絕密檔案，呈獻給中共解放軍。一九四九年十一月二十七日，中共女情報員朱諶之來台，吳石將我三軍戰略防禦、兵力部署等重要軍事情報的微縮膠捲，密交朱女。破案被槍決還有聯勤總部陳寶倉中將、隨員聶曦上校等六人。

註十三：國安部是中國情報與治安系統中，政府參與層面最廣的組織，針對外國做全面性諜報工作。主要職能包括情報蒐集分析、反間諜、政治保衛等，內設十八個局。國際情報局蒐集國際戰略情報；政治情報局蒐集各國政經科技情報；港澳台地區情報局，負責港澳台情報工作。

第二章　允文允武的「復興崗」

「建艦」復仇投筆從戎

海軍「太平」艦於一九五四年十一月十四日夜間在大陳海域被中共魚雷艇擊沉，包括副長宋季晃中校等二十九名官兵殉職，這是二戰以後全世界被擊沉最大的一艘軍艦，引起國際間重視。「太平」艦是二戰末期美國援贈的護航驅逐艦（DE）的第一批，有兩艘與另六艘掃雷艦合稱「八艦」，是早年海軍作戰艦艇的主力。該艦原名 DecKer 號，一九四三年從美費城場完工，長二八九、五呎，寬三十五、五呎，最大速率十八節，排水量一一四五噸，四組柴油電動引擎六千匹馬力，乘員軍官三十四人，士官兵一六六人。裝備三門五〇倍徑之三吋主砲、四門 40mm/11 門 20mm 機砲…-K 砲四座…-攻潛砲一組……深水炸彈軌二組。一九四五年八月轉贈我海軍，被擊沉時艦長為唐廷襄上校。

一九五五年初，全台各校高中職學子，紛紛請纓從軍報國，在蔣公昭示「太平艦」建艦復仇運動中，風起雲湧，簽名響應的有三萬餘人，經過層層篩選只有十分之一進入各軍事院校，作者是其中之一，同學王壽美是屏東女中高中一年級甄選來到政工幹校，接受革命洗禮。

一、精神堡壘—復興武德

一九五五年十月十日，蔣公手書賜頒「復興武德」四字，恭鐫於上。經半年的設計，與各班期同學自動捐款，得款十五萬元，於一九五六年四月二十一日舉行破土典禮。五期同學自動自發，利用上課之餘，以十字鎬、圓鍬、臉盆、簸箕等簡易克難方式，參與周邊之剷草、堆土、植樹整理工作。堡壘高十七公尺，用堅實鋼骨為柱，紅磚為牆的精神堡壘，是「復興崗」最具特色的建築，象徵著堅強正直與屹立不搖的精神堡壘。外觀壯麗、宏偉，建築共有七層，彷彿「神厲九霄、志凌千載」的氣概，巍然矗立在復興崗綠草如茵的高坡地上，它是中興復國的標幟，也是精誠團結的象徵。在倚著大屯山，藍天白雲的襯托下，受著崗上兒女的瞻仰，敦促崗上的學子，把握韶光，自我充實，做一位頂天立地的革命軍人。

二、詩情畫意的「曉園」

當你駐足其間，就可發現此處確實美得令人流連，難以忘懷。這是我們五期同學所捐獻，「曉園」曾是復興崗三日報副刊的刊頭命名，它豐富了詩情，也濃郁了畫意。坐落於國防美術館內的「曉園」，園景頗富小橋流水之緻，園內種植桃李、楓、樟及杜鵑，白色的拱橋，分隔大小兩地，池水清澈水波粼粼，錦鯉游然自得。園內花木扶疏，有石桌、石椅，配上栩栩如生雕像，或坐或站，為「曉園」憑添濃厚的藝術氣息。四季景色幽美怡人，初春杜鵑爭豔，桃李綻放，滿園芬芳；長夏濃蔭蟬鳴，格外賞心；深秋楓紅，園景染成一片金黃；無怪乎，藝術系寫生繪畫、音樂系彈琴練歌、新聞系沉思寫作、影劇系表演劇本，這都是一個啟發靈感，陶冶藝術的文化園地。

三、校長抽背國文

「讀書學習」與「準備考試」兩者不完全相等。會讀書的人或認真讀書的人，不見得能在考試時有好的表現。讀多不如讀精，能心領神會，融會貫通，知識就是你的。

校長常提到要同學涉獵：論語、孟子、莊子、老子、韓非子、墨子、荀子及亞里斯多德「倫理學」、柏拉圖「共和國」、盧梭「社約論」、約翰·穆勒「自由論」、洛克「政府論」、馬基維里「霸術論」等中外人本、政治、哲學、學術思想史名人的著作。校長對國文尤其重視，曾對同學說：「熟讀唐詩三百首，不會做詩也會吟」。懇切強調：「國文是發揮中華文化的精髓，是個人學問百業的基礎，是傳情達意的必備條件，也是口誅筆伐的必要工具」，激勵同學精讀國文課本，走在時代尖端。校長強烈要求同學要能背誦「古文觀止」三十篇以上，規定各隊職幹部嚴格執行，於晚上自習時間逐一背誦；對不熟練的同學，星期假日禁足，不准放假外出，留在校苦讀「再教育」。起初，同學議論紛紛，認為背誦國文心理負擔重，但久而久之就習以為常啦！

校長為落實背誦國文起見，每學期集合五期全體同學，在中正堂驗收成果，舉行國文背誦總驗收，抽籤十位同學上台背誦。看到同學如坐針氈、屏氣以待，琅琅上口，倒背如流者，當場獲得校長獎賞「派克鋼筆」乙隻，三小時下來，在緊張中也有輕鬆的一面。

四、溫文儒雅 張釗嘉

釗嘉一九六四年出生於山明水秀的南投縣埔里鎮。高中負笈北上就讀師大附中，隨後分別取得台大政治系、淡大歐洲研究所碩士及文化大學中山學術研究所博士學位。一九八九年他是三十九期預官，在學校訓導處文宣科服務，主要職責為接待外賓、發佈新聞與公共關係聯繫等，尤其對三軍五校聯合畢業典禮專案之策劃與各校之密切協調聯絡，均能主動積極，勇於任事，圓滿達成賦予任務。他在學校工作兩年，在長官心目中是一位純樸篤實，有為有守幹部；同仁之間，更是樂於助人，親和力的優秀參謀。在他役畢之後，學校特聘他擔任社工系教職，以他學有專精，培育後進，頗受學生愛戴、欽佩。

釗嘉夫人秋慧，懿德賢淑，交大經營管理研究所取得博士後，在世新大學管理學院任教。育有一子育誠、一女馨方，家庭溫暖美滿。釗嘉於一九九四年錄取公務人員高考進入台北市政府研考會，擔任專門委員。公餘之暇，曾於多所公私立大學兼任教職，目前於國立海洋大學兼任副教授。

本校創辦人 蔣經國

蔣經國（一九一〇年四月二十七日—一九八八年元月十三日）字建豐，第六、七任中華民國總統。奉先總統蔣中正之命，記取大陸戰亂失敗的教訓，在台灣進行政工制度的改制；經國先生認為，政工制度是為統一部隊意志，鞏固部隊團結，強化部隊戰力，為爭取戰爭勝利、復國成功而存在的一個制度。

初期在淡水蓬萊閣（後改名成功閣），調訓國軍營級以上現職政工幹部，施以短期訓練，成效卓著，惟經國先生認為，仍不足以滿足未來達成復國建國使命所需，在一九五一年七月一日於台北市北投競馬場（即今之復興崗），創建政工幹部學校（一九七〇年十月三十一日改名政治作戰學校），以培養思想正確、品德健全、能奮鬥、肯犧牲之忠貞革命鬥士，全面提高政工幹部素質並落實革新政治訓練，經過多年的整軍經武，銳意建設，遂有今日政戰的宏規。

一九五八年四月五日於本校教育會議上剴切指示：

「我們愈是在國家危機困難的時候，教育愈是重要，傳道的工作，講道的工作，行道的工作，比什麼都重要，從這個立場來看，政工幹部學校的教育，就是關係國家危急存亡的教育。關於教育的方法，簡單的講：第一、要做到教育的系統性與計劃性。第二、要注意到教育的聯繫性。第三、不能馬馬虎虎，應該把所有問題都弄清楚，幹部學校的學生，離開學校的時候，在腦筋裡不能有一個問號。第四、要注意日常生活為學生解決個人困難，要養成這種風氣，使得學生離開學校以後，把這種風氣帶到部隊去，去對待士兵。第五、集體教育與個別教育，我認為個別教育比集體教育更重要，希望以後要多注意到個別教育。」

經國先生平易表現其作之君、作之親的風範，細微呈現經國先生真誠、嚴格、樸實、可親的性格。這些可從主持學生早晚點名、檢查武器、內務、服儀、共同進餐、吃復興鍋，督導自學等生活細節與要求上得見；既使熄燈號吹過後，也要逐房察看學生的寢室，被子有無蓋好，點點滴滴都使學生銘記在心，永生難忘。經國先生有許多激勵國人的「名言」，僅舉數則列述如下：（一）沒有擔當大任的勇氣，不會有忍受一切苦痛，甘之如飴的修養（二）沒有勇氣改造自己缺點和錯誤的人，是不恥的懦夫（三）有成就的人，不要忘記一件事，就是要有勇氣和決心來戰勝自己（四）那個有勇氣、那個有決心、那個貪生怕死、那個不能吃苦耐勞，都要在今天試驗出來（五）我在台灣居住、工作四十年，我是台灣人，我也是中國人。

政戰學校教育使命

一、復興崗的命名

本校成立之初，原取「自覺覺人」之義，以「覺村」為校區名稱。一九五二年四月，為賦予積極創造精神，乃正名為「復興崗」。在正式命名之初，曾提出「復興崗」、「梅花崗」、「勾踐崗」三名，交由全體官生討論，結果咸認「復興崗」為佳，經由總政治部主任蔣經國確認。同年八月，經國先生對官生訓話：「政工幹校就是革命政工基地，我們之所以稱學校所在地為『復興崗』，實有很大的價值與歷史意義，因為我們要在此訓練復興的幹部，復興我們的國家」。而學校陸續有勾踐堂、光武堂、田單堂、復興樓、光華樓，更是在在彰顯復興之意。

二、復興崗精神

絕對性信仰主義
無條件服從領袖
不保留自我犧牲
極嚴格執行命令

三、復興崗校風

（一）培養驚天動地的革命氣魄　發揮埋頭苦幹的實踐精神
（二）以國家興亡為己任　置個人死生於度外

（三）為往聖繼絕學　為萬世開太平

（四）重氣節　負責任　辨生死　知廉恥

四、國軍幹部信條

冒人家所不敢冒的險

吃人家所不能吃的苦

負人家所不肯負的責

忍人家所不願忍的氣

五、教育歷程與目標

一九五〇年三月一日，蔣中正先生在台復行視事，檢討大陸戰亂軍事作戰失利之根本因素，認為：「政治工作是軍隊的靈魂，是軍中的精神力量根源，要整軍建軍，政工制度之改革、優秀政工幹部之培訓為其先務」。四月一日將政工局改為總政治部，任命蔣經國為總政治部主任，積極展開政工改制工作。

一九五一年七月一日，國防部核定正式成立政工幹部學校，校址初設於淡水成功閣，後改遷北投日治時代之競馬場，並改名為「復興崗」；一九五二年元月六日，蔣中正蒞臨主持第一期學生開學典禮。自此，政工幹校成為國內傳承民族文化與革命力量的策源地。

建設初期設研究班、本科班及業科班，教育期限一年六個月，一九五六年本科班改制為三年制專科部，復於一九五九年奉核定改制為四年制大學教育，設政治、新聞、音樂、藝術、影劇、體育等六個學系；一九六八年七月，軍法學校併入改設法律學系；一九六九年三月，國防語文學校併入，成立外文系（外國語文學系，分德、法、英、俄、西文五組）；一九八二年成立心理系、社會工作學系、中文系。一九六八年十一月成立政治研究所，設三民主義、國際共黨、政治作戰等三個研究組，一九八三年成立政治研究所博士班。

一九七〇年十月三十一日，配合各級政戰機構統一改稱，更名為「政治作戰學校」，一九九七年配合國軍精簡政策，中文系、體育系、外文系所停止招生；二〇〇二年音樂系、藝術系、影劇系合併為藝術系，二〇〇六年調設應用藝術學系。同年九月一日起，改隸國防大學，更名為「政治作戰學院」，學系精簡為政治、新聞、心裡及社工、應用藝術等四個學系，政治學系設有政治研究所博士班、碩士班（分政治研究組與中共解放軍研究組），新聞學系、心裡及社會工作學系亦設有碩士班。政戰學院除成為培育三軍政治作戰幹部的搖籃，並成為國軍政戰制度理論與實務研究之學術殿堂。

昔政工幹校創校初始，校長王昇將軍就曾擬定各學系的教育目標：

政治學系——背起人本政治的十字架，邁向倫理、民主、科學的天堂。

新聞學系——秉春秋之筆，嚴善惡之辨。

音樂學系——唱出正義的心聲，激起人道的共鳴。

藝術學系——蘸起眼淚和血淚，繪畫出完美大同的世界。

影劇學系——將仁愛做成舞台的麵包，去餵飽人類飢餓的靈魂。

體育學系——鍛鍊鋼鐵般的臂膀，拯救水深火熱中的人群。

法律學系——摘奸發伏，鞏固戰力，明慎於獄，刑期無刑。

外文學系——作中外橋標，為國家喉舌。

六、共同願景與發展策略

1. **共同願景**：成為國內、外軍事社會之專業學府，提供國軍及社會高品質的服務。

2. **核心價值**：愛國、誠實、榮譽、關懷、奉獻、創新。

3. **教育宗旨**：培育允文允武，具有政治作戰專業、人文關懷理念及軍事社會科學素養之忠貞國軍幹部，厚植精神戰力，發揮「團結三軍、戰勝敵人」之功能。

4. **教育目標**：

①型塑具心輔、文宣、心戰、軍聞、民事等專業知能之政戰幹部，培育文武合一，術德兼修的現代國軍軍官。

②重視人文關懷，實踐誠實校風，貫徹榮譽制度，充實學識知能，以強化學員生思辨能力，落實本校核心價值。

③建立學習型校園，增進校（國）際學術合作交流，發揮本校軍事社會科學優質、研究能量，厚植國軍精神戰力。

④培養學生具備領導管理、輔導服務、溝通協調、解決問題、研究分析、思辨創造、團隊合作等七項能力，成為稱職的政戰幹部。

5. **發展策略：**

①務實與靈活之博雅教學

②宏觀與前瞻之學術研究

③熱誠與充沛之專業服務

④主動與整合之行政效能

⑤和諧與關懷之校園文化

永遠的校長　王昇

王昇（一九一五年—二〇〇六年）字化行，人稱化公，江西省龍南縣人，父培貴乃地方仕紳，公正、廉能、勤儉，以棉花加工為生；母劉薈英女士，操勞家事。一九三九年考取戰地幹部訓練團（簡稱戰幹團），後改制為中央軍校第三分校第十六期，三分校畢業遴選至赤珠嶺受訓，與蔣經國師生關係，於焉開始，證實了「許多事實的偶然，造成歷史的必然」。他以第一名畢業，被指派到蔣經國專員公署服務。一九四四年考取中央幹校研究部第一期，同年入政工班受訓。一九四九年十一月從成都飛海南島轉臺北，一九五〇年九月蔣經國調王昇擔任總政治部第一組上校副組長並兼任「淡水訓練班」駐班副主任。思考長期培養政工幹部構想，擬提政工幹部學校創校計劃，獲經國先生原則支持。一九五一年七月一日政工幹部學校奉准成立，任訓導處上校處長，其間一人一物、一草一木、淚汗交織，蓽路藍縷都全程參與，和官員生兵的感情更加彌篤。一九五三年升任少將教育長，六月派兼「石牌訓練班」副主任，經國先生派任目的，在於人事工作整合與重建。一九五五年十二月一日升任少將校長，任期至一九六〇年五月十六日，歷時四年又五個半月，期間著有重大績效為：(一)研究爭取政工幹校改制。一九五六年十一月獲教育部核定為二年制專科教育，一九六〇年三月核定為四年大學教育，為政工教育學制奠定基礎(二)研究政治作戰理論，將政治作戰分類定位為六大戰，分別是思想戰、情報戰、心理戰、謀略戰、組織戰、群眾戰，正式建立政治作戰理論體系(三)同年四月完成「政治作戰概論」初稿並出版。

學校成立於國家危難之時，政府財政支絀，經費來源困難，國軍員額凍結，校長秉承經國先生的理念，數度折衝，幾經波折，終於克服編制、經費及師資三大問題。在校十年期間，縝密擘劃，宵旰忠勤，擴招班隊，建立制度，以求實求精的態度，強化師資，充實設備，整建校區，編纂教材，創設政治作戰研究班，確立基礎、進修、深造三階段的完整學制；學生受業內容，教育部同意授予學位，使政工教育由政工專業訓練，進至政治作戰的戰略層次，有助於國軍整體戰力的提升，對堅定官兵信仰、保持部隊純潔、維護部隊長威信、作官兵橋梁、官兵福利服務品質，做到了實質的貢獻與發揮深遠的影響。

校長的源頭活水，就是不斷自我進修、不斷用功研究，他要求自己每個月精讀一本新書，每天早晨要早讀一小時，把握一切機會，虛心虔誠地向方東美、錢穆諸著名學者請益。曾經「詮釋三個不同的時與勢」作詩：

第一首是年輕時「投筆從戎述志」，響應蔣公「一寸山河一寸血，十萬青年十萬軍」，離家報國的壯志激烈：

讀書未竟蘇洵志，別闖難為張敞心；

一寸山河一村血，肺腑深處話從軍。

第二首「旅途讀史抒懷」，這是他考取中央政校第一期，在途中讀史書的感懷：

「志士淚難乾的命運」：

史篇讀罷意闌珊，昂首蒼冥星斗寒；
千古忠貞齊被妒，好教志士淚難乾。

第三首是他在大陸開放後，「返鄉掃墓記情」，藏有多少難訴之苦與難言之隱：

回鄉掃墓淚滿襟，祭祠何須論假真；
不敢塋前訴家事，九泉猶想累親心。

「復興崗」在華路藍縷中創建，歷經艱難困苦的歲月，始有今日燦然的成果。「十年十木，百年樹人」，校長對教育的重視、對人才的培養提拔，十分令人感動，在我們學生心目中，校長是一位不同凡響的教育家。在他撰寫的「復興崗頌」可見對學校的熱愛與殷切的期望：

大屯蒼蒼，淡海泱泱，我們在復興崗上。舞盡雞鳴，絃歌夜未央。履及劍及，見羹見牆，三千世冑出炎黃。談什麼富貴，問什麼行藏？看一江山，萬古英名昭日月，東山喋血，千秋湖畔記鴛鴦。太猖狂！太猖狂！故國銅駝。花落，大陸滿豺狼。赤焰遍地，何處是家鄉？神州極目淚濕青霜。

大屯蒼蒼，淡海泱泱，我們在復興崗上。曉園春滿，桃李芬芳，一旦雷聲動處，龍虎必飛揚，乘艦艟破巨浪，天際飛揚，夜襲挾輕裝，喚起同胞收大荒。重整漢家日月，青天白日地久天長。

二〇〇六年十月五日，校長「蒙主恩召」，曾經擔任過東海大學校長梅可望博士，寫一篇追思文「懷念一位肝膽相照的摯友」，文中提及：

化行兄是一位愛國、熱忱、忠於他的職守和信念。在台灣內外情勢最艱難的年代，他發揮了提升國軍士氣、穩定軍心的重大作用；出使巴拉圭八年（註），對中巴邦交促進貢獻很大；創辦學術基金會，對海峽兩岸的現代化，提供了具體可行的方案，至於培養優秀的政工幹部、精研三民主義、著作等身，更是眾口讚譽！

古人稱：立德、立功、立言為三不朽，化行兄兼而有之！

蓋棺定論：化行先生已是三不朽的「完人」！夫復何憾！

故曰：永遠的王化公！

校長馳函勗勉

一九五七年六月九日校長主持五期畢業典禮，剴切勉勵同學：「要將全部時間、金錢、智慧，用在工作、讀書、健康上，堅忍奮勵，二十年後看成效。主觀力量操之在我，客觀形勢成之於人」的鐵律。作者自母校畢業，迄至一九九三年三月一日退伍為止，在軍旅服務共計三十六年，從少尉倖晉將軍，在這漫長歲月，由稚弱未開的學生，被薰陶成「智能更增進、志節愈高超、意志趨堅定、胸襟漸開闊、體魄越強健」的幹部。總結來說，這都要歸功於母校師長的諄諄教誨與軍中各級長官循循善誘的鞭策所致。

一九八九年元月奉令由軍團調任母校教育長，逾兩年直升副校長。剛到任之初，修書向遠在駐巴拉圭大使化公校長稟報並請益，二月十一日即接奉校長大函，全文如下：

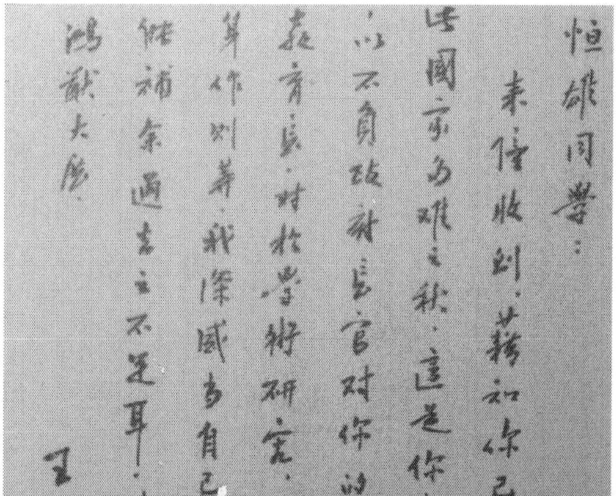
恒雄同學：
來信收到，藉知你已榮晉將軍，至為欣慰，當
此國家多難之秋，這是你責任的加重，決能加倍努力
以不負政戰長官對你的栽培，尤其担任政戰學校
教育長，對於學術研究、思想領導以及四大信條之以
身作則等，我深感自己担任此職時之虧欠，甚望你
能補余過去之不足耳，特此祝賀，并祝
鴻猷大展
王昇賀
民七十八年六月十一日
化行用箋

當拜讀之餘，深感校長之厚望與謙懷，句句珠璣，用心良苦，心裡惶恐有加，更惕勵自我，應全力以赴！在校服務四年餘，親炙三位校長（第一位官校二十四期何清中將軍、第二位三十期郭達沾將軍、第三位三十五期鄧祖琳將軍）作育英才的睿穎，全校在這三位卓越而幹練的校長領導之下，校務蒸蒸日上，老師的孜孜不倦，幹部的帶領作用與學員生的勤奮向學，充分顯現了復興崗是團結溫馨的大家庭，每人在不同崗位上，扮演不同角色，發揮

所長，獻出智慧，凝聚向心，奮勉精進。在校期間，作者捫心自問，囿於學淺才疏，能力未逮，雖勉予達成交付之任務，惟尚有諸多工作，不盡理想，虛心反省，徹底檢討，自感慚愧，內疚不已。作者本著「從無到有，從有到好，從好到精」的理想與願望，身體力行，言行一致，輔佐三任校長，把「校務」視為終身之職志，殫精竭慮，赤膽忠心，一心回饋母校培育。

一九九三年三月一日屆齡退休，別了「復興崗」，從此卸下軍裝走入社會。校長鄧祖琳中將，在贈送紀念相簿上，這樣寫著：

您負責盡職的態度，為國軍政戰人員，樹立了楷模。

您剛直無私的形象，更將永存復興崗兒女的心中。

謹代表全體官員生兵向您致敬，並感謝您對傳承發揚復興崗精神，所作的貢獻。

默默耕耘的美術老師

一九五五年至一九五七年美術組授課老師，均國內一時之選，學生獲益良多，奠定了美術「基本功」。作者忝列第五期美術組同學，非常羞愧，畢業之後，竟與美工才藝脫節，而走向基層部隊，矢志為官兵服務、效勞！

△梁鼎銘老師（一八九八－一九五九）近代中國畫家，別署戰畫室主。自一九二八年以畫筆獻身黃埔，陸續引帶又銘、中銘加入革命行列，擔任畫報編輯，創作大量戰爭史畫，被稱為「梁氏三傑」畫家。一九四九年來台，在本校擔任美術組主任，訓練學生以紮實寫生作為繪畫基礎，對國軍美術教育與藝術人才培育，貢獻良多。他的歷史畫和戰史畫如「血刃圖」氣勢磅礴，強烈震撼力，風景、人物、靜物等中西畫，也俱有典雅柔和性，藝術領域相當寬廣，舉凡油畫、水墨、水彩、書法皆卓然有成，在近代油畫史上占有一席之地。

△梁又銘老師（一九〇六－一九八四）他和昆仲弟弟中銘在當時社會其漫畫喧騰一時，啟迪不少後進漫畫家。又銘認為繪畫是一種人生哲理，亦即老莊思想天、地、人中，以「人」為重心，觀「人」、觀「心」。他的「吉羊」生動活潑，「土包子下江南」更是讓人叫絕，引起讀者搶購。

△梁中銘老師（一九〇六－一九八二），人物造型變化多，筆觸細膩，幽默特質，出版之「中銘漫畫集」、「西遊記」、「莫醫生」、「空中六騎士」等均受廣大民眾喜愛。其女秀中曾擔任師大美術研究所所長。

△林克恭老師（一九〇一－一九九二）台灣前輩畫家之中，直接從歐洲學習畫藝，其創作風格與生活態度和一般畫家不同。觀察自然與人生對應的關係，是他創作泉源，學生從中受益匪淺。

△邵幼軒老師（一九一八－二〇〇九）國立北平藝專畢業，師事張大千，私淑張書旂，工書、山水、花卉、翎毛，皆能揮灑自如，是國內早期花鳥畫界有氣質又畫得鮮美的女畫家，其牡丹畫作自然高雅，在海內外有「邵牡丹」之美譽。夫婿林中行專攻花鳥，善繪貓犬。

△劉其偉老師（一九一二－二〇〇二）在畫壇有「老頑童」之稱，以水彩畫和混合媒材作品備受喜愛，亦熱衷於藝術人類學和原民文化田野之調查，常叼著「煙斗」，流露著老頑童赤子之心。平日始終穿單一淺棕黃卡其褲，從不改變趨向潮流時尚的新穎，逍遙自在，其繪畫創作與藝術探討研究，為現在藝術教育灌注新的觀念。

△方向老師（一九二〇—二〇〇三）台灣版畫名家，亦是發展功臣，教木刻兼教素描。初期戰鬥木刻崛起於軍中，以熟練犀利的刀法，刻畫出許多闡揚國策、激勵民心士氣作品；中期綜合拓印版畫，轉向抒情與抽象，具沉穩內斂；晚期套色水印，近似水墨韻味之作。

△莫大元老師（一八九一—一九八一）民國留日畫家，畢業於東京高等師範藝術研究所，師大美術系創系主任，是台灣色彩學創始人，教平面圖學（用器畫）、色彩學、透視學。

△胡克敏老師（一九〇九—一九九一）在本校任教外，亦在國立藝專、文化大學等校授課。其作品範圍極廣，筆墨蒼渾秀麗，清新脫俗，山水花果、飛鳥走獸、人物風景，無不得心應手，神形兼備。

△陳慶熇老師（一九二三—一九九七）筆名「青禾」，早期開啟國內時事漫畫風潮，是「勝利之光」漫畫專欄的名畫家。才藝縱橫，揮灑率性，對生活毫無奢求，講究創新和突破傳統前規，不斷在變中求變。

藝術大師　李奇茂

李奇茂，本名李雲台，一九二五年三月二十二日出生於安徽省渦陽縣李家莊（今利辛縣），小時從陸化石啟蒙，學習傳統水墨畫，臨摹芥子園畫譜和王羲之、柳公權、顏真卿等名家書法。一九四九年隨國軍撤退來台，參加裝甲兵部隊。李教授為人熱情豪爽、通情達理、率真正直，其畫如其人，熟練筆法與著墨精湛技巧，深具功力，令人激賞！

一九五五年考入政工幹校美術組第五期，接受正規美術教育，師事梁鼎銘、中銘、又銘三位老師，一九五九年返母校任教，一九七六年擔任國立藝專老師及科主任，桃李滿天下，作育英才，深得學生敬仰喜愛。

早年創作多具戰鬥文藝特色的作品，投入民間風土和人物的采風，不同於傳統水墨的畫風與構圖，如「金門寫生」、「國父行誼圖」、「青年守則十二條」等系列及「水牛」、「牧童」農村情景的主題，還有「夜市」、「廟會」系列，他寫意的風格、瀟灑的筆法、豐潤的墨色，以及雄強的構圖，使得筆下人物，栩栩如生，幽默生動，深深打動人心，展現台灣鄉土藝術的趣味。晚年雲遊四海，舉辦畫展，讓他逐步走出自我風格，突破東方繪畫的空間處理方式與西方透視學原理，在內容上凸顯人間真善美的惟妙惟肖意境。他體察時代脈絡和環境因素，發揮禪意，進而獨領風騷，成為獨樹一幟代表性畫家。他勤於速寫、素描，奠定了人物畫的深厚根基。一九七一年接受國立歷史博物館特約，創作百幅「國父畫像」及「史蹟」題材的描繪，轟動藝壇，他是一位具有創作熱忱與文化使命感的畫家，涉及領域已從純藝術的創作擴延到整體文化面向，如今九十五高齡的他，依然精力旺盛，以藝術關懷社會，可謂是台灣水墨畫界戰後第一代，代表性傑出畫家。

李大師屢獲國內獎項計有：第一、四屆國軍新文藝美術金像獎、第五屆全國美展金尊獎、第二屆中山美術文化創作美術獎、第十屆文藝協會美術獎、第七屆國家文藝特別美術獎、教育部文化貢獻獎、行政院文建會文化特殊貢獻文馨金質獎、華夏一等藝術家貢獻獎等。一九八七年美國舊金山頒定十一月二十九日為李奇茂日，華人無比興奮。二〇一四年獲頒台藝大「名譽藝術學博士」。二〇一六年五月三十一日榮獲新北市第三屆藝術教育終身成就獎，既使在台藝大退休仍無償教書，他勉勵學生：「藝術創作來自生活，要從生活中提煉，達到高品質的創作」。先後於美國、英國、歐洲、法國、西班牙、德國、南非、韓國、泰國、馬來西亞、約旦、巴林等國巡迴畫展。

李教授對於兩岸文化、藝術、教育交流的功績與影響力，有七大方面：（一）大陸網站對其簡歷宣傳與作品刊登報導（二）平面與電子媒體的採訪報導與藝術評論（三）在大陸大學院校演講與文化單位學術交流（四）在大陸舉辦畫展與參加聯展（五）「李奇茂孔學書畫館」設立與「李奇茂美術館」建成開館（六）促進兩岸藝術交流展與畫家聚會創作（七）參訪官方單位與民間機構之交流。一九九一年起，李教授二十餘年來到大陸參訪、展覽、演講、筆會等活動，甚至曲阜市和高唐縣分別設立「李奇茂孔學書畫館」與興建「李奇茂美術館」，實為特殊典型和殊榮，已名聞遐邇，聲譽遠播海內外，足以載入史冊。

李教授的創作始於本著齊白石的一句話：「萬物過眼皆為我用」，他最佩服齊白石，一直遵循白石的筆墨思想並將繼續傳承中國水墨文化，遊走於出世和入世思想之間，將藝術與生活高度融合。他以洗心、養心、養性用簡潔的方式處理畫面，形成更多的饒富性，由繁到簡的筆墨意境，追求繪畫的更高精神層面。

當今在大陸最具權威的美術理論家邵大箴，曾任中國美術家協會常務理事、美協理論委員會主委及中央美術學院教授。在一篇〈立足於傳統的創新—李奇茂的中國畫〉文章中說：

李奇茂先生深知，傳統水墨畫傳達的人文精神，對現代社會的文化建設有不可估量的價值和意義，但水墨的傳承和發揚光大，因受傳統文化的普遍失落和人們追求時尚的心理而遇到相當阻力。他認為，文化藝術界的有識人士，必須有堅韌不拔的精神，大力宣傳和闡述中國水墨畫的意義、價值，這門藝術才能富有生氣的代代相傳下去。他的水墨畫創作兼及並蓄、中西合璧的特點，他始終堅守傳統中國文化的精神與格調：自然、和諧，興趣及雅致。

〔後記〕：李教授於二〇一九年五月二十四日清晨逝世，令人惋惜與哀悼！

附註：一九八三年十月三日總統蔣經國召見告知派駐巴拉圭，任命發佈後，國之大老張群親筆書寫「是非審之於己，毀譽聽之於人，得失安之於數」以示慰勉。

十一月十六日偕夫人熊慧英女士，啟程赴巴任所，隨行僅參謀王耀華、侍從張席珍，行程蒼涼，心情悲壯。在巴八年，外交建樹厥功至偉，設於亞松森市的「中正紀念公園」蔣公銅像揭幕，管中窺豹，時見一斑。一九九一年九月二十四日卸任大使返國。

第三章　金門「八二三」躬逢其盛

作者在金門戰地前後服務三個單位，都在金西守備轄區內：

一九五八年——服務於五十八師（誠實部隊），擔任連級指導員，駐防東一點紅，該師於一九五九年改編為前瞻師，一九六九年「嘉禾案」，改為重裝步兵師，一九七六年改番號為一五八師，師長張錦錕少將。

一九六六年——服務於十七師（海鵬部隊），擔任團級少校參謀，駐防湖南高地，前身為第十八師，一九二八年成軍於湖北漢口，一九四九年登陸突擊潮汕，不久參加「古寧頭」戰役，一九五二年併編為十七師，一九七五年改番號為第十七師，是一支光榮傳統的國軍勁旅，師長傅西來少將。

一九七八年——服務於一二七師（班超部隊）擔任師級上校副主任，駐防頂堡，一九五〇年由海南島轉進來台，一九五九年改為前瞻師，一九七六年改番號為一二七師，師長黃幸強少將。

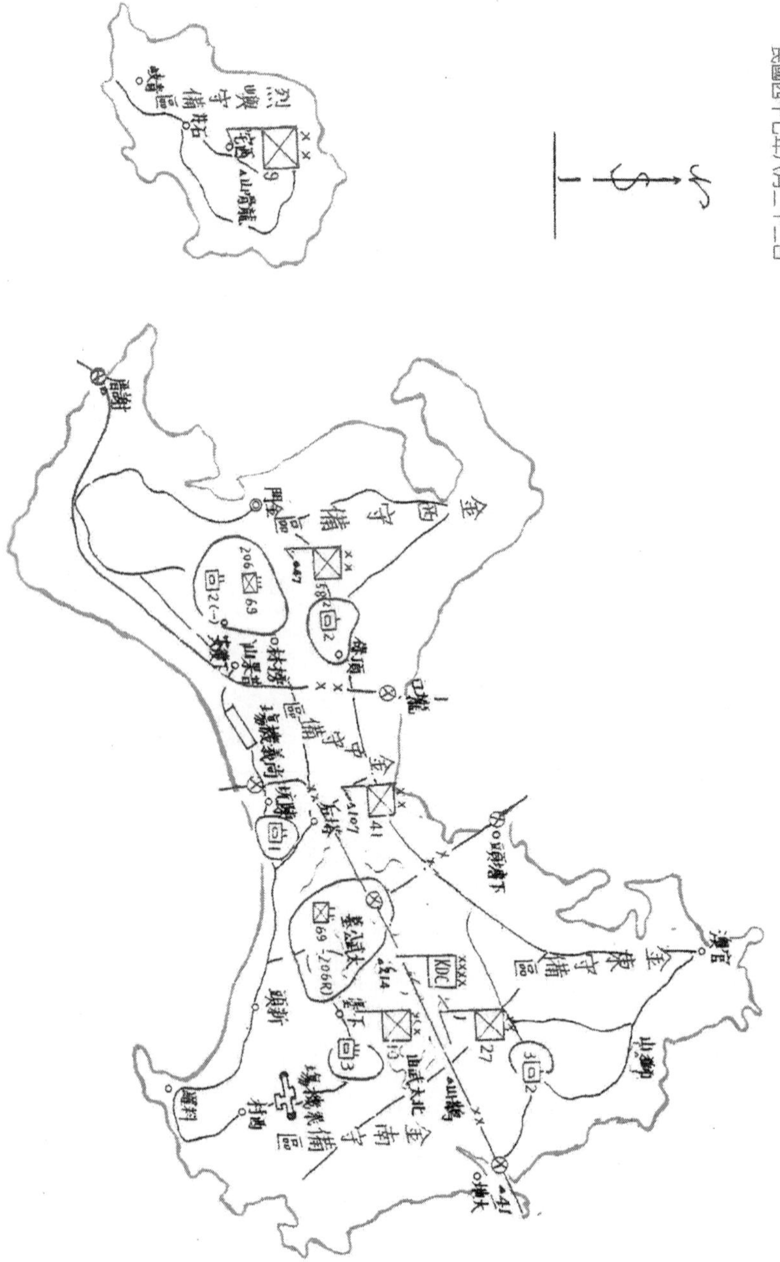

金門砲戰前我軍防禦配備要圖
民國四十七年八月二十二日

「八二三」砲戰自述

作者於一九五七年六月九日自政戰學校畢業，有十七位同學一起分發陸軍五十八師。一九五八年七月十日隨部隊移防金門前線。「八二三」砲戰伊始，作者是五十八師一七二團步三營營部連少尉指導員，旋於一九五九年元旦晉升中尉。師部在頂堡、團部在湖南高地、營部與連部在東西一點紅之間。

砲戰期間，官兵全副武裝，嚴守戰場紀律。依現況以三分之一部隊實施精練戰鬥動作、三分之一積極構工、另三分之一擔任海岸守備及運補勤務。陣地加緊構築野戰工事、挖戰壕、加強防護射擊與強化偽裝、觀測、防空降、防毒氣、防砲擊、防敵人滲透等，隨時準備近距離戰鬥，尤對彈藥屯儲及軍品裝備，積極戰備檢查工作。

連上充員戰士(台籍戰士)佔三分之一，初期戰士受砲擊影響，膽戰心驚，幸有大陸資深士官從旁協助撫慰，漸趨「轉弱增強、轉憂為安」的心態，消除緊張恐慌情緒，使官兵生死與共，立誓必勝必成的決心，打贏這一場聖戰。為了安定充員戰士心志與思鄉情怯，特別叮嚀三、五天寫信向家屬報平安。

雖然砲擊未間斷，作者常隨著採買一早到金城市場購買蔬果肉品，在有限的伙食費內，儘量使「質量」均衡，對上級配發之豬（牛）肉罐頭，有時自製包子、餃子、麵條等，間或給官兵加菜，補充營養。

除了「八二三」當天，砲戰突然發生，官兵猝不及防，有些傷亡之外，隨後幾天，在安全防護上，官兵已提高警覺。每當對岸發射時，其閃亮的砲口火光，可立即察覺，砲彈要經過三十至四十秒左右的飛行時間，才能到達目標，我們就能即刻反應，趁這剎那間空檔，足可使我們尋求良好掩蔽位置，尤其是在部隊灘頭卸載，最為重要，這是守軍以鮮血代價，所換得的寶貴經驗教訓。

「古寧頭」或「八二三」兩場戰役之中，若不幸被中共攫奪，台灣與澎湖之安危存亡，不言可喻，必將淪為中共所吞併。「八二三」砲戰之勝利，澈底粉碎中共武力犯台的伎倆，屏障了復興基地的安全，厚實國家生聚教訓的契機，奠定國家長治久安的基石。「以史為鑑，殷鑑不遠」，歷史的傷痕可以或忘，但是歷史真相，不容抹滅。「八二三」已成為歷史上引人感到光榮而驕傲的戰鬥，更加感佩在戰役中為國為民犧牲奉獻的英勇先烈。戰爭是無情的，砲火是殘酷的，誠懇呼籲兩岸同文同種的中華兒女，敞開胸懷、拋棄仇恨，化解歧見，秉持合作取代對抗—交流消除隔閡。「惟仁者能以大事小，惟智者能以小事大」的仁者精神與大智慧增進兩岸彼此瞭解、理解、諒解及和解，建構一個「不衝突、不對抗、相互尊重，合作共贏」的兩岸關係，共同為永久的和平與繁榮，開展中華民族千載難逢的機運，為萬世開太平，為後代謀福祉！

敵我態勢：

一、共軍狀況：

(一)陸軍：

共軍在我金門當面，自石城起至汕頭止，迄七月下旬，共有正規軍三個軍(欠一師)，公安軍三個師，砲兵三個師(含火箭砲第二十二師)，高砲兩個師及兩個獨立團，另特種部隊及後勤等部隊，共計兵力約十八萬人。三十八個砲兵營、各式火砲四五九門，砲兵陣地六十七個並開設觀測所一五〇個。

(一)海軍：

一九五八年七月以來，共軍東海艦隊主力，開始南移舟山海面，沙埕港、三都澳附近，經常發現巡邏活動，其中南海艦隊之砲艇，竄至東山島海面活動，金門當面之魚雷快艇及砲艇，顯著增加。

(二)空軍：

七月二十一日，共機續向我金門當面增調，截至八月二十二日止，調至澄海、龍溪、福州、沙堤、龍田、連城、漳樹等機場，計有五個師，MIG-17飛機二二八架及IL-28轟炸機七十架。

二、我軍狀況：

(一)陸軍：

金門五個守備區，完全進入戰鬥戰備：

1.金東守備區：第二十七師，師長林初耀少將

2.金南守備區：第十師，師長馬安瀾少將

3.金中守備區：第四十一師，師長胥立勳少將

4.金西守備區：第五十八師，師長張錦錕少將

5.烈嶼守備區：第九師，師長郝柏村少將

另外預備隊，就戰術位置，第六十九師，師長曹傑少將

東碇守備隊，由六十九師搜索連少校連長甯福田擔任指揮官

(二)海軍：

第六十二特遣部隊，共轄兩個巡邏支隊及攻擊支隊、水雷支隊、運輸支隊、後勤支隊各一。其使命為擔任對大陸東南沿海地區，自三都澳起至鎮海角間台灣海峽之海上巡弋，實施威力搜索，封鎖東南沿海交通，監視及阻截、摧毀共軍艦船，擊破其進犯企圖，維護台灣海峽及金馬外島安全。

(三)空軍：

一九五八年共機調集東南沿海地區，我空軍更加強台灣海峽上空巡邏、警戒，隨時掌握共軍動態。飛行員二十四小時在機場待命，準備迎擊來犯共軍及支援金馬外島作戰。

砲戰經過：

八月二十三日，當面共軍砲兵從廈門、槙墩山、澳頭、深江、蓮河、大嶝、小嶝迄圍頭等地區，各型火砲約六三九門，集中火力瘋狂濫射金門。意圖癱瘓我指揮系統，摧毀我防衛工事，準備乘機進犯。自十八時三十分至二十時三十分，兩小時之內，連續向防區射擊四萬七千五百三十三發。其火力多指向指揮所、觀測所、交通中心、要點工事及砲兵陣地，而以翠谷金防部指揮所與料羅灣為主要射擊目標。當第一群砲擊之際，三位副司令官，陸軍吉星文和趙家驤及空軍章傑，為國殉職，俞大維部長頭上受傷、參謀長劉明奎重傷。通信線路幾全遭破壞，指揮連絡陷於中斷。各通信部隊官兵，未待共軍砲擊停止，迅即出動，不顧危險，前仆後繼，冒敵砲火之下積極搶修。

六九二加砲營中校營長魯鳳三（十月二十四日論功行賞，榮獲陸海空軍獎章），因營與上級通信全部中斷，在非常情境，篤慮慎思，獨斷下令：「儘速猛烈反擊。」營於是自十八時三十五分起，二十門重砲挾雷霆萬鈞之勢，轟向對岸目標，同時金門反砲戰部隊砲兵營，亦陸續向共軍還擊，制壓共軍射擊，共射三萬六千餘發。九月二十七日金門國軍首次使用八吋(二〇三公厘)榴彈砲，制壓圍頭 G203 目標，效果卓著，共軍喪膽。

中共砲擊癱瘓不了守軍作戰意志與作戰有生力量，其魚雷快艇也封鎖不了我海軍運補的行動；中共空軍在國軍精湛飛行員的痛擊下，蒙受慘重的損失。中共為掩飾其軍事行動失利的真相，在十月二十五日竟提出怪誕的「單打雙停」策略。

戰鬥成果：

金門砲戰自八月二十三日至十月六日止，共軍向我砲擊共為四十七萬四千九百壹拾發，我砲兵發射對岸總數為七萬四千八百八十九發。摧毀共軍各型火砲一三一門、陣地六十七處、掩體十四座、彈藥庫六座、油庫二座、營房三棟。另擊沉其砲艇三艘、機帆船六十七艘、擊傷砲艇五艘、機帆船六艘，戰果輝煌。我砲兵部隊，官兵輕傷二四一人、重傷七十八人、陣亡六十三人。陸軍陣亡官兵四九三人，負傷一八七〇人。各型火砲損毀四門、損壞火砲掩體十九座、人員掩體二十座、彈藥掩體十五座，損失堪稱慘重。

海軍經過「八二四」、「九二」等主要海域，共擊沉共軍砲艦五艘、砲艇八艘及擊沉魚雷快艇八艘。我海軍擔任運補之台生輪被擊沉、中海艦與海澄號亦受創。我海軍官兵陣亡二十六員、傷一五四員。

金門砲戰全期，我空軍共出動各型飛機九〇九四架次，進入敵區偵察及空投傳單二一三架次，空投補給六五九架次。先後與共機遭遇發生空戰十二次，毀傷米格十七型機三十二架。我空軍官兵陣亡二十五員、負傷一三五員。

綜合檢討：

一、蔣公總體作戰指導：在歷次主持作戰會報中，蔣公懇切勗勉：「(一)堅決表示，固守金馬的決心，堅定反對減少外島前線守軍(二)對心戰、謀略、政治、外交、經濟等，都有睿智卓見(三)真正的戰爭打在開火之前，最後的勝利取決於準備之日(四)內部的團結合諧最為重要，平時致力教育官兵，培養三軍一體，倡導三軍一家，親愛精誠，榮辱與共的觀念，凝聚三軍精神戰力。」作為國防部及各總部指導金、馬、台、澎作戰的準據。

「八二三」之後兩年，先後六次蒞臨金門巡視，足跡遍及大小金門和大膽，視察部隊，指示戰備，經營戰場，培養戰力並深入地方，關懷民生與金門軍民共同生活。

二、靈活情報之偵蒐：據情報偵悉，一九五八年七月間，中共在北平召開軍事會議，倡議進攻金門、馬祖。同時發現中共機群進駐澄海，旋又陸續進駐龍溪與路橋等地，海軍活動亦趨頻繁。我空軍不停對大陸沿岸偵察，國防部研判共軍即將攻打金門，台海緊張情勢愈加明顯，已構成對台灣之威脅。依各種情勢研析，下達金門守軍保持高度戒備，增強反砲戰之火力，加強防禦工事與掩體，以防敵軍奇襲。守軍官兵矢志保衛金門與陣地共存亡之決心，毫不動搖。

三、三軍將士團結奮發：各軍種上自總司令，下至基層幹部，都能共體時艱，負責盡職，提振戰志。在這烽火期間，陸軍的效命奮戰，海空軍的忠勇巡邏、護航，空投與運補以及後勤補給部隊支援作戰人員，在猛烈砲戰中，均充份表現了驍勇果敢的行動。

四、運補卸載作戰：

(一)海軍運輸艦船搶灘：海軍運輸艦船 LST 以下各艦，通常在高潮時搶灘，以便陸軍部隊入艙搬運。海軍為減少艦船被襲擊，乃從減少停靠灘頭的時間著手，在漲潮不久，搶灘停靠，待滿潮時，不論卸載完畢與否，迅即撤離灘頭，回到海上迴避。

(二)陸軍卸載部隊：擔任卸載部隊官兵，卸載能力不敷LST之需求，以營為單位，接力方式行之。各團級軍政主官(管)親臨督導，俟船艦停靠之際，官兵分批沿交通壕衝入船艦背載物資返回灘頭。

五、美方協助我軍作戰：

八月六日

美國國會批准F-86D、F型共六十一架，轉交我空軍，另撥交響尾蛇空對空飛彈四十枚。

八月二十五日　美軍同意提供國軍八吋榴彈砲。

八月二十七日

美國總統艾森豪要求國會，准予使用「台灣決議」，授予總統海外用兵權，並令第七艦隊巡弋台海。

九月六日

美國會通過「防衛台灣及外島緊急行動授權方案」，決定美軍可護航金門至距岸三浬處，但只限金馬與澎湖。

九月二十三日

中美高層於台北召開「聯合軍事會議」研討「八二三」戰局。

九月二十七日

美空軍司令公開宣稱，如台海情勢持續，將以核子武器防衛金門。

十月十二日

美國防部長麥艾華抵台，協商金馬防務。

十月二十二日

國務卿杜勒斯和蔣中正總統會談，蔣公反對使用原子彈，僅可考慮戰術性原子武器。

十月二十三日　中美發表聯合公報，重申兩國反共反侵略立場。

六、金門自衛隊表現優異：金門民眾不服兵役，但不論男女，凡十六歲至五十五歲一律參加自衛隊，接受軍事訓練，人人納入編組。平時各自攜帶保管的槍彈與裝備，襄助警保工作，戰時擔負自衛戰鬥。砲戰全期，民防部隊以村(里)中隊為單位，配合友軍，擔任衛哨、巡邏、消防救火、傷患救護、交通管制、補給輸送等工作。每當運補船艦來金，由鄉(鎮)大隊輪流擔任岸勤作業，進行搶卸、裝載，每次均圓滿達成任務。砲戰期間，金門民眾八十人死亡，二二一人受傷。據金門縣榮民服務處二〇一七年十一月一日統計，轄區「八二三」自衛隊，現有五三四二員已於二〇〇一年元月一日起，視同退除役官兵，納入榮民輔導照顧對象，與其他榮民享有共同之就學、就醫、就養及就業等輔導照顧。

七、文化尖兵藝宣隊：上級長官有鑒於戰爭密佈，守軍官兵生活較沉悶，唯島上師級康樂隊與電影隊，就碉堡陣地、掩體、坑道等，以三至五人歌聲舞影小型康樂，適時演出，藉以調劑身心，娛樂官兵，提振士氣。各總部及軍團康樂團隊，亦接連來金演出，國防部藝工總隊派遣五至八人影歌星蒞金巡迴勞軍，藝人的相聲、歌聲、口技、短劇、數來寶、魔術等精彩節目，劃破了低沉的「海上樂園」，掀起官兵高昂戰志，帶來勝利的樂章。

八、中外記者競相報導：除國內各大報記者，來台的外國記者共有七十三人，代表七十個通訊社，六家電視公司，七家雜誌社，二十三家報社，分別來自美國、英國、法國、加拿大、澳洲、日本、韓國、菲律賓、土耳其、印度等十個國家。

各記者不斷從海上或空中搭乘飛機、軍艦，不顧生命危險，實況採訪報導，宣揚於國內與世界，對我民心士氣之提振，頗有助益。遺憾的是，有六名中外記者不幸罹難。

九、全國各界支援金馬行動：台海戰爭，全國各界極為關心與重視，由時任立法院院長張道藩擔任主委，組成「中華民國各界支援金馬前線運動委員會」，誓以有效行動，貢獻一切精神與物質力量，投向前線。輸財、輸物、輸力、輸血和戍守金馬浴血奮戰的官兵，血肉相連，生死與共，擁護政府，確保金馬決策，為我三軍將士後盾，爭取光榮勝利。

金門戰略地位之重要性

金門歷史源流

金門，舊名浯洲，又名仙洲，別有浯江、浯島、滄浯之稱。據《古今圖書集成：職方典》「泉州有浯江」；舊志亦稱：「晉南渡，衣冠士族避地於此，故又名晉江。」今晉江流經縣治南邊已改稱浯江，考據島上先民，皆來自泉州（今晉江縣），所以浯之得名，蓋以其居滄浪滾滾之中，故才有滄浯之稱。

金門之得名，始於明洪武二十年（一八三七年），置金門守禦千之所，後因江夏侯周德興築域於外環，其內捍漳夏，外制台澎，實具「固若金湯、雄鎮海門」之勢，故稱之為「金門」。另則因「明代島之形若金錠，且扼閩南門戶，故稱金門。」金門孤懸海外，本為海島荒地，自晉朝五胡亂華時期，中原百姓為了避戰亂，而遠走海外，從此才有百姓居住。到唐朝中葉，陳淵率士民百姓來金門牧馬，使農耕漁牧治鹽事業日漸興隆。宋朝時一代大儒朱熹曾在島上設燕南書院，造就不少人才，金門知書達禮風氣日開。明朝初年，設置海防要塞守禦千戶所，金門遂成為海疆重鎮。由於上承朱子教化，當地文風鼎盛，以致科甲及第群賢輩出。到明朝末年，魯王與鄭氏王朝崛起金廈，更是勝極一時，至清朝文臣守將冠冕十方，史冊記載歷歷在目。

金門於明代隆慶二年（一五六八年），始有洪受撰述浯洲（金門）的《滄海紀遺》，這是金門第一本方志，迄今已四百五十餘年。金門於一九一五年正式設縣，之前，隸屬福建同安。同安設縣始於晉武帝大康三年（二八二年），時因中原多故，難民逃居金門的有蘇、陳、吳、蔡、呂、顏六姓，是為金門有人民居住拓殖的開始。明末，鄭成功據金門，隆武二年（一六四六年），清破福州，鄭成功會明朝文武舊僚於金門烈嶼吳山，訂盟復明。永曆十八年，清兵佔據金廈兩島，焚屋毀城，金門一度成為廢墟。永曆二十八年，耿精忠，據閩反清，金門士卒多入台支援，鄭成功之子鄭經鎮守金門。永曆三十三年，清兵在料羅灣與鄭軍展開追逐戰，鄭經不敵退守台澎。古金門士林碩望，文苑名流，一千六百多年來，歷代金門共出了四十三位進士，四百多位博士，其中以文官佔多數，因而也留下許多藝文存目，使得古稱浯州的金門，人人都以「貴島」論之，擁有「海濱鄒魯」的盛名。若用「文學的金門」來形容也不為過。學者龔鵬程論金門，曰：金門，是個很難以描述的海島。

這個孤懸廈門外海的小島，曾有海盜來往，但也有大儒駐足；土地荒瘠，耕稼不易，卻又文風鼎盛；僻處南方，而竟遍地高粱，宛若北邊；迭經戰亂，反造就了一座海上公園的迷人風光，展現了金門特殊的魅力。顯示在金門的歷史面，也顯示在金門的人文面。在歷史的洪流中，透過時間的考驗、空間的改造以及人事的變易，金門就像一顆越磨越光的寶石，在不斷的歷練中，綻放著歷史的光芒。

國內著名人類學家陳奇祿院士曾對金門在台海兩岸的歷史源流與地位，提出精闢見解：

自歷史之軌跡觀，金門為中國文化移入台灣之轉繼站，故台灣之歷史發展與傳統文化之流布皆可由金門推究其相關處。自未來之形勢觀，近世金門之歷史，實即一部人類為爭自由而流血犧牲之革命戰史，以區區一島屢經中共砲火無情之洗禮鍛鍊，始終屹立不搖，卒能肩負反共復國前哨之重任。使晉迄今，一千六百餘年之胼手胝足，無論歷史上之金門或未來之金門，皆有其可貴且特殊之地位。

金門海防形勢

金門位於東經 118°24'、北緯 24°27'，即福建省東南方的廈門灣內，西與廈門島相對，東隔台灣海峽與台灣平均相距約 150浬；金門原屬福建省同安縣，一九一五年起單獨設縣，其縣境包括金門、烈嶼、大嶝、小嶝、角嶼、大膽、二膽等十五個島嶼，總面積一七八·九六平方公里。其中以金門島面積一三四·四六平方公里為最大，烈嶼次之，為一四·八五平方公里。自一九四九年後，大嶝、小嶝，角嶼為中共治理。現金門縣實際所轄面積一五〇·四六平方公里。

金門的海防形勢，因其先天地理環境所造成，且又與歷代戰爭據點密切相關，以致形成其特殊的海防地位。考據歷代史籍，論述金門海防形勢者：

《清白堂稿》云：「浯江、泉南之捍門。」

《方輿紀要》云：「同安三面距海，金廈尤為險要，門戶之防也。」

《海上見聞錄》云：「金為泉郡之下臂，廈為咽喉。」

陳之佺《同安縣志》序：「同為海疆重地，金廈門戶，全省所關。」

乾隆年間《同安縣志》記載：

同域在泉璋之衝，三面羅山，皆鐵立千尋，屏藩天造。東南二島，局鑰海門，為兩郡之巨鎖。控制澎台，阻扼閩粵。又大嶼盤，近貼內地，蘊之以箕篙，輔之以鼓浪，高居堂奧，雄視漳泉，中左之鎮城也。東懸海表，為廈外海，官澳以內之港道沿邊（安邊船港），料羅以東之水天無際（洋船候風於北），浯島之幅員也。二嶝守內港之邊，二膽捍外港之門，烈嶼當兩島之軸，而海疆之形勢，概見於此矣。

金門本島形狀兩頭大，中間小，形式如一啞鈴，中央狹窄為一腰部，將本島分為東金與西金；東西長十八公里，南北最闊處約一四·五公里（官澳–料羅）；最狹之腰部約三·五公里（瓊林–沙頭）。金門山形呈東西走向，標高二五三公尺的太武山，雄踞島中，由花崗岩構成，可瞰制全島。此外鵲山、獅山、觀音亭山、雙乳山及一三二高地等，皆為海拔一百公尺左右之高地，亦為軍事上之要點。金門四周，礁嶼環列，星羅棋布，因其「內捍漳廈，外制台澎，固若金湯，雄鎮海門」雖僅是孤懸外海的蕞爾小島，由於歷代人文薈萃，蘊育豐富人文騰躍史乘，留下甚多文化史蹟與珍貴的文化資產。

周凱《金門志》序：

金門與廈門相唇齒，雖富庶不及，而地之險要尤甚。其山川則有太武雄峻高聳。為賈舶往來之標準。其險則有料羅、塔腳（水頭），為商賈所停泊，渡台販洋之所自。於廈門為外捍，無金門則廈門孤懸海島。

由以上歷史文獻之論述，得以印證金門在近代歷史上，因地理位置與海防形勢的先天條件，每每成為兵家必爭之地，所以在歷代地方志中有關兵事志與海防志之內容相當豐富，可說其來有因。

金門戰略價值

崇禎元年（一六二八年）明朝授予鄭芝龍「守備」職銜，「以盜制盜」，不靠官方支援，金門、廈門等地收編流民，加以訓練，重建武力，七年之間海盜全部消滅，使它成為東南海上最大勢力。十八年後，清順治三年（一六四六年），肩負國仇家恨的鄭成功，從金門烈嶼起兵，舉起「忠孝伯招討大將軍罪臣朱成功」的旗幟，取代他父親累積的大筆資財，成立秘密商團組織，即所謂「山五商」和「海五商」，完全控制了中國海上航行權。鄭成功家族的貿易組織以金、木、水、火、土的五行及仁、義、禮、智、信的五常，分為批發的「山五商」及船隊的「海五商」。

根據學者郁永河（台灣第一本遊記文學，是三百年前郁永河所寫的《裨海紀遊》）形容鄭成功「以海外彈丸之地養兵十餘萬，甲冑干戈罔不堅利，戰艦以數千計」，鄭氏王朝一旅孤軍，獨立抗拒清朝傾國之師而毫無潰退之象，一度還北伐進攻南京，而他的財帛來源就是「通洋之利」。鄭成功死後兩年（一六六四年），金門、廈門便告失守，鄭氏基業整個轉移到台灣來。清朝康熙十九年（一六八〇年）因福建沿海海盜猖獗，金門孤懸海上，更成盜賊常患之所，清朝於是設置金門鎮總兵官，標下有左、中、右三營，兵力曾達二七〇〇人，金門再次成為中國東南海防重地。康熙二十二年（一六八三年）施琅領兵由金門料羅灣出征台灣，同年鄭克塽降清，隔年四月台灣設府隸福建省，下設台灣（現在的台南）、鳳山（現在的高雄）、諸羅（現在的嘉義）三縣，台灣正式納入版圖。

在高樹然《金門志》序中言：

金門扼台灣之要，而台灣則扼東南四省之要，有關天下之敵，不可以甌邑視之。

劉敬在民國十年修訂之《金門縣志》凨例中有言：

金門合群島為縣，四面環海，險要實據海疆東南之勝，不僅為漳泉屏障，廈門咽喉也。金邑兵防，實在海不再陸。舊志於兵防一門，言之特詳，甚為有見。今不稱武備志，改稱海防志，所以示金門形勢獨殊於他縣也。

關於金門的戰略價值，論證最清楚者，莫過於一九一五年，金門僑商黃安基等議金門改立縣治案，其內容如下：

夫金門－海國也，孤懸海島，絕險天然，腹地要衝，南洋孔道。水陸轄地，凡四百餘里，東臨大海，遠控台澎，北枕長江，近接晉惠，西有大嶝、小嶝，屏藩要口，南有烏沙烈嶼，扼字中權，西北與南安之洞滘、蓮河接續，西南與同安之馬港毗連，港澳四通，島嶼相錯，向為盜賊出沒之區，陸海兩防，較廈門尤關重要。古稱金廈兩島，是抗天下之師者，以其險要故也。

一九四九年大陸淪陷，當時領導中心認為欲保衛台澎安全，必須擁有大陸沿海島嶼，使能作縱身防禦。這項戰略見解果然印證在日後金門在兩岸軍事衝突事件。一九五五年四月行政院長俞鴻鈞曾至立法院報告當前局勢中指出：

金門、馬祖之防禦，不僅對台灣之防衛有密切關聯，且與整個西太平洋陣線，均有極重要之關係。

一九五八年，金門防衛司令官胡璉上將為《新金門志》序言中論及金門戰略價值，可視為歷史宏論：

> 謂金廈扼台灣之要，而台灣則扼東南四省之要，以其為有關天下之地，未可以縣廳一里視之。此數語也，深見高氏之識。一九三七年抗戰軍興，寇取攫金廈，以衛台澎，迄勝利方始光復，一九四九年冬大陸變色，中共相繼大犯金廈二島，廈門繼陷，金則盡犯敵而殲俘之。然廈雖失，以有金故，卒能北通馬祖，大陳，屏障台灣，安如磐石。是金長在其地略上之價值，有符於高氏之言矣。

金門在近代歷史上其海防形勢與戰略價值早已互為一體，可謂先天形勢與後天局勢使然，也就是金門在先天地理形勢上險要，才造成金門在近代中國歷史與兩岸關係發展中，必然有其形勢險要的角色扮演與戰略地位上價值。

金門「八二三」歷史背景

一九四九年大陸戡亂戰事逆轉，三百萬軍民費盡千辛萬苦抵達台灣，成為中國近代史上最大規模的移民潮。同年十月一日，毛澤東在天安門廣場宣布中共建政，中華人民共和國正式成立。十月二十四日，古寧頭登陸慘敗的恥辱，中共宣示人民解放軍已然具有跨海遂行兩棲作戰的能力。「……表明了中國人民在甚麼時候、用甚麼方式解決台灣問題完全是中國內政，不容任何外國干涉！」中共文獻中這樣評論大陳島，一江山戰役的意涵。

由於蔣中正總統的高瞻遠矚，國軍不隨美國人意願的情況下，在金門馬祖維持了重兵，堅守中華民國在大陸沿海的最後兩個據點，這兩個反共前哨令中共如芒刺在背。毛澤東即準備對這兩個離島下手。

一九八五年八月二十三日，毛澤東發動了驚天動地的「八二三」砲戰，西方慣稱之為「第二次台海危機」。從事後的許多跡證來看，毛澤東企望對金門或馬祖發動大規模的軍事行動，藉以癱瘓、封鎖該等離島，不但要實質造成國軍重大損失，更要迫使美國再次上談判桌，遂行其戰略敲詐，藉由解放軍對金馬離島的海空軍行動，動搖美國的意志與決心，逼使其要求與中共進行正式的談判。僅就國際環境、台海情勢及兩岸關係三方面的內外在政治因素略述如次。

國際環境變化

台海危機與金門「八二三」砲戰引起國際間重視，有學者認為「這不是一項意外事件，顯然是蘇俄與中共會商的強硬行動。」早在一九五八年三月間美國國務卿杜勒斯（John Foster Dulles,1888-1959年）第三度來台訪問時，曾警告中共不許侵犯金門、馬祖。此後當金門情勢緊張，也立即影響到台灣。

「八二三」砲戰時，美國總統艾森豪（Dwight David Eisenhower,1890-1969年，美國三十四任總統，亦為美歷史上九位五星上將之一）與國務卿杜勒斯，曾要求蔣中正總統放棄防守金門、馬祖，建議以提供十個美軍步兵師裝備為交換條件。蔣總統一口拒絕，理由是：「軍隊控制權操在別人手裡，算是什麼國家？」此期間中美雙方為台海危機展開一場激烈外交戰，其過程如下：

金門「八二三」砲戰爆發以後，美國深知台灣當局有意把美國拖入戰爭，並且進而協助國軍反攻大陸，為了防止中華民國政府有任何違反美國利益，以及在美國眼中屬於不理性的行為出現，美國政府因而強制性要求政府答應「放棄反攻大陸」，否則即停止對台、澎、金、馬，作任何軍經援助，坐視金門在砲火重圍封鎖下，彈盡援絕而失陷。

同年十月二十一日，杜勒斯抵達台灣，立即和蔣中正進行會晤。他來台灣的任務十分明顯，是要迫使台灣當局承諾不從事所有以反攻大陸為主要導向的軍事行動，並在爾後的幾次與蔣中正的會晤中，強烈表示若是拒絕和中共達成金馬前線停火的默契，那麼全世界都會就此事指責台灣的好戰心理，會有更多的國家準備承認中共國際人格的合法性。蔣中正堅持的重點，則在於希望能保住金、馬兩外島，認為金、馬兩島關係著台灣的戰略地位，若是金、馬不保，台灣也會在五個月以內，崩潰瓦解。蘇聯為牽制美國的行動，乃唆使中共發動台海戰爭，挑起東亞的戰火，成為「八二三」砲戰的導火線。

台海情勢嚴峻

台海戰爭是一次針對台灣地位問題所引發的戰爭，儘管中共發動戰爭的動機，包含了以武力解放台灣的謀略，中共想要藉戰爭來凸顯台灣為中國一部分的論點，以此警告台灣走向獨立的危險性，並向國際宣示其外交上自主性，以強化其對台灣問題的發言地位與影響力。

此外，中共對台海的軍事行動，是一種有限度的戰爭，亦即中共無意將台海戰爭擴大為全面性戰爭或國際性戰爭。砲戰初期，在對台廣播中一再強調共軍即將解放台灣；然而，在隨後的聲明或評論中，已改口稱台海的軍事行動是懲罰和報復的行動。

蔣中正曾訓示：「世界的重心在亞州，亞州的重心在中國，中國的重心就在我們金馬台澎。」今天世局的演變與美、蘇爭霸於亞州，正足以說明他對世事的真知灼見。

全球戰略情勢之關鍵，在軍事與經濟戰略地帶的交互重疊地區，為東自台灣海峽，西迄直布羅陀海峽間的陸海空區域，台灣海峽即其一例，其在東方的重要性，亦如西方的直布羅陀海峽同等重要。台灣海峽和巴士海峽、印度洋是進入西太平洋四條戰略水道的中流砥柱，它是整個東亞周圍重要海線交通安全之所繫。確保台灣的安全且與日本和韓國的安全息息相關，因為台灣控制了通往日本和韓國的戰略資源與從事國際貿易所必經的生命線。

台灣位於遠東邊緣戰略之要衝，第二次世界大戰中，日本向東南亞發動攻勢，以台灣為作戰基地，對東南亞造成莫大的危害。美國在菲島淪陷之前後及預備反攻日本時，均曾完成計劃奪取台灣，因為掌握了台灣，就可斷絕日本和南洋的交通命脈。韓戰爆發前，我政府在東南沿海牽制中共，美軍方能揮師北上，由於台灣對東北亞的局勢有安定作用，因此，麥克阿瑟將軍（Douglas MacArthur, 1880-1964年）曾說：「台灣是一艘永不沉沒的航空母艦。」韓戰後，我國成為北起日本、南迄菲律賓這條西太平洋安全防線重要的一環，共同擔負起亞太地區的安定與和平。自一九八〇年代，全球戰略重心已移至亞太地區。此一地區有七個重要戰略要域，即：紅海、亞丁灣、波斯灣、阿拉伯海、孟加拉灣、麻六甲海峽與台灣海峽。位於西太平洋中央位置的我國，正是左右太印地區戰略優勢的關鍵要域。

現階段亞太安全情勢，呈現由美國與中共相互競合之戰略態勢，各自尋求與區域國家結盟或強化戰略夥伴關係。中共藉「絲綢之路經濟帶與二十一世紀海上絲綢之路」（「一帶一路」）擴大外交與經濟戰略佈局，並加速發展全球與區域投射軍力。北韓尋求建立核武與提升彈道飛彈能力，牽動周邊大國戰略利益競爭及影響區域安全。另區域內非傳統安全威脅增加，東海與南海主權爭議及天然資源競奪，均帶有跨國特性，我國宜善用地緣戰略優勢，結合區域安全合作機制共同應對。

在太平洋中，台灣不是一個孤立的島嶼，它和其他群島，構成了太平洋的戰略網，彼此相關，密不可分。台灣、琉球群島、日本本土各島相鎖，成為一道戰略弧形，把中國東海、黃海與日本海，包括在這道弧形之內，使太平洋與這些海域相隔離。台灣、菲律賓群島、印尼諸島，將南中國海形成一個內湖，其中巴士海峽、台灣海峽、麻六甲海峽是太平洋經往印度洋的主要航道。在這兩道弧形的背後是美國在太平洋的最後一道防線。以金馬台澎而言，在西太平洋共有四條戰略水道，中華民國守著居中央位置的兩條，台灣海峽與巴士海峽是東北亞國家海上運輸必經的航路。東北亞是巨強直接對抗的地區，戰略情況複雜，但重心始終是日本，而日本的生存必須有賴於外來的補給，「重台灣所以保日本，保日本所以衛美國。」海峽中的澎湖列島，是北起海參崴，南道金蘭灣的樞紐。我國若受俄羅斯控制，則亞太地區的戰略形勢將完全改變，所有其他有關國家都會受嚴重威脅，甚至中共要進入太平洋，必須打通這個關節。

今天全球必爭的地略要域為印度洋海域，它能連繫也能切斷歐、亞、非之間的海上交通和貿易，而東南亞的戰略重要性，在於其為居太平洋與印度洋的橋樑。此一地區，南中國海是具有潛在衝突之可能，而且也是強權及鄰近國家必爭之地。據精研海洋歷史學者陳驥博士曾強調：「南中國海是『命運之海』。誰控制南中國海，誰將成為太平洋的主人，也將於二十一世紀支配亞州，進而統治全世界。」而我國正位於南中國海的北端。金馬是兩把利刃，指向中共的要害，防務固若金湯。澎湖是控扼台海的衢地，為支援金馬，鞏固台灣的中繼基地，形成金、馬、台、澎完整的防禦體系。

兩岸關係對峙

中華民國政府堅決主張「一個中國」，反對「兩個中國」與「一中一台」。同時也主張在兩岸分裂分治的歷史和政治現實下，雙方應充分體認各自享有統治權，以及在國際間為並存之兩個國際法人的事實，至於其相互間的關係則為一個中國原則下分裂分治之兩區。但是中共卻一再堅持「一國兩制」的政治主張。「一國」是指中華人民共和國，中華民國管轄下的台灣，則只是中共統治下一個「特別行政區」。此項主張自然無法為我們所接受。儘管中共高談「和平統一」，但是卻從未放棄對台動武的恫嚇，始終刻意地封殺我們的國際生存空間，此種無視於政治現實，不顧台灣地區人民的真正意願和福祉，對兩岸間的正常交流帶來極為負面的影響。

我國最大的安全挑戰來自於中共的軍事威脅，中共挹注高額國防經費，加速國防與軍隊現代化進程，持續增加海、空軍、火箭軍及戰略支援部隊等戰力，推動部隊組織改革，大幅提升兵力投射能力，嚴重威脅我國家安全。

過去支撐兩岸和平最大的沉默力量，即十四億大陸民眾對台灣的好感，也在這幾年消磨殆盡。台灣因此失去了大陸內部牽制政府動武決策的感性支柱。中共國力持續成長，兩岸力量對比，對台灣益發不利，導致兩岸軍力失衡加劇，我國防白皮書就評估中共「已具備對我遂行大規模聯合火力打擊與拒斥外軍介入台海爭端的能力」。一九七八年十二月鄧小平（1904年－1997年，曾留學蘇聯莫斯科中山大學，是中共主要領導人之一）採取一系列改革開放政策，提出「對內改革，對外開放」，實行中國特色社會主義的基本國策，改變自一九四九年後經濟上逐漸對外封閉情況，使經濟高速發展。為了在國際間營造和平假象，在對台政策上，中共放棄了「解放台灣」的口號，改以「和平統一」一詞代之。而中華民國政府在締造了台灣經濟奇蹟之後，進一步推動經濟自由化、社會多元化、政治民主化的發展。在解除戒嚴之後，實施一連串的開放性大陸政策。在此一政策互動下，使兩岸關係從過去的完全隔離發展到民間交流，確實為兩岸關係的發展營造出和諧的氛圍。

中華民國政府在台灣勵精圖治，創造了政治、經濟、社會、文化等多方面的進步繁榮。「臺灣經驗」受到國際社會的肯定和讚譽，中華民國藉此一成就回饋國際社會，扮演積極的角色，並促成兩岸的和諧發展和國家和平統一。「八二三」砲戰是政府播遷來台後轉危為安的關鍵所在，更決定中華民族命脈之賡續。外交上沒有永遠的朋友，也沒有永遠的敵人。台灣夾在美、陸兩強之間，保持亦敵亦友、非敵非友，才是對於小國而言，風險最低的生存之道。

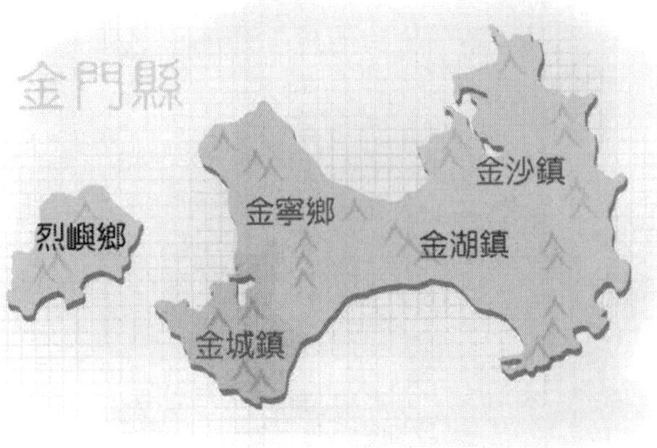
金門縣
金沙鎮
金寧鄉
烈嶼鄉
金湖鎮
金城鎮

金門縣全圖

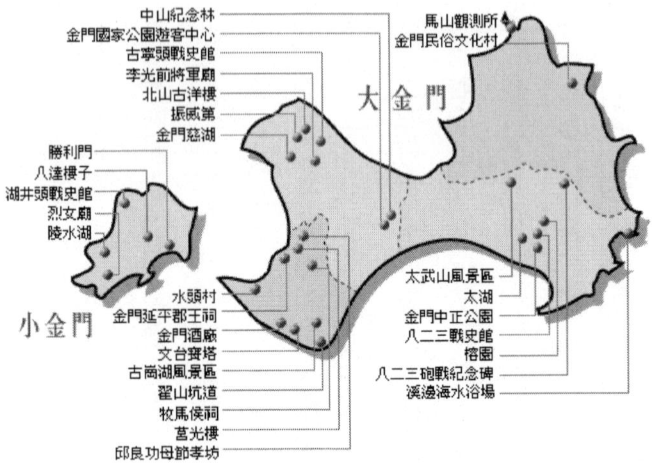
中山紀念林
金門國家公園遊客中心
古寧頭戰史館
李光前將軍廟
北山古洋樓
振威第
金門慈湖
勝利門
八達樓子
湖井頭戰史館
烈女廟
陵水湖
小金門
大金門
馬山觀測所
金門民俗文化村
水頭村
金門延平郡王祠
金門酒廠
文台寶塔
古崗湖風景區
翟山坑道
牧馬侯祠
莒光樓
邱良功母節孝坊
太武山風景區
太湖
金門中正公園
八二三戰史館
榕園
八二三砲戰紀念碑
溪邊海水浴場

金門景點

第四章 考進外語學校

外語學校師資一流

一九五二年六月，國防部於台北大直成立「軍官外語學校」（Officer's Language School），展開國軍遷台後軍事外語人才的培訓工作。一九六六年十一月一日正式成立「國防語文學校」，以培訓英語人才為主，爾後因應時代與任務之需求，陸續增設俄文、西文、法文、德文、韓文、泰文、日文及越文等班次。一九六九年三月奉命改隸當時的政工幹部學校，改名為「國防語文訓練中心」，再增開阿拉伯文班，英文儲訓班及俄文進修班，一九八四年十一月一日又改隸三軍大學，迄一九九一年元月一日改制為「國防語文學校」，直屬國防部。嗣後因應國軍實務精實案，一九九九年七月一日於復興崗政戰學校設立「國軍語文訓練中心」，編制員額大幅縮減原編制之四分之一，特語全部停招，僅存英文班次。

作者於一九六二年四月七日考進「軍官外語學校」英文儲訓班，接受六個月密集訓練，全班五十位同學，來自三軍之優秀軍官，階級自上尉至上校，同學彼此不因軍種、階級及年齡之差異，而有所齟齬。除了白天接受老師課堂上的教學之外，每日清晨與晚上自習時間，同學各自苦讀英文，沒空閒聊天，甚至星期日多數同學也「閉門苦讀」。作者雖然是小上尉，年紀尚輕，不過英文能力欠佳，因此，更不敢外出。同學許明雄和王善祥亦在教室下功夫，尤其明雄幾乎到了「廢寢忘食」的地步，奠定了日後，考取淡江大學外文系甚至遠赴美國攻讀碩士學位。中外授課師資出色，僅將國內老師姓名、教授課目及學歷列述如下：

教授課目	姓名	學歷
三民主義 蘇俄在中國	張彝鼎	清華大學 哥倫比亞大學博士
心裡作戰	蔣得	北大外文系 美心戰、民事學校
反情報	胡獻群	英國皇家軍校 軍校六期
新聞	趙鋏	北平師範大學 美心戰、新聞學校

教授課目	姓名	學歷
民事軍政府	侯宏恩	政大外文系 美民事學校
國際禮節	顧王璉卿（顧毓瑞司長夫人）	哥倫比亞大學
文法	卞銘灝	師範大學 美依利諾大學
軍語	于治平	美通信學校 軍校十七期
選讀	趙來奎	外語學校英八期
電化教育	胡益	美通信學校
	陳禔	國立復旦大學
	胡理昌	外語學校英一期、俄一期 軍校二十一期
	馬心志	外語學校英八期
	彭聖師	外語學校英九期 軍校二十四期
自習輔導	鄭玉山	外語學校西文一期
音樂	張世傑	中央幹校音樂系
體育	李清漢	政工幹校體育系二期

校長汪子清上校，畢業於軍校十三期，曾經赴英國情報學校深造及擔任駐外武官多年。人長得英挺帥氣，英文造詣甚佳，很受本國和外籍老師之敬重。每日常見到校長巡視校區，關心校務、解決學業諸問題，使同學倍感親切，心無旁騖，專心讀書。學校的教育任務及教育目標為：

教育任務——

以培訓國軍駐外、連絡、禮賓、編譯、軍售、採購、接裝備等軍事專業之語文人才及負責國軍外語能力鑑測為主要任務。

教育目標——

（一）軍士官儲訓班：培育國軍幹部英文基礎能力，使具備通過赴美參訓之各類班次語文測驗成績要求標準。

（二）英語高級班：奠定目標英文基礎，使具備聽、說、讀、寫、譯之能力，以培養國軍駐外、深造、外事聯絡與編譯等工作所需之高級外語人才。

（三）外語初級班：培養學員外語基礎能力，達成聽、說、讀、寫之語文應用能力，期能達成中級程度目標。

（四）外語專精班：培養學員具備口語及口（筆）譯之基礎應用能力，以培養國軍駐外、連絡及演訓等傳譯工作所需之相關語文人才。

（五）駐外人員複訓班：提升國軍駐外人員赴任前運用外語之熱稔度，藉語文訓練加強處理涉外相關事務之能力。

國際法權威 張彝鼎

在所有的教師之中，最負名望的是馳名海內外的張彝鼎博士，當時他已六十五歲，但丹田有力，聲音鏗鏘宏亮，一付笑臉，人又風趣，學貫中西，同學非常喜歡聽他的課。他講授的三民主義與蘇俄在中國兩門課程，不是用中文而是英文本，可讓我們吃了苦頭。以同學的程度，實在難上加難，只有「死背」考試才勉強過關。

張博士是山西靈石人（一九〇二年—一九九二年），一九二八年考入清華留美預備部負笈美國芝加哥大學，一九三三年獲得哥倫比亞國際公法博士，論文是「條約之司法解釋」（Theinferpretation of Treaties by Judicial Tribunals），在學術界評價頗高，廣為西方學者引用。一九三三年回國受到國民政府重用，一九三五年擔任蔣委員長秘書，一九三七年制憲國大代表，一九三八年受聘中央政治學校國際法教授，一九四五年任綏遠省政府委員兼建設廳長。一九四九年隨政府來台，升任國防部總政治部副主任、主任。一九五五年輔導會副主委，一九五六年國防部長次。一九五八年八月十日中華民國國際法學會成立，會長程天放，秘書長張博士，兼辦英文年刊（報）主編，主要在推動普及國際法為宗旨，在一九七五年膺任會長兩年。一九六一年總統府戰略顧問，一九六二年正式退休擔任政大法律系主任及研究所所長，一九六三年至一九六八年在政大公企中心主任職，秉持「人文、科技、創新、國際」理念，引領企業，挑戰創新，攜手產官學，帶動台灣新價值。一九七〇年司法部司法官訓練所所長，從一九六九至一九七六年，均受命為公務人員高等考試典試委員。著作有戰時法律概要（一九三八年）、行政學概論（一九六五年）、中外人權思想之比較（一九八一年）、國際法論集（一九八六年）、雲五社會科學大辭典（國際關係、一九七一年）。綜其一生桃李滿天下，受惠學生感念不已，博士於一九九二年二月八日與世長辭，享壽九十一歲。

開設首屆越文班

一九六六年十月十七日「國防語文學校」（Defense Language School）越文班第一期開學，校風「忠信」，以做黨國喉舌與中外橋梁為使命，校歌是：「鍾靈毓秀，山高水長，三軍志士，齊集一堂，作黨國喉舌，為中外橋樑，發揚民族正氣，堅持革命立場，效忠領袖，貫徹國父主張，人群進化，賴我維揚，一言九鼎，興國興邦」（王建作詞、駱先春作曲）。校長鄒宇光將軍致辭表示：「國防部針對軍事情勢與任務需要，在很短時間內籌設國軍有史以來第一期越文班，希望同學們在各老師教導之下，努力把越文學好」等語，詞意誠懇，勉勵有加。第一期同學來自陸、海、空、勤、警、憲單位之精英軍官，總共三十名，其中有中校四名、少校十二名、上尉十三名及中尉一名，訓練時間為一年。聘請的老師有七位：（一）張英平─教授選讀、口譯與演講（二）潘旭─教授軍語、筆譯、情報與公文（三）郭金玲─教授會話、電化教育（四）張素貞─教授會話、電化教育（五）黃志清─教授口譯與演講（六）郭崇和─教授東南亞國家研究（七）林慧賢─教授會話與電化教育。

由於國內欠缺越語教材，老師透過越南親友在當地選購寄來，幾經多次來回聯繫，才有像樣的教材資料。如一九六四年越南共和國之聲廣播電台出版之越語播音讀本、一九六〇年三月堤岸世界書局出版之「新編華越」辭典、一九六二年四月新華書局出版之「最新越華」辭典及「越文會話」等講義，老師的確煞費心思為教材而傷腦筋；另外軍語、情報、公文也由老師廣搜越文資訊，自編講義，期使同學能快速進入學習越文祕訣，奠定良好基礎。越南文字母也稱國語字（越南語 Ch-Quc Ng-）基於拉丁字母，一六五一年法國傳教士亞歷山德羅（Alexandre de Rbodes）做成的越南語—拉丁語、葡萄牙語辭典是越南語用羅馬字表記的起源。越南成為法國殖民地後，公文多用這種以羅馬字為基礎的國語字並逐漸普及，一直使用至今。越語已擴及全世界，超過一億人通用，越南社會科學院語言學研究所，為全越南統籌越南語機構。

二〇〇一年特語停招結果，以致外語人才奇缺，影響國軍駐外人員派遣。國防部遂以委外訓練方式，於淡江大學開設西語及法語班，委訓一年即因訓練成效，還有代訓學校意願不高因素，未能繼續辦理。鑑於特語人才需求日增，停招六年後，於同年四月二十一日重新開辦西文、德文、法文、俄文、阿拉伯文、韓文及日文等七種語文班次。二〇〇二年元月一日改隸國防部參謀本部聯二更名為「國防語文中心」(Defense Language Institute)，設在政戰學校原「木蘭村」地址。為因應獨立運作行政與教學等教務工作，擴編編制員額，成為國軍現行培育外語人才之語文訓練專業機構。有關英儲班（士官服役三年以上或中、上尉以上）是國軍幹部英語儲訓班，其測驗方式以**ALCPT**（**American Language Course Placement Test**）實施。考題區分聽力與文法等兩部分的選擇題。可於基層歷練完畢，適時報考國外研究所，包含國外知名軍事院校之正規班、指參班隊，也可以參加國軍「軍事採購團」幹部徵選或徵試及適職、適階之時參加駐外武官考試。

二〇一二年元月一日配合國軍「精粹案」組織變革再改隸國防大學，更名為「國防大學語文中心」仍在復興崗政戰學院開設。前瞻性以未來十年的國防發展作為依據，提升教學品質，累積教學成果，培育優秀國防語文人才，達成國防建軍願景之使命。

隊徽簡介：

國徽：代表中華民國。

嘉禾：代表民族生生不息，源遠流長。

盾牌：代表整軍備戰。

梅花：代表民主堅忍不拔之精神。

書、筆與地球：代表充實學識方可掌握世界進步之脈動。

越文班也有幾點花絮：學員愛慕女老師出於本性，本班有兩位俊男在暗中追求嬌小聰穎的張老師，她是華僑在台灣大學深造，來班兼課。這兩位同學都以書信展開「攻勢」，起初認為只是一男追一女，那曉得不久就發覺是「兩男對一女」，當然很尷尬，但張老師始終不為所動，或許她早有心愛的男朋友。校方當局知悉之下，不容同學有這種違背校風舉動，各予告誡，引起班上同學的議論。另外羅守光中校和作者共坐一桌上課，他是陸官校畢業，忠厚老實，開朗樂觀，已「適婚」年齡而仍獨處，張英平老師有眼光，把它在越南表妹洪慧敏介紹給他。在校一年裡，羅同學和那位異國有緣人只能信件魚雁傳遞互相情愫。作者於一九六八年赴越南擔任顧問期間，亦不時為「台越」兩人說項，彼此感情逐漸加溫，魚雁往返，兩年多光景，終於在台北結婚，真要感謝張老師持續的催促與不斷的鼓勵。張老師原在情報局工作，不僅越文精湛還懂不少國家的語言，在七位老師中，她負責綜理越文之教學及對同學課業之輔導，是一位卓越教學認真，待同學親切的優良老師。遺憾的是晚年和夫婿仳離，獨居台中明德街寓所。作者提前自黎明公司退休，於一九九七年返回台中北屯老家，常驅車前往老師住所探視，每次老師總握著作者雙手不放，如沐春風，親炙招呼，熱情款待，至今仍記在心坎，感念不已！

「解放軍」外國語學院

現今兩岸仍處於敵對狀態，有必要瞭解共軍培養軍官外國語訓練之概況。「知己知彼」才能掌握幾先，立於不敗之地。解放軍外國語學院（註）為國防和軍隊現代化建設服務，以外語作基礎，將多種學科交叉，形成特色而高效率的綜合性國防語言學院，也是全軍外語人才培訓基地及外國軍事留學生學習「漢語」地方。中共早在一九三八年於延安成立中央軍委外事訓練班，一九四九年八月在北京正式建校。學園坐落在歷史名域，九朝古都的洛陽市，佔地二二二一畝，校園綠樹成蔭，環境清幽，具有學習與生活兼顧的條件。另在江蘇省蘇州市設有崑山校區。全國有二十九個外語專業訓練場所並設置獎學金，開展主輔修與復語制教學及第二學士學位教育，實施本科生導師制，試行本碩連讀、碩博連讀制度。一九八一年開始研究生教育，包括文學、法學、理學、軍事學、教育學五個學科門類的十三個二級學科，具有碩士學位、英語語文文學、俄語語言文學、軍事學、亞非語言文學等四個二級學科具有博士學位、外國語言文學一級學科具有博士學位、英語語言文學專業，教育部列為國家重點學科，以期韓語、越南語為主體的亞非語言專業人才培訓地點。在二〇〇四年教育部評鑑全國高校一級外國語言學科排名第三位。

附註：外國語學院現有專任教師二百餘名，碩博士佔教師總數百分之八十二，設有「育才」獎學金，外籍教師聘用三十多位。學院積極適應新軍事變革要求，全面實施現代化教學工程，加速轉型，構建適應變革需要的新型軍事人才培養體系，把學院建設成為一所綜合性、開放型及高水準的國防語言學院，為國防和軍隊現代化建設譜寫新的篇章。

第五章　派駐越南顧問團

奉派越南安寧局

經過國防部總政戰部之甄選，於一九六八年七月十六日接到參謀總長高魁元上將命令，派楊崇本中校、熊仁義中校、馬克仁中校、周自華少校及作者五員，赴越擔任「中華民國駐越軍援團」顧問。

位於西貢公理街一八號是團本部，而在阮明照街是團員宿舍，四層樓的建築，每位團員各住一間，衛浴齊全，每一層樓都置有大冰箱。一九六九年二月以後，美軍援越司令部（US Military Assistance Command Vietnam，簡稱USMACV）比照美軍人員一個單位五十人份的主副食供應量，補充本團伙食所需，因此三餐菜餚非常豐盛，每位團員任期屆滿返國時，體重都增加了。

團長柯遠芬指派作者到越南安寧局工作，在越兩年多時間，作者追隨兩位組長，一位是胡儀敏上校，另一位是張義成上校。胡組長在國內一直擔任情治工作，是一位頭腦靈敏，學能俱佳，待人熱誠的長官。一九八四年十月十五日在美國發生的「江南命案」，胡組長卻牽涉在內，甚為驚訝！作者曾於二〇一七年四月六日及二〇一九年三月五日兩次造訪在淡水寓所聆聽他（已九十四歲高齡）對案情之概述後整理如下：

「江南案」發生於一九八四年十月十五日劉宜良（Henry Liu）在美國加州舊金山得利市（Daly City）寓所車庫內，遭受台灣竹聯幫總護法吳敦、忠堂堂主董桂森兩名刺客槍殺，策劃人是總堂堂主陳啟禮。江南原籍江蘇，當過台灣日報記者，一九八三年取得美利堅大學政治學博士。一九五七年在香港出版「蔣經國傳」，其中有台灣當局不希望面世的內容。此案震動全美，也撼動中美關係。江南是美國公民，聯邦調查局和中央情報局很快加入調查並前往台灣取證。聯邦眾院外交事務委員會屬下的亞太事務委員會，於一九八五年江南命案舉行三場聽證會，當年四月十六日眾院以三八七票對兩票，通過眾議員索拉茲（Stephen Solarz）和李奇（Jim Leach）的決議案，要求中華民國政府把江南命案犯案人汪希苓、胡儀敏、陳虎門及陳啟禮和吳敦（董桂森已逃離台灣）引渡到美受審，此要求被我國政府拒絕，蔣家也否認參與此命案。

舊金山作家凱普蘭（David Kapland）花了五年進行訪談、調查和分析，寫出詳述命案的五百多頁「龍之火」（Fire of Dragon）也無法對江南命案背後的主謀得出結論。台灣審訊此案時，江南遺孀崔蓉芝聘請舊金山律師葛其克（Jerone Garchik）和曾是馬英九老師的哈佛大學法學教授孔傑榮（Jerome Cohen）到台灣瞭解案情。一九八五年四月九日陳啟禮和吳敦兩人被依「犯罪結社殺人罪」判處無期徒刑；四月十九日國防部軍法局高等法庭以「公務人員假借職務之機會共同殺人」罪名，判處軍情局局長汪希苓中將無期徒刑，副局長胡儀敏少將和第三處副處長陳虎門以「幫助殺人罪」各判有期徒刑二年半，無論司法或軍法審判，上訴、聲請覆判都被駁回。但此案至今仍可說是懸案，無論如何，歷史不能忘記，真相仍有待追尋。

軍援團的編制是中將一人、少將二人、上校八人、中校十四人、少校九人、上尉二人，全團共為三十六人，實際任用未達足額。團員分派到越南共和軍所屬之海空軍司令部、政戰大學、政戰總局及局下所轄之政訓局、心戰局、安寧局、社會局及第一戰術區（峴港）、第二戰術區（百里居）、第三戰術區（邊和）、第四戰術區（芹苴）司令部服務。

越南政府軍的安寧工作，如同我國國軍的保防工作，不過越南軍隊安寧局所主管的工作範圍，除了負責軍中的保防工作之外，還兼負社會保防工作，其組織與人員編制較為龐大，工作要項如下：

一、反情報──防止敵人滲透、破壞活動，肅清共諜潛伏份子及恐怖組織，維護國家安全。

二、反暴亂──受越共煽動不滿政府之盲目群眾、被蠱惑之佛教徒及利用意志薄弱青年學生，負起反暴亂作為。

三、保密──包括個人保密、部隊保密、政府及社會部門保密、安全查核、郵電檢查、監獄管控等。在軍中師級以上政戰單位設有安寧組，團級以下則設安寧軍官並佈建安寧細胞。在政府、社會各機構，設密報員組織，察知敵人活動。

四、忠貞查核──安寧局設有「安養營」，對受難歸來官兵之再教育，經過十二週忠貞教育與嚴格考核之後，再分發部隊，由單位部隊長、安寧人員繼續追踪考評。

五、整飭軍紀—依本團提供「軍紀整建作業程序」與「軍紀整建防止逃亡」具體措施，由總參謀部組成軍憲警聯合軍紀糾察隊，實施營內外違法犯紀及逃亡事件之預防。

六、防止貪污—防止部隊腐化惡化，協調有關部門，組織巡迴監察組，分赴各戰區，實施巡迴監察。

中華民國除派駐越南軍援團外，尚有五個單位協助支援越南政府：

一、國家安全局—駐越代表高潔，負責督導情報局和大陸工作會在越活動，主要任務是發展電訊情報、監聽北越軍事通訊及人民解放軍飛機活動情形。

二、國防部電訊發展室—監聽站設在靠近南北越邊境的順化，一度引起越共偵搜，再遷到峴港秘密基地。

三、援越空運隊—一九六五年十一月二十五日派遣援越空運隊抵達西貢，由空軍三十四中隊組成，首任隊長趙任俠中校，共有飛行軍官七人、機械士三人和 CI 四十六運輸機兩架，協助越南空投救濟物資並執行敵後人員物質運載、空投空降、電子偵測等特種任務。

四、國防部軍醫局──一九六五年十二月三十一日派龐龍生少校率三位少校、兩位上尉醫官及上士三人、中士兩人共十員赴中部平順、平綏和寧順等省，任務是臨床醫療、執行招撫中心、孤兒院、難民營、學校診療防疫、推行公共衛生計劃及環境衛生等工作。

五、中華航空公司──一九六二年剛成立三年的華航，在西貢成立「南星辦事處」，隨著越南戰事的白熱化，在戰地從事南北越叢林空投運補的特種任務，常受到越共地面砲火之威脅。

一九六七年美國當時國防部長麥克納馬拉(Robert Strange McNamara)，聘請三十六位專家學者，組成專門委員會，研究美國是如何捲入越南戰爭。這三十六位包括國防部與國務院文職、武職的專家以及政府資助的專門研究機構專家與學者。他們花費一年半時間完成這一任務，英文簡稱為 The Pentagon Pers，也就是「五角大樓文件」，是美國國防部所在地一座「五角大樓」的建築。一九七一年反戰的美國國防部官員丹尼爾．艾爾斯伯格（Daniel Ellsberg），為了讓美國人民瞭解如何捲入越戰過程，將大部分報告內容，洩露給「紐約時報」等媒體，絕密文件被公開，引發了美國歷史上著名的「五角大樓文件」事件。艾爾斯伯格認為如此保守秘密主要是政府想隱藏一些問題，很多決定根本不讓公眾知道。美國最高法院也做出決定，下令聯邦政府正式公佈未刪節、完整版的「五角大樓文件」，向公眾詳細講述美國捲入越南戰事始末。報告書四十五冊共有七千頁，其中三千頁是對二十五年美國在越南與中南半島戰事中，所擔當的任務及所扮演角色的敘述、分析，總數達二百五十萬字。這些報告書從二次世界大戰起至一九六八年八月五日，巴黎和談這段時期，美國如何逐漸捲入越南及中南半島戰爭的過程，包括從杜魯門總統以來四位美國總統任內，對越戰所作之政治及軍事決定。

國防語文學校越文班第一期，除作者派駐安寧局，另外還有同學張乃心少校，被派至第三戰術區。他是香港僑生，為熱愛祖國，考入陸軍官校步科就讀。在軍中忠誠勤敏，做事踏實，踐履篤行，待人親切，受官兵愛戴與敬重。在越工作任期兩年期滿返國，曾調任步兵營營長同時晉升中校，因積勞成疾，離開人世，官兵很不捨這麼好長官竟天人永別，最難過的是他賢淑太太，真是無語問蒼天，老天爺也嫉妒徒乎奈何！

每月團務會報，各戰術區的團員，都回來參加，作者政戰學校五期同學許明雄少校，在大叻（Dalat）政戰大學擔任顧問，每次回西貢，我倆總有說不完的話題，多少也可紓解思鄉之情。他原在北投「復興崗」擔任教官，擅長對敵鬥爭與輔導學生品格心性之健全，是政戰大學最適任的人選之一，加上英文能力強，平日和美軍軍官交換軍情與公務之交涉，皆能達成使命，是一位思慮周密，處事果斷的優秀幹部，極受司令徐汝楫的賞識。

中華民國派遣軍事顧問赴越協助政治作戰任務，溯及王昇將軍與越南共和國所建立之深厚邦誼開始，雖歷經一、二、三共和，但政府各階層對政治作戰仍寄予厚望，自「奎山軍官團」時期，就奠定良好根基。駐越軍事顧問團與駐越軍援團逐漸步入正軌，惜未針對越共弱點及運用「聯軍」強大軍力消滅越共，以致喪失良機，終被越共赤化，總之我國派遣之顧問團，迄一九七五年駐越建設團撤退回台，在十三年的期間，不應以越戰的成敗來論斷其成效，而應以越戰中檢討政治作戰所發揮的功能，作為我國政戰制度借鏡之參考。自一九六〇年起至一九七三年止，本團時序列述如下：

一、奎山軍官團──一九六一年元月二日至一九六二年元月五日，編制人數七員，團長鄧定遠中將（一九六四年十月至一九六七年四月）。

二、駐越軍事顧問團──一九六四年十月八日至一九六六年十月二十一日。

三、駐越軍事援助團──一九六六年十月二十一日至一九七三年三月二十一日。

「顧問團」與「軍援團」兩者任務相同，時間銜接，為因應「自由世界援越國家」統一稱謂，於一九六六年十月二十一日與越南政府簽訂「中越軍事協議書」，自一九六七年二月十五日起，改稱「軍援團」。編制人數十五員，一九六七年增至三十一員。第二任團長柯遠芬中將（一九六七年五月至一九六九年五月）。第三任團長（司令）徐汝楫中將（一九六九年六月至一九七一年六月）。

四、駐越建設團──一九七三年五月三十一日至一九七五年四月十八日，編制人數三十一員，第四任團長姜獻祥中將（一九七一年七月至一九七三年三月）。

越南的地理與軍事

現在越南（Vietnam）全稱「越南社會主義共和國」（Socialist Republic of Vietnam），位於太平洋沿岸東南亞地區中南半島東部，屬於熱帶國家，物產豐饒，景色秀麗，素有「世界糧倉」之稱。全國面積三十三萬一千二百十平方公里，國內民族多達五十四個族群，其中越族人口佔總人口的百分之八十四，迄至二〇一九年元月底總人口已超過九千六百多萬，自然資源和人力素質非常充沛。沿岸天然良港多，扼守太平洋通往印度洋的國際航道，戰略位置重要，為兵家必爭之地。

越南有悠久燦爛的歷史文明，是古代漢文化和印度文化匯聚之所在，長期使用漢字，至今仍保存古代漢文化的形式和內容，成為研究古代漢文化的活標本。歷史上越南曾被漢唐時期中國封建王朝統治長達千餘年，受漢文化浸染，又長期與中國保持密切的「宗藩關係」。

自古迄今，越南國家名稱有過很多變化，最早名稱是文朗國，接著是甌雒國。秦漢至隋唐間，被中國稱為交趾、交州、安南。越南建立獨立自主封建王朝後，宋元到明清，稱為交趾國、安南國。本身所用國號有大瞿越、大越等，到了一八〇二年，越南阮朝建立之時，阮福映遣使於清朝，封國號為「南越」，清朝准以越南為國號，封阮福映「越南國王」，阮朝時期一度用「大南」國號。

越南全國從地理上劃分為北部、中部和南部三部分，近代歷史上，越南又稱此三部分為北圻、中圻和南圻。西方人習慣用法國殖民時代統治越南的名稱，分別稱為東京、安南和交趾支那。歷史的原因和文化差異，經常把越南分為南方與北方，十九世紀初期阮朝統一全國，始稱越南。越南行政區劃分主要有四級，即中央、省和直轄市、市縣區（郡），鄉鎮坊（街道），還有最基層的村。二〇〇四年以前，中央之下有六十一個省和直轄市，其中五十七個省，四個直轄市。

主要城市港口有：河內市（Hanoi）是越南社會主義共和國首都，也是政治、經濟、文化與交通的中心，面積九·五二二平方公里，人口二百八十萬。是一座歷史悠久的古域，公元十一世紀以前曾取名龍編、羅城、大羅城。一八三一年才易名河內，其意是被環在紅河之內，是共產黨和政府中央機關所在地。航空運輸發達，有兩個民用機場，內排國際機場（Noi Bai International Airport）和嘉林機場（Gia Lam Airport）。胡志明市（Ho Chi Minh City）原名西貢市，一九七六年改稱現名，面積二、〇九〇平方公里，人口五百多萬人，是越南人口最多城市，新山一機場（Tan Son Nhat Airport）是大型國際機場，越南南方空中交通樞紐，也是經濟中心，文化與科技中心。海防市（Hai Phong）位於東北部，臨近北部灣，距河內一〇四公里，是越南北方的避暑旅遊勝地。峴港（Da Nang）是著名港口，歷史上稱沱瀼，位於海岸線的中段，是中部最大城市，又是天然港口，港闊水深，進出方便，二十世紀五十年代以來，長期作為軍事基地，法國、美國與前蘇聯都曾在此使用過。順化市（Hue）位於中部，現為承天順化省（Thua Thien-Hue）省會，一八〇二年阮福映建立阮朝，以此為都，還有阮朝的皇城及皇陵等歷史文化古跡。金蘭灣（Cam Ranh）位於慶和省金蘭縣和寧順省交界，不僅是越南和東南亞最好的天然良港，也是世界上著名的軍事基地，戰略地位十分重要，地勢險要，易守難攻，可停泊航空母艦。一九六五年美國花費鉅資，將金蘭灣建成巨大的海、陸、空聯合軍事與後勤基地，美軍撤離後，蘇聯於一九七五年使用該基地。

越南正規武裝力量稱為越南人民軍，前身是一九四四年十二月二十二日武元甲根據胡志明的指示，在越北高平省的密林裡領導成立的「越南解放軍宣傳隊」，一九四五年五月，與其他武裝力量合併，正式成為越南解放軍，官兵約五千人。越軍在歷時八年的抗法戰爭（一九四六至一九五四年）中，屢建奇功，奠邊府戰役（一九五四年三月十三日至五月七日）取得了決定性勝利。抗法戰爭結束，越南人民軍總兵力已發展到三十餘萬人至一九七五年越軍兵力達到一百萬人，一九七九年二月十七日至三月五日，越南與中國發生邊界戰爭，其總兵力一百二十萬人。

二十世紀九十年代以來，越南按照革命化、正規化、精銳化及現代化的目標，不斷加強軍隊和國防力量，越軍現有總兵力約六十萬人，含陸軍四十五萬人、海軍六萬人、空軍九萬人。越南實行正規部隊、地方部隊與民兵自衛隊三結合的「全民國防」體制。國家主席擔任國家國防與安全委員會主席，統帥全國武裝力量。實際上越南實行黨指揮軍隊的原則，黨對軍隊擁有絕對的領導權。黨通過國防部對全國武裝力量進行統一領導。國防部是全軍最高軍事指揮機關，負責人民軍隊、民眾自衛隊的組織建設和指揮。國防部下設總參謀部、總政治局、總後勤局、總技術局、總情報局、國防工業與經濟建設總局。總政治局負責全軍的政治思想工作和幹部之運用，出版人民軍隊報與全民國防雜誌。

「奎山軍官團」由來

一九六〇年元月十五日，越南總統吳廷琰應我國政府邀請率二十一員訪問團，到台灣進行五天的友好訪問。除參觀經建設施，還參訪陸、海、空等各軍種代表性部隊實況，印象極為深刻，要求我國以「協助軍隊整建工作」名義，派一位將軍前往越南，經蔣中正總統核定派政工幹部學校校長王昇將軍，率軍官外語學校教官陳禔上尉和幹校革命理論系上尉教官陳祖耀，於同年五月三日前往西貢。吳廷琰面對共產主義的侵略，認為要喚醒民族靈魂，發揚人性光輝，必須提倡「人位主義」（Personalism），一切以人為本位，向深度、寬度與高度三方面發展，唯未建立完整的理論體系。三人小組經兩個月的撰寫終於完成初稿，全書共分七章，第一章越南的立國精神；第二章人位哲學；第三章人位政治；第四章人位經濟；第五章人位教育；第六章人位社會；第七章越南的命運與世界前途。撰寫「人位主義」的主要目的，在鼓勵越南人民走出歷史悲情，恢復民族自信心，共同為國家創造更美好的願景。初稿經吳廷琰審閱後，印發各軍事學校與訓練單位作為教材，同時並發給全國公教人員研讀。王昇將軍赴越工作原為兩個月，因吳廷琰的要求，國防部簽奉核定延長一個月，到八月四日屆滿，八月五日三人小組離開西貢，圓滿完成任務。

我國應吳廷琰總統要求派遣軍官團赴越協助政戰工作，奉核定團長王昇將軍、副團長阮成章少將、參謀長劉戈崙上校、參謀楊浩然中校、陳玉麟中校、陳禔上尉與陳祖耀上尉。軍官團七人之任務，當時視為秘密行動，以「奎山軍官團」（**Phai Doan Khue Son**）為名，穿便服不著軍裝，避免越共襲擊。一九六一年元月二日全團抵西貢，住進白籐街五號的賓館，原是法國殖民時期的總督官邸。「奎山軍官團」工作計劃要點：

一、工作項目：建立反共理論體系及政治作戰制度、舉辦幹部訓練、改進滅共策略、肅清潛伏越共。

二、工作要領：以越南需要為前題、以戰勝越共為目標、以精神克服困難、以方法創造條件、求精實與求效果。

三、工作步驟：分五個階段─第一步著重瞭解，兩週為期；第二步著重政策，兩週為期；第三步著重計劃，一個月為期；第四步著重籌備，兩個月為期；第五步著重實施，八個月為期。

四、工作方式：工作之協調、討論、裁決，以實施簡報為原則。對一切工作從旁協助，避免直接執行。

越南「政治作戰研究班」於一九六一年五月二十四日舉行開訓典禮，由國防部副部長阮廷淳主持，總參謀長黎文己上將、高級將校、各國駐越武官等應邀觀禮。調訓學員上尉至上校共一二〇名，全期授課五一〇小時，教育期限十六週，教育內容區分如下：

一、國家戰略─國家建設、反共戰略研究、政治作戰研究。

二、革命理論─人位主義、吳總統行誼、越南憲法、越南近代革命史。

三、敵情研究─共產主義批判、北越實況、越盟陰謀策略研究。

四、基本學科─哲學概論、心理學、理則學。

五、工作技術─參謀業務、政訓工作、心戰工作、監察工作、保防工作、民運工作、福利工作及演講技術。

十月十四日「政治作戰研究班」舉行畢業典禮，吳廷琰總統親自主持，副總統阮玉書、各部部長、軍政首長、各國駐越大使及奎山軍官團員應邀觀禮，場面十分隆重。先由兼班主任阮慶少將報告訓練狀況，繼由學員代表向總統呈獻頌辭與效忠書，提出共同的心聲：

第一、一致的認識 必須武力和政治相結合、軍隊與人民相結合，才能獲得勝利。

第二、一致的決心 實施思想、組織、謀略、情報、心理、群眾等戰法，發揮政治作戰功能。

第三、一致的要求 迅速建立政治作戰制度，發揮統合戰力，消滅越共，解救北越同胞。

十二月二十七日越南國防部副部長阮廷淳致函我國俞大維部長，對我政府派員協助越南表示感謝，對奎山軍官團在越之工作精神與成效，備加讚揚。一九六二年元月二日，越南政府對奎山軍官團之贈勳典禮於心戰訓練中心舉行，由越南國防部常務次長周玉璀主持，頒贈全體團員「越南第一等榮譽星座勳章」各乙座。元月五日奎山軍官團全體軍官光榮的完成任務，取道香港返國。

第一任駐越團長　鄧定遠

一九六四年十月七日全團由團長鄧定遠中將率領，韓守湜少將副團長、毛政上校參謀長、團員孫守唐、周樹模、諶敬文、李宗盛等上校，陳祖耀、祝振華、趙中和、陳慶熇等中校及趙琦彬、駱明道、陳貴、范純道等少校，合計十五人，赴越工作。全團曾於十月五日上午十時，總統蔣中正在復興崗中正堂貴賓室，召見顧問團全體軍官，在逐一點名之後，懇切的指示：「越南是我們反共的友邦，幫助越南反共即是幫助自己反共，要盡心盡力，努力達成任務。這是我國第一次派出軍事顧問團，大家務要團結互助，自愛自重。尤其要服從命令，嚴守紀律，在任何情況下，都要以工作為第一，以完成任務為第一。特別注意禮節，處處表現革命軍人的氣質、風度與精神，為國家爭取榮譽。」蔣總統訓話後與全體顧問團合影留念。

鄧定遠字超平（一九〇七年──一九八五年），祖籍湖北，出生於鄂城縣金中鎮，世代書香，忠孝門第。將軍幼少失怙，賴陳太夫人含辛茹苦教養。大陸淪陷前，排除萬難，奉母定居新店，朝夕克盡孝道，為鄰里所稱道。

團長幼讀孔孟書籍，胸懷大志，完成中學升武昌文華大學。值軍閥橫行、日寇猖獗之時，於十四年春，毅然投身黃埔軍校六期、陸軍大學十五期。一九四九年來台，再入圓山軍官訓練團、國防大學、實踐學社、國防研究院等高級班次深造，接受現代化訓練，親承蔣總統耳提面命，對軍事、政治及三軍總體戰素養，尤為精深獨到，深獲蔣總統之賞識與重任。重要軍職歷任武漢行轅參謀處長、武漢警備副司令、師長、第一兵團參謀長、台灣省保安司令部部隊長、國防大學與第二軍團政治部主任、金防部中將副司令官兼政治部主任、陸總部政治部主任、國防部戰地政務局首任局長及國防部聯戰會副主任委員兼執行官。一九六九年屆齡退役，擔任第一屆國民大會代表及世界鄧氏宗親會理事長。值得一提的是團長於一九五八年八月二十三日台海砲戰，擔任副司令官兼政委會秘書長，開展金門縣政，提高農漁生產，改善百姓生活，編訓民防自衛，維護人民生命財產安全等，使金門民眾永懷德澤。

團長於一九三八年和夫人屠建螽女士結婚，夫人溫文賢淑，相夫教子，相敬相愛，令人稱羨。育有六子一女，均受高等教育，各有成就，四代同堂，福慧滿門。將軍一生熱愛國家，效忠領袖，寬以待人，信守道義，於一九八五年五月二十四日與世長辭，其精神志節，行誼典範，堪稱將帥典型。

團長自一九六四年十月到越履新至一九六七年四月任滿回國，在任期間工作重點如下：

一、一九六四年十一月十五日越方發佈，梅友春中將出任政治作戰總局長，由中越共同組成聯合作業小組，草擬政治作戰編裝及作業規定。

二、一九六四年十二月一日越南總參謀部政戰總局正式成立，總局長由總參謀部政戰副參謀長兼任，下轄組織、政訓、心戰、安寧、民事與社會五個局。

三、應阮慶總理請求，代擬「還政於民」文告，主要內容以「國家、責任、榮譽」為軍人三大信念；以「自由民主、公平幸福、獨立統一」為革命三大目標；以「國家至上、反共第一、團結為先」為反共三大號召。

四、凌光園於一九六五年元月三日就任總局長後，要求本團派員到各局、海空軍司令部及四個戰術區，協助開展政戰工作，團員總人數已達三十一員。

五、提升政治作戰大學位階與陸、海、空軍官校相同，校長、副校長與參謀長為軍職，教育長是文職教授。

六、為提升政戰幹部本職學能，舉辦兩期「政戰教官班」，每期教育期限十週，共計調訓一七一員優秀種子教官，由本團擔任授課，時數為一六八小時，越方擔任為一三六小時，成效極為良好。

七、一年一次召開之越南「全軍政戰幹部」大會，旨在溝通觀念，堅定官兵必勝信念，將軍隊與社會相結合，促進軍民情感，為基層官兵解決問題，由總參謀長陳文明中將主持。

八、為使政治作戰工作在基層紮根落實，於一九六五年十月二十五日在第四戰區辦理「基層政戰工作」示範，以壯大自己、結合群眾、瓦解敵人、確保任務達成為目的。邀請美、韓、澳、菲、紐等國，軍政官員參加觀摩。

第二任駐越團長　柯遠芬

柯遠芬（一九〇八年—一九九六年）名桂榮，字遠芬，以字行，廣東省梅州市梅縣客家人。黃埔第四期步兵科，陸軍大學第十期、美國參謀大學特別班第三期及三軍聯合大學第一期畢業。歷任福建省保安司令部少將副司令兼參謀長、軍事委員會委員長侍從室高級參謀、台灣省警備總司令部中將參謀長、金防部副司令官兼金門縣縣長、國防部聯合作戰研究委員會副主任委員、總統府戰略顧問等重要軍政職務。一九七〇年十月退役，一九九六年六月在美洛杉磯病逝，享年九十歲。

團長自一九六七年五月至一九六九年五月，在越兩年時間，以實地觀察和親身體驗，對越戰性質、形態、戰略、戰術與戰法，深入研究，將越戰敵我雙方的強弱優劣加以分析，提出越戰勝敗的關鍵：

一、戰爭的「道」，必須符合越南人民的意願，也要能符合國際的利益：戰爭的目標，在國家社會時代，「道」只要能「全民與上同意」，便可團結民心，鼓舞士氣　；但在國際社會時代，戰爭的「道」卻須符合世界各國的利益，才能獲得國際間的同情與支援。

二、「科學戰爭」與「人民戰爭」合一者必勝：「人民戰爭」是現代戰爭中一張決勝的王牌，沒有科學戰爭能力，固然要依賴它，有科學戰爭能力，仍然還是需要它，才能澈底消滅敵人，獲得最後勝利。科學戰爭與人民戰爭合一者強，科學戰爭與人民戰爭執一者弱，科學戰爭與人民戰爭全無者亡。

團員李光復中校，談到「怒潮學校」時，精神為之一振，曾對作者說：「一九五〇年，粵華部隊就是第十二兵團代號，也就是胡璉兵團，當時胡將軍為了振奮士氣，團結軍心，收容閩、粵、贛等地區流亡青年學生及反共愛國志士，把這些學生改編為閩粵贛區軍政幹部學校，又稱『怒潮學校』。『怒潮』是黃埔軍校校歌第一句的頭兩個字。首任校長唐三山將軍，柯團長是第二任。校址設於江西南城，因時局驟變，隨軍行動。一九四九年秋季，由蕉嶺新埔鎮移至汕頭，再轉到新竹新埔，校名改稱『十二兵團軍政幹部學校』，『怒潮』代號依舊，後來又移至金門水頭。」李中校話匣子續說：「柯團長是一位文武全才將領，精研兵學，嫻熟戰略、戰術，勤於著書，如《暴風雨》（註）、《越戰之真相》等，都有他獨特的精闢見解，頗受層峯賞識。四十三歲即晉升中將。在擔任校長期間，對我們青年學子循循善誘，愛護備至，多次的遷移，千辛萬苦，更增進了我們彼此之間的感情及對國家的向力心，直到現在，我們仍十分懷念老校長！」

團部有一次集會中，柯團長對越共的戰略指導，提出所謂「三階段戰略」路線。依照北越首領武元甲的說明：「長期的革命戰爭，在戰略上必須包括幾個不同的時期，就是生存競爭時期、爭取平衡時期及反攻時期。」

第一階段：主要的作戰方式是游擊戰，以迅速的決心和行動，攻擊敵人後方地區內分散孤立的敵人。

第二階段：主要的作戰方式是營級單位的游擊戰，輔以運動戰和陣地戰，襲擊並消滅集中的敵軍部隊。

第三階段：主要的作戰方式，是師級單位的運動戰，這是正規部隊與游擊部隊密切配合的作戰，必須集結優勢兵力包圍敵軍。

一九四七年爆發之「二二八」事件，有些媒體指稱「柯遠芬在二二八事件中，濫捕濫殺，對整個事件之處理態度與做法，舉措尤多失當」。一九八九年柯團長應中央研究院院士張玉法之邀請口述歷史中，有這麼一段話：「一九四五年十月來到台灣，擔任蔣委員長侍從室參謀，蔣公召見，諭示陳儀保我擔任警備總部參謀長。耶穌基督教訓人『是，就說是；非，就說非』，我是基督徒，二二八事件的發生，尤其是事件的擴大，可說是事在人為，不是不可以避免的悲劇。如果行政長官是我，將不會閉門造車而不知民情，會事先加以防範，不會如此大意，發生緝煙血案，以平息眾怒。」據監察委員兼監察院特派台灣監察使楊亮功和何漢文聯名提交調查「二二八」事件與「台灣善後辦法建議案」，報告中卻說：「軍警死傷比台灣人嚴重，外省人死五十七人、傷一三六四人、失蹤十人；本省人暴徒被擊斃四十三人、俘獲八十五人、自新者二〇二三人。」這幾年來有關調查版本不勝枚舉，只有留給歷史學家去評斷事實真相與是非功過。

越戰起因及其後果

越南戰爭（一九五五年—一九七五年）簡稱越戰，是南越（越南共和國）對抗北越（越南民主共和國）和越共（越南南方民族解決陣線）的一場戰爭，也是二戰以來美國參戰人數最多，耗資四千多億美元，影響最大的戰爭，前後十二年，結果美國在越戰中失敗。

越南在一八八五年至二戰前是法國殖民地，二戰中被日本佔領。一九四五年二戰結束前後，胡志明領導的越盟，在河內建立「越南民主共和國」，簡稱「北越」。法國挾持保大皇帝在西貢立國。為爭奪越南控制權，北越和法國進行九年的法越戰爭（第一次印度支那戰爭）。法國軍隊控制西貢、河內等主要城市，而廣大農村落在胡志明領導的越南共黨游擊隊手中。一九五四年，北越在奠邊府戰役中贏得對法軍的決定性勝利，法國撤出越南北部。一九五四年七月二十一日由美、蘇、法、英、中、北越、南越、柬埔寨、寮國九國外長，達成協議，簽訂「日內瓦協定」，協議南北越以北緯十七度線分治，南部由保大皇帝控制，北部由胡志明統治。美國為了阻止北越的共黨勢力向南越擴張，支持吳廷琰在南越建立反共政權，於是在一九五五年，吳廷琰在西貢推翻保大，建立「越南共和國」。

一九六八年一月三十日，北越發動規模浩大的「春節攻勢」，以兵力三十二萬北越軍隊和越共游擊隊，對二百多個市鎮、農村發動總攻擊，包括南越三十六個省會、五個大城市、六十四個縣城市與五十個戰略村及西貢機場、總統府、南越總參謀部。北越部隊四萬五千人陣亡、四萬負傷的沉重打擊。春節攻勢的慘烈狀況，引起美公眾震驚，國內反戰浪潮日益高漲。美國政府高層卻為了春節攻勢以致失去「戰鬥意志」。當駐越美軍司令魏摩蘭將軍(William Childs Westmoreland)計劃動用二十萬六千增兵，以完全消滅共軍的要求，詹森總統受到大眾反戰運動的影響，認為美軍無法挽回局勢，迫使放棄增援決定。

一九七三年一月二十七日，美國、南越、北越與越南南方共和國臨時革命政府，四方在巴黎正式簽定「巴黎和平協約」，隨後兩個月駐越美軍全部撤出南越。但南越與北越之間戰爭並未結束，游擊戰依舊進行，北越重新控制南越境內的多個鄉村。一九七四年最後一場戰役的福隆戰鬥中，北越軍擊退南越軍。一九七五年元月，北越發起最後決定性攻勢，總統阮文紹於三月十七日宣佈放棄中央高地，各大城市相繼失守，四月北越發動胡志明戰役，攻克南越首都西貢，阮文紹辭職下台，由陳文香接任，四月二十七日新山一空軍基地被北越砲擊、北越海軍佔領所有南越控制的島嶼，再由楊文明接替陳文香代理總統職務。四月三十日早晨，最後一批美軍直升機從美駐西貢大使館屋頂上，撤離末批海軍陸戰隊員，成了美國捲入越戰的結束標誌。同日西貢淪陷，北越在中午之前，攻陷美國大使館和南越獨立宮總統府，接受楊文明的投降，南越滅亡。同年柬埔寨和寮國的共黨先後奪取政權，越共屬下的南方解放陣線於南方成立「南越共和國」。五月二日，北越軍隊佔領包括德浪河谷的南越全境，從此中南半島三國加入社會主義陣營。一九七六年七月二日南北越統一，組成新的越南社會主義共和國，首都定為河內，西貢改名胡志明市。約二百萬公民被送進勞改營、二十萬公民被處決、五萬人死於苦役、八十八萬孤兒、二十萬殘疾及一百萬寡婦。另有四百萬人受到美軍「化學污染」的危害。

一九五五年到一九六二年間，蘇聯提供北越財政援助總額約十四億盧布並協助北越建設三十四個大型工業與一系列醫療、高等教育機構，重建五十個農業項目。越戰期間，社會主義陣營國家向北越提供大量物資，共約二四〇萬噸，包括中國一六〇萬噸、蘇聯五十一萬噸還有捷克斯洛伐克、波蘭、匈牙利、保加利亞、羅馬尼亞、東德、北韓及古巴等共援助二十五萬噸。自一九六二年毛澤東向北越提供九萬枝槍砲、戰車以及各種軍需物資，中國就已介入越戰並訓練北越軍隊，傳授游擊戰戰法，還援建北越大量工業設施與機場、公鐵路，派遣鐵道兵、工程兵、高射砲兵等部隊協助北越抵抗美軍。從一九六五年至一九七〇年有三十二萬人民解放軍派往北越參加戰鬥。

越戰期間雙方傷亡人數之統計：

反共陣營：

美軍—死亡五萬八千二百二十人，受傷三十萬四千人。

韓軍—死亡四千六百八十七人，受傷一萬九百六十二人。

澳大利亞國防軍—死亡五百十二人、受傷二千四百人。

泰國皇家軍—死亡三百五十人。

紐西蘭軍隊—死亡八十三人、受傷一八七人。

菲律賓軍隊—死亡九人。

越南共和軍—死亡約二十五萬人、受傷五十萬人。

共產陣營：

中國人民解放軍—死亡一千四三十三人、受傷四千二百餘人。

蘇聯紅軍—死亡一千九百七十四人。

北越及越共—死亡一百十萬人、受傷六十萬人。

越南共和軍政戰體制

越南共和軍的政治作戰制度，師級以上單位，採政戰副參謀長制、團級單位設政戰組長，由副主官兼任，營連級為政戰助理。後勤單位、學校及訓練中心，由副部隊長兼任，海空軍比照陸軍辦理。

中央單位在國防部總參謀部內設立政治作戰總局，由政戰副參謀長兼任政戰總局長，另有四位副參謀長主管人事、作戰、訓練、後勤。在政戰總局內，設組織、計劃、監察、體育、行政、新聞與公共事務及戰俘分類感訓等八個處，由參謀長直接指揮。

政戰總局之下，設立四個局、一個署及政治作戰大學。

一、政訓局──設計劃、教育、訓導、行政等四處及政戰幹部訓練中心，主管精神教育、政治教育、政訓活動及政戰幹部訓練，以堅定官兵思想信仰，遂行思想戰。

二、心戰局──設心戰情報、計劃執行、技術、行政後勤等，研究分析戰情，針對敵軍心理弱點，採取心戰攻勢，打擊越共之精神意志，招撫來歸，遂行心理戰與群眾戰。

三、安寧局——設保密防諜、監察、反情報、行政、海空軍安寧、地方軍、義軍安寧等及安養營，負責國防安全及地方安寧工作，遂行情報戰。

四、社會局——設計劃、教育、行政等處，主管軍眷生活、工作、福利與眷舍等，遂行群眾戰。

五、宣慰署——設佛教、天主教、基督教等部，為信仰各教義之軍人與眷屬提供服務。

六、政戰大學——負責訓練政戰幹部。

上述四個局為獨立作業單位，另在總局內設立八個處，負責組織戰與謀略戰並對各局之協調與連繫。

一九六五年五月，國防部三軍總司令部發佈越南共和軍各級單位政治作戰機構之組織如下：

海軍、空軍、軍、師、旅、首都特區、陸戰隊、特種部隊、傘兵、地方軍與義軍等司令部，補給、兵科指揮部、軍事學校、訓練中心、署、處等單位，在參謀長之下設政治作戰群，內設政訓、心戰、安寧、社會四組。

戰術區、分區、小區、聯團、團、營暨各同等單位，由副指揮官兼政戰組長，下設政訓、心戰、安寧、社會四個小組。連與戰術支區，設政戰軍官，下設政訓員與安寧員各一人。至同年八月，各單位的政戰人事已陸續核定發佈，分別展開政戰工作。根據越南政戰組織編制員額，計軍官七千五百四十六人、士官九千四百七十人、士兵三千三百二十二人，合計兩萬零三百三十八人，其中軍級四十七人、師級四十二人、團級十三人、營級六人、連級二人。

越南政治作戰學校組織在草創階段，校長由總局長兼任，校務組織僅設立教務處、訓導處兩個處及學員大隊、總務大隊兩個大隊。一九六六年起為增加政戰幹部訓練能量，改名「政治作戰大學」，直接隸屬政治作戰總局，將原兩處兩大隊改為六個處，即政戰處、文化處、軍訓處、計劃處、行政處及學生總隊處。訓練班次計有四年學生班、九週基本班、六週中級班、六週高級班、六週宣慰班、軍樂班、軍法班、士官班、軍士官政戰技術班、女政戰軍士官班、女青年社會幹部訓練班等班次，以順應越南共和國國情，結合戰況之需求。這些班次中屬「宣慰班較特別」，它是仿效美軍設牧師制度，隨軍負有精神慰藉之責。主要針對組織宗教服務和正確的教義宣導，以提供軍人與眷屬精神引導，進而協助社會福利工作，對部隊政治作戰工作中，提昇軍心士氣有相當的助益。

越南「新生邑」之設置

一九六一年越共正式成立「南方民族解救陣線」，加強在南越的叛亂活動，發展對農村的游擊戰爭，企圖劫持農村，以農村包圍城市。越南總統吳廷琰提出「戰略村」構想，號召民眾以自衛、自保、自養，共同抵抗越共。所謂「戰略村」即將在散落偏遠的難民，聚集於戰略要地，一面武裝，一面生產，當時的「戰略村」就是「新生邑」的淵源。

美軍在援越司令部之下，設置「新生活發展組」協助越南政府推行農村建設，發展「新生邑」(New Life Hamlet)，由美駐越副大使擔任總協調工作。越南農村建設部之下，設農村建設幹部學校，培植農村建設幹部人才，專責建立「新生邑」作為建設農村的起點。專業的「農村建設幹部」不具備軍人身份，有本身的武裝力量，與軍人、公務員成為越南政府的重要支柱。

越南政府的地方行政組織，中央以下為省、郡、社、邑，「邑」是地方行政的最基層單位。一九六八年越南政府共建立了五千五百八十八個「新生邑」，至一九七〇年逐漸增加二千七百三十一個「新生邑」，足以容納越南農村人口的百分之八十。

「新生邑」建設的最高目標，要建立自由、民主、公正、幸福的社會，因此越南政府公佈「新生邑」十一條基本標準項目：

第一、消滅潛伏越共：不僅是捕抓殘留的越共，進而摧毀殘餘越共組織。

第二、剷除惡霸強豪：抓貪污腐敗的社、邑、公務員、劣紳、流氓地痞等，以保障民眾生命財產。

第三、樹立農村精神：推動親愛精誠、互助合作；提倡仁、義、禮、智、信及恢復民族傳統文化。

第四、建立民主制度：厚植民主基礎，以便還政於民，實施地方自治。

第五、嚴密組訓民眾：「邑」之下為「坊」成為「新生邑」的戰鬥單位，以戰鬥編組，發現敵縱迅速予以殲滅。

第六、澈底掃除文盲：包括兒童和成年人，就地培養教師興建校舍，供應所需的課本、文具。

第七、根絕傳染疾病：實施霍亂、天花、鼠疫、瘧疾等傳染病的預防措施。

第八、實施土地改革：不僅在解決土地分配問題，從農業改良增加生產。越共討好民眾的方法，是直接分發土地，爭取民眾的支持。

第九、提高農民收入：自耕農可耕的土地，提高農民收成。

第十、開闢交通要道：發展內圍道路，由「邑」公所通往各坊，再由各「坊」通達各家庭的道路。

第十一、實施慰勞救濟：每次戰鬥之後，對作戰有功人員，邑公所與民眾團體，發動宣慰。

「新生邑」把民眾的力量聚結在一起，增進反共的信念，揚露了越共猙獰面目，可說是越南政府戰略上的成功。越南政府針對「安全」問題，於一九六七年提出口號：「人民自動、幹部運動、政府援動、軍隊掩護」，也說是「新生邑」的建設由人民主動來推行，農建幹部從中策動，政府給予物質支援，軍隊負責守望，保障安寧。越南受地理形勢因素，越共只要從柬埔寨、寮國邊境經一天一夜的急行軍，便可抵達南越任何一個地區，因此「新生邑」的安全，隨時都在越共的直接威脅之下，要解決這問題，宜檢討整個農村建設的體制與權責，否則人民被迫向越共納稅，技術人員不敢下鄉，「新生邑」的守勢正接受實際的考驗。

自由世界援越之政戰工作

一九六四年五月一日，美國正式宣佈，籲請自由世界國家，對越南提供實用或物資捐助，一九六七年三月十一日美國務院公佈，自由世界對越南提供援助的國家，除美國之外，計有三十七個國家，其中提供軍事援助有中華民國、韓國、澳大利亞、紐西蘭、菲律賓、西班牙及泰國等七國。一九六〇年美國派遣軍事顧問八〇〇人，一九六四年為二二〇〇人，隨著戰局擴大，美軍逐年增加，至一九七〇年達到五十四萬三千人。一九五四年韓國派工兵營和步兵營支援越南，一九六五年十月增派白馬師、猛虎師、青龍師共五萬四千人加入。一九六五年六月澳大利亞派皇家特勤團四千五百人，另外菲律賓與泰國各二千餘人，紐西蘭五百多人戰鬥部隊到越南。美軍在越戰中，據美國國防部公佈，空軍損失三千七百餘架噴射機、五千餘架直升機，共耗費一千五百餘億美元，損失慘重。僅將美、韓、菲、澳四個國家的政戰工作概況列述如下：

一、美軍政戰工作：

一九六五年五月美軍援越司令部，成立政治作戰顧問處，簡稱「政戰處」，下轄政戰顧問組、計劃組、心戰支援組及陸軍心戰營。政戰工作著重在民事、心戰、教士與政戰顧問。

（一）民事工作——為促進軍民關係，爭取民眾支援的重要因素，其目的在增加越南人民的福利，爭取越南人民政府的支持，各種民事活動，要有越南官員與民眾共同參與，作為美越雙方緊密合作的象徵，美軍不僅提供技術、物質支援，還和越南人民一起蓋房子、修道路、挖水井，在培養感情爭取人心上，收到了相當效果。

（二）心戰——美軍在各戰術區設立「宣傳支援中心」主要任務在接受相關單位需要支援的申請，包括印刷、喊話及視聽等，使用的心戰媒介有傳單、廣播、電視、報紙、標語、口號、刊物、武裝宣傳隊、歸正人員、音樂戲劇、電影、集會及展覽等十四種，其中最有效的是宣傳單，其次是空中喊話。

（三）教士（Chaplain）——每位營級教士前往第一線擔任鼓舞士氣，撫傷慰死的工作，施愛於戰區陣地的官兵。在部隊中美軍教士帶有軍階，地位超然，不帶武器非戰鬥人員。在戰場上教士傷亡比率不低於一般戰鬥性軍官，他們熱忱純潔的服務，振奮部隊官兵之士氣，獲得一般官兵的尊敬。

（四）政戰顧問——美軍在越南共和軍總參謀部以下至戰術區（軍責任地區）、分區（師責任分區）與小區（省）及海軍戰術區、空軍大隊以上之各級政戰單位，美方均派有政戰顧問協助工作，其工作範圍包括計劃、預算、組織、訓練、宣傳品、印發、官兵眷屬福利、心戰民事活動、宗教事務以及招撫計劃等有關軍事項目。

二、韓軍政戰工作：

在越南提供軍事援助的七個國家之中，韓國是僅次於美國出兵最多的國家，其活動規模在自由世界軍事援越國家之中，亦屬於第二位，其政戰工作簡述如下：

（一）**民事心戰**——工作目標為(1)支援越南政府農村建設計劃；(2)堅定越南人民反共必勝信念；(3)加強韓越關係，支援軍事作戰；(4)爭取民眾合作，不為越共蠱惑。政策方針為(1)保護越南人民生命財產；(2)尊重越南人民風俗習慣及傳統；(3)每一位官兵做好民事心戰員。

（二）**民事工作**——(1)協調責任區內省長、郡長配合越南政府農村建設計劃，推行軍隊民事工作；(2)韓軍野戰醫院和診療所，提供門診及住院醫療服務；(3)教導住民學習「跆拳道」，派七十名教官，在越軍師級及各軍事學校，擔任訓練教官；(4)供給農民教具，指導農民生產；(5)透過「姐妹結緣」方式，促進韓軍與當地住民之間感情；(6)協助修築道路、橋樑、學校及公共建築；(7)透過體育、文化及宗教活動，促進韓越兩國之間的友誼；(8)對責任區內，遭受軍事行動損害之民眾，辦理賠償。

（三）**心戰工作**——(1)切斷越共與民眾之間的連繫；(2)號召越共與北越正規軍向政府投誠；(3)強調越軍與盟軍武力之強大，瓦解越共與北越軍心士氣；(4)宣導韓軍援越在幫助越南人民共同抵抗敵人。

三、菲律賓政戰工作：

菲政府根據一九六六年八月三日簽訂的菲越軍事協議，派出民事部隊，協助越南政府光復地區的重建工作，駐越「第一民事群」與工兵營、警衛室、野戰砲兵連、後勤支援連、基地醫院、醫療小組及勤務連所組成，遭遇敵人攻擊時，可以獨力作戰實施自衛。其政戰工作為：

(一) 民事部隊──基本任務(1)協助越南政府從事地方重建工作；(2)發展公用工程及公共設施；(3)對社會經濟活動提供技術指導。

(二) 親民運動──為了爭取住民的合作與友誼，以連為實施單位，對群所分配的村莊，定期訪問方式，增進官兵和當地住民的感情，主要目標與原則為(1)使軍隊更接近越南人民；(2)輔助短長程民事計劃的實施；(3)爭取住民積極參與各項建設工作；(4)對分配各該連負責之村邑，實施定期訪問，主動發掘問題，解決問題。

四、澳軍政戰工作：

澳軍援越司令部設在西貢，其餘部隊分駐在四個基地，即第一特遣隊駐福綏省密山基地、第一後勤支援群駐福綏省頭頓基地、皇家空軍第二轟炸中隊駐慶和省藩郎基地、空軍運輸中隊駐西貢新山一基地。民事工作目標有四：(1)協助越南政府推展社會，經濟計劃；(2)改善越南人民生活，認清越共殘暴本質；(3)爭取人民支持國家政策；(4)舒解人民疾苦，安撫不滿情緒。民事活動概分(1)醫療、保健服務；(2)開辦英文班；(3)舉辦旅遊；(4)分發救濟；(5)維修與建設。澳軍民事工作相當成功，主要原因有兩點：一是物質條件充足；二是民事工作人員對住民之態度親切熱心。

越南政府為使「八國」統一戰略策定滅共計劃，於西貢成立「自由世界軍援委員會」，由各國駐越軍援司令擔任委員，裡面設有司令辦公室與連絡官辦公室，我青天白日滿地紅國旗與各國國旗，飄揚在委員會庭院。

美「軍情組」指揮官感謝函

我們顧問團平日和越南安全局，綿密交會研討相關安寧及剿共問題之外，也時常與美軍五二五軍情組交換各種情報。作者在越任期屆滿前，五二五軍情組上校指揮官藍森姆巴爾伯（Ransom E.Barber），於一九七〇年七月五日致本團「感謝函」，推崇中美合作無間，嘉勉作者付出之貢獻。這不僅是個人榮耀，亦是中華民國三軍無上之光榮！今將五十年前指揮官所用指揮部打印「原字體」信函及其簽名，翻印如下：

感謝函

敬愛的林中校：

您在中華民國陸軍軍事安全組與美國軍事安全署第五二五軍情組之間，所從事反情報交換工作，勤奮之付出，本人願藉此機會，表達申謝之忱。您積極主動精神，與本單位建立良好的合作、協調關係。

您的表現深獲我軍事安全署指揮部之讚揚，本人在越南相處過的貴國三軍軍官當中，您是所遇見最熱誠獻身工作且具高昂意志之軍官，本人十分感激與敬佩。深信，由於您及貴國軍官之努力，有助於南越政府對抗共黨之侵略。

五二五軍情組與貴國軍事顧問團之間密切的聯繫，主要有賴於您熱衷追求我們共同目標所致，這是您及中華民國三軍之最高榮耀，誠摯祝福前程似錦，順利成功！

軍情組上校指揮官　藍森姆巴爾伯

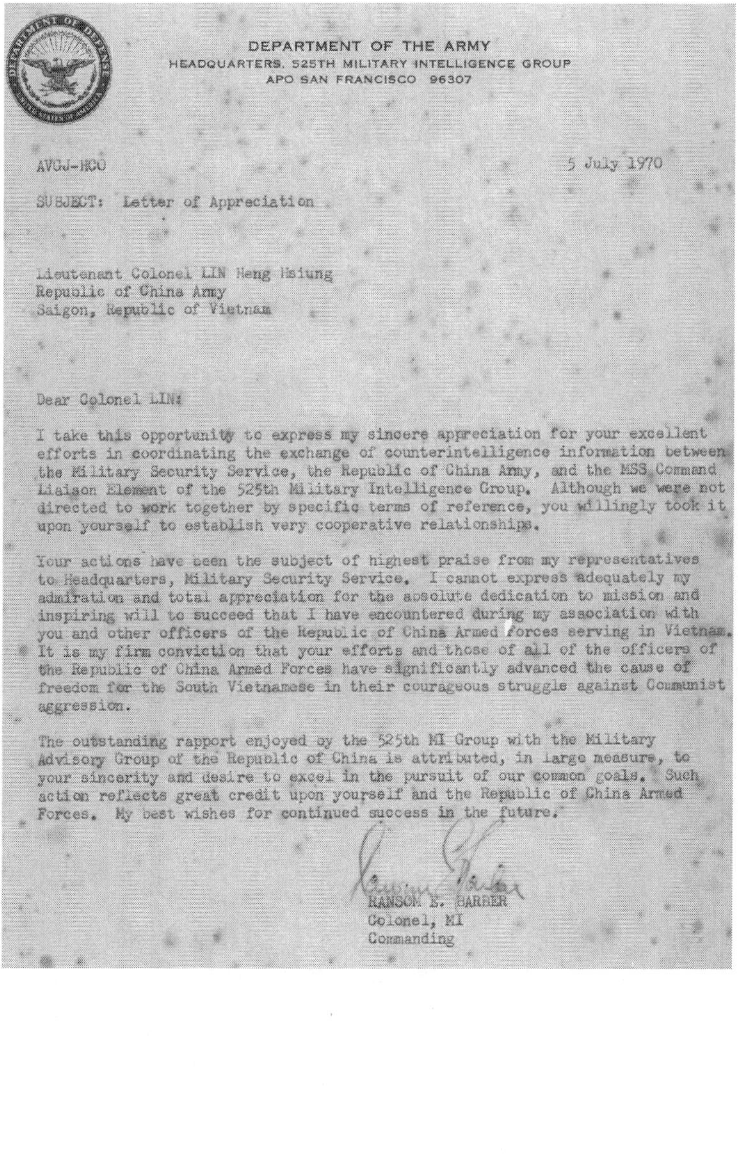

DEPARTMENT OF THE ARMY
HEADQUARTERS, 525TH MILITARY INTELLIGENCE GROUP
APO SAN FRANCISCO 96307

AVGJ-HCO 5 July 1970

SUBJECT: Letter of Appreciation

Lieutenant Colonel LIN Heng Hsiung
Republic of China Army
Saigon, Republic of Vietnam

Dear Colonel LIN:

I take this opportunity to express my sincere appreciation for your excellent efforts in coordinating the exchange of counterintelligence information between the Military Security Service, the Republic of China Army, and the MSS Command Liaison Element of the 525th Military Intelligence Group. Although we were not directed to work together by specific terms of reference, you willingly took it upon yourself to establish very cooperative relationships.

Your actions have been the subject of highest praise from my representatives to Headquarters, Military Security Service. I cannot express adequately my admiration and total appreciation for the absolute dedication to mission and inspiring will to succeed that I have encountered during my association with you and other officers of the Republic of China Armed Forces serving in Vietnam. It is my firm conviction that your efforts and those of all of the officers of the Republic of China Armed Forces have significantly advanced the cause of freedom for the South Vietnamese in their courageous struggle against Communist aggression.

The outstanding rapport enjoyed by the 525th MI Group with the Military Advisory Group of the Republic of China is attributed, in large measure, to your sincerity and desire to excel in the pursuit of our common goals. Such action reflects great credit upon yourself and the Republic of China Armed Forces. My best wishes for continued success in the future.

RANSOM E. BARBER
Colonel, MI
Commanding

「橙劑」、「美萊村」震驚國際

一、橙劑(Agent Orange)：或稱橘劑、落葉劑、枯葉劑、落葉橘，為美軍在越南戰爭時期，通過除草作戰方案(Herbicidal warfare)與牧場手行動(Operation Ranch Hard)，執行落葉計劃以對抗在叢林中活動的越共，及阻止北越軍遊走「胡志明小道」，所使用的除草劑暨落葉劑，可使雙子葉植物樹葉掉落。一九六二年至一九七一年，美軍在越南噴灑八千萬公升的橙劑，破壞森林並揭露敵人藏身處。橙劑中含有致命化學物質戴奧辛(TCDD)，造成戰後多年越南許多新生兒出現嚴重缺陷、癌症及四肢變形、身體扭曲、頭部腫大等畸形現象。還有很多白痴兒童及各種神經系統疾病的大爆發。越南政府表示有三百萬人受到橙劑影響，其中一百萬人仍承受惡果，包括十五萬名畸形新生兒，遭到噴灑村莊多達三一八一個。敵人帶來了重擊，影響世世代代的越南人。

越戰結束逾四十年後，美國在本（二〇一九）年四月二十日決定投入一點八三億美元，即約台幣五十七億元的為期十年「除毒計劃」，將越戰期間，美軍為了對抗北越軍隊，在邊和空軍基地(Bien Hoa)及周邊一帶儲放的有毒化學物質「橙劑」，全數清除乾淨。其中又以南部同奈省的邊和機場為全國「殘留橙劑最多，汙染及後續最嚴重」的地區，這是繼二〇一二年「峴港機場除毒計劃」清理完畢後的新計劃地點。美國國際開發署(USAID)聲明指出，邊和地區超過五十萬立方公尺的戴奧辛，美國第二次主動花錢為越南消毒，清理行動溢出的「橙劑」，據信滲入土壤，並滲入地下水和鄰近河川，造成好幾世代的越南人出現身心障礙。「峴港」清除共花費一點一億美元，約台幣三十三億八仟九百萬元，耗時六年，終於在去年十一月清理完畢。這次「邊和」戴奧辛含量比峴港多出四倍。美國駐越南大使丹尼爾(Daniel Kritenbrink)於四月二十日上午發佈會上指出：「雖然我們兩國以前是敵人，如今我們一同攜手去進行一項複雜的行動，這實在相當具有歷史意義」。

在越戰中，面對強大的美軍，越共發揮了熱帶叢林的作戰優勢，跟美軍打起了游擊戰，神出鬼沒，聲東擊西，美軍雖然以火焰噴射器、燃燒彈、燒山等等手段措施，但效果不佳，有時還引火燒身，因此用這威力巨大，遺患無窮的「橙劑」，進入人體需要十四年時間才能全部排出。早在美國之前，英軍在一九五〇年代也利用同樣的方式對付躲藏在森林裡的馬共，這一做法成了美國對付越共的慘忍悲劇。「橙劑」是由兩種除草劑等比例混合而成，美軍當時也噴灑了其他除草劑，包括白劑、藍劑、粉劑等，接觸到除草劑的植物在兩天內便會死亡。一九六九年外界發現「橙劑」以及其他的除草劑中含有一類致癌物戴奧辛並認為這將對人體造成傷害，然而美國極力否認。而參與作戰計畫的美軍官兵，也受各種疾病之苦，包括心臟病、前列腺癌等，其妻子的自發性流產率和新生兒缺陷率均高出常人的百分之三十，真是「害人害己」。一九八四年五月七日，美國七家相關「橙劑」製造廠商，答應支付一千八百萬美元補償受害美軍官兵，以換取退伍軍人撤銷所有的指控。受害退伍軍人對此結果並不滿意，但最終仍被聯邦法官溫斯坦(Weinstein)，以此案符合公平正義(Fair and just)為由，拒絕上訴。關於賠償方式，一名完全傷殘的退伍軍人，最高獲得一萬二千美元的賠償，而在越戰中犧牲的軍人，其遺孀可獲得三千七百美元。二〇一〇年退伍軍人事務部部長 **EricK.Shinseki** 在「美國退伍軍人事務部」的賠償名單上，增加了三項與「橙劑」有關的疾病，美國國會為此撥出一三三億美元支援。至於在越南的相關賠償上，美國卻只願意賠償一千兩百萬美元，採取睜一隻眼，閉一隻眼的消極態度。

二、**「美萊村」慘案**：(My Lai massacre)是一九六八年三月十六日，美軍與北越在越南戰爭中，於越南廣義省美萊村製造了「美萊村大屠殺」，殺害五○四名手無村鐵的婦女、兒童和老人亦有女性被輪姦和屍體被肢解。事件發生後，美國曾試圖掩蓋事情真相，但在一年半後於一九六九年十一月十二日被美國《紐約客》雜誌刊出屠殺醜聞，記者西摩·赫希(Seymont Hersh)發現揭發。這起醜聞迅速引起美國國內外的強烈憤慨。國際社會譁然，一致以「道德破產」加以責難。赫希於一九七○年獲得普利茲國際報導獎。

一九六七年十二月，美軍第十一輕步兵旅第二十志願步兵團第一營的C連(Charlie Company)抵達越南，直到一九六八年三月中旬，連續遭到越共二十八次襲擊，包括陷阱和地雷埋伏，其中有五人喪命。「春節攻勢」(Tet Offensive)發生於一九六八年元月的越南農曆春節之際，美軍情報認為已撤退的越南民族解放陣線第四十八營正躲藏在美萊村。同年三月十五日，在發動攻擊前夜，陸軍上尉恩斯特·麥迪那作戰會議上指示：「北越第四十八營駐紮在美萊村，所有留在村子裡的人，都是為民族解放陣線人員或他們的支持者，殺死所有游擊隊員、北越戰士及可疑人員並炸毀地下掩體和地道」。C連負責進入這個小村莊，由一排作為先頭部隊，另外兩個連主要由特遣隊(Task Force)組成，負責在村莊周圍佈置警戒線戒嚴。三月十六日早晨，C連在短程砲兵和武裝直升機的掩護下，來到了美萊村，由威廉·凱利(William Calley)中尉率領的一個排，開始用槍、手雷、刺刀等屠殺村子裡所有的人和動物。BBC 新聞描述屠殺場景：「成堆的人聚集到水渠中，美軍用自動武器將之殺害」。在村子中央，大約七十至八十人群，由一個排包圍起來，凱利下令將他們全部殺掉，凱利還從不肯服從命令殺平民的下屬手上，奪過槍屠殺了另外兩批人群。二個排在向美萊村北半部和 Binh Tay 一個小村掃蕩的過程中，殺了至少七十個越南人。第二排受到地雷、陷阱而有一人死亡、七人受傷。一排和二排「清洗」過一遍，三排負責處理任何「有生力量」，含躺在死人堆中呻吟的人，還把十二名婦女、兒童聚集起來進行掃射。

一九七〇年十一月十七日，美國聯邦軍隊起訴了十四名軍官，包括第二三步兵師師長塞穆爾考斯特 (Samuel W.Koster) 將軍，原因是掩蓋了美萊村事件真相，然而大部份起訴都中途撤銷。只有步兵旅指揮官德森因掩蓋事實受審，但在一九七一年十二月十七日宣布無罪釋放。至於凱利中尉下令開火，於同年三月三十一日被判處終生監禁，惟嗣後改判軟禁三年半，另有二十五名面臨起訴，但全都無罪釋放。二〇〇九年八月十九日，凱利中尉第一次發表公共演說，表達自己的歉意與懺悔：「我生命中沒有任何一天，不為那天發生在美萊村的事情而悔恨自責，我愧對那些被殺的人、愧對他們的家人，也愧對捲入本案的美軍士兵和他們的家人，我真的很抱歉」！

作者有一次在瓜國為學官上課時，就有學官對「橙劑」與「美萊村」事件，提出疑問。學官認為美國一向崇尚人權，不實指控一些國家違反人權、背逆人權、剝奪人權，對越南手無寸鐵的百姓，竟然這麼殘忍，憤怒之情，溢於言表。學官提及美國雖然協助各友邦抗敵，但因「姿態過高，強勢干涉」，始終毀譽參半，學官似乎不認為美國是一個可靠可信的國家。

註：一九八三年柯遠芬將軍所著「暴風雨」，記載大陸撤守與胡璉兵團轉戰紀實，提及胡璉所編練的十二兵團兵源來自何方。胡璉提出仿唐朝府兵制「一甲一兵，一縣一團，三縣成師，九縣成軍」方式，在一個月內七萬五千名士兵，集徵完成。

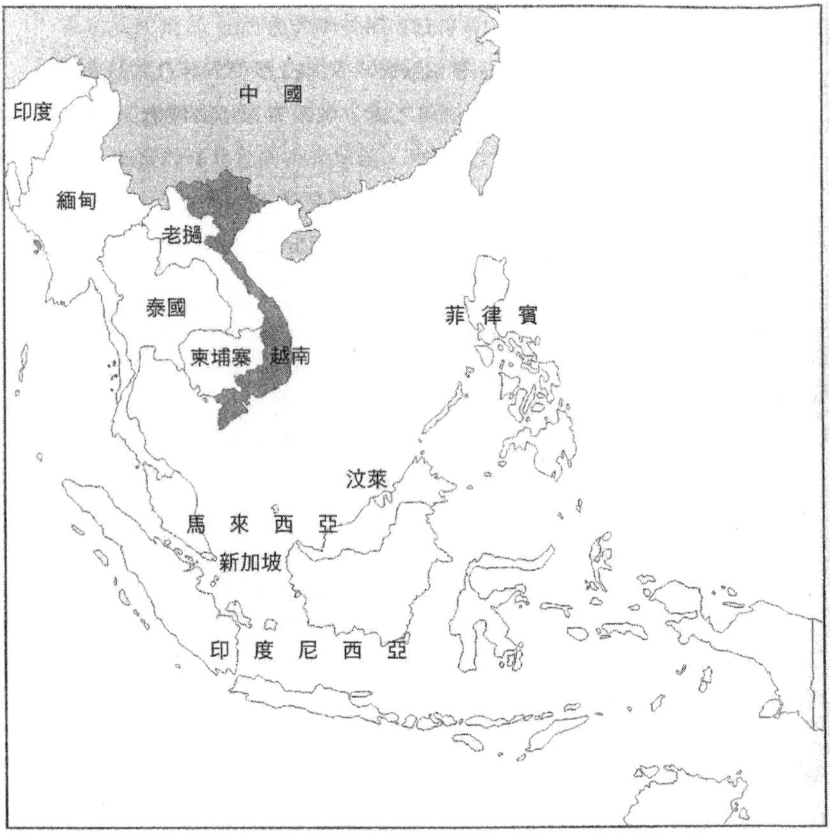

東南亞地圖

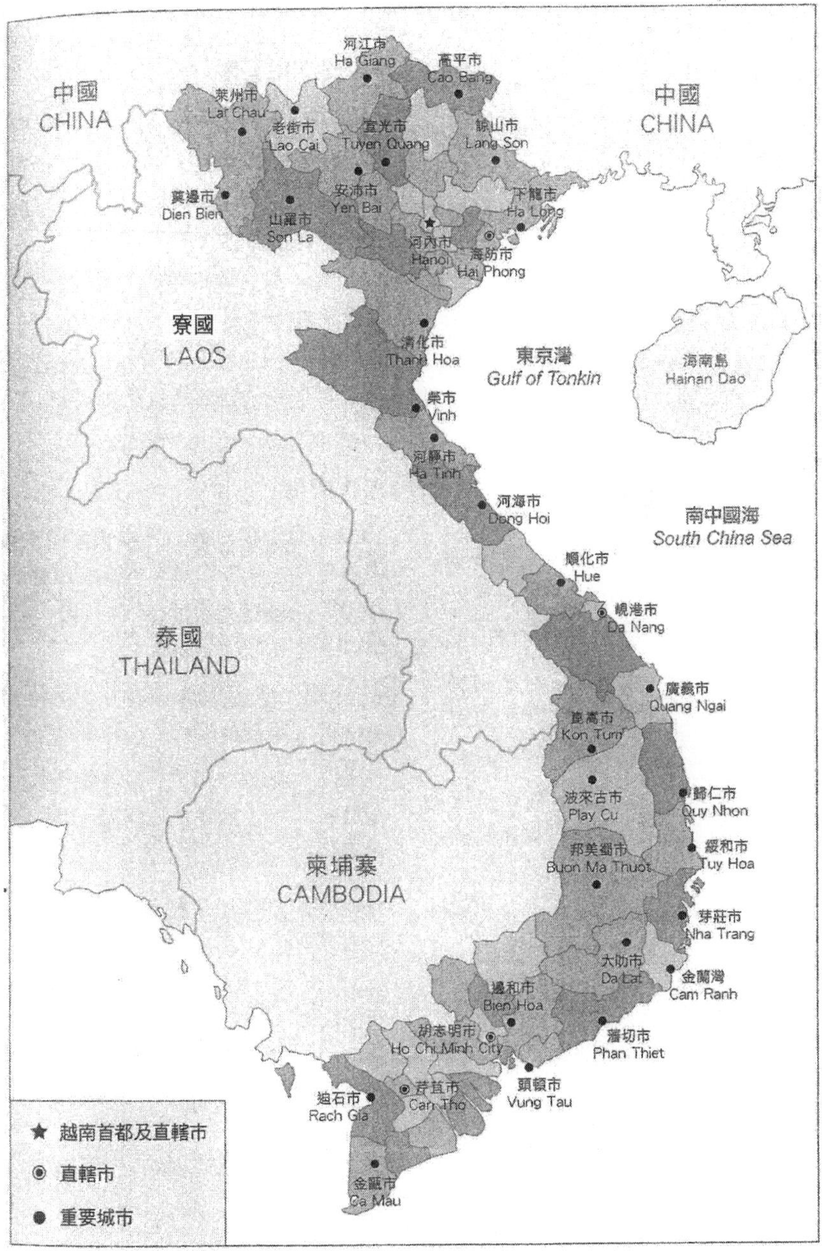

越南地圖（Map of Vietnam）

第六章　派駐高棉顧問團

兩度出國協助友邦

一九七二年七月十二日，堅決反共的高棉總統龍諾（Lon Nol），瞭解我國政治作戰制度推行成效及其在反共陣營中，所發揮的無形戰力，經王昇將軍多次與高棉高層會談結果，由棉方國防部長塔巴那宜，在首都金邊（Phnom Penh）代表兩國政府簽訂備忘錄，正式邀請我國政府派遣軍事顧問團，前往高棉協助建立政治作戰制度。王昇將軍有感於龍諾總統之真誠友誼，針對高棉國情及棉共伎倆手段，親自撰寫「新高棉主義」乙書，經龍諾總統審閱，以棉文、法文併行，印發全國軍公教人員研讀及各軍事院校與訓練中心的教材，作為高棉共和國的理論基礎與指導方針。

一九七二年八月，奉令組成「中華民國駐高棉軍事顧問團」，由郁光將軍擔任團長，參謀長趙中和上校，團員有祝嘉祥、劉知仁、季潛俠、錢行偉、李發賢、黃倫、林經樾等國軍優秀軍官，全團於九月四日飛抵金邊。

顧問團在高棉兩年的期間，協助總統府設立政治作戰指導委員會，負責策劃與督導全國軍事與民事部門的政戰工作。各軍種司令部以至連級單位，由副主官兼任政戰主管，各級民間機構比照軍事單位，設立政戰組，推展政戰工作。高棉政府有鑒於軍民對棉共的陰謀，缺乏認識及不瞭解政治作戰的思想，因此，顧問團受邀巡迴各地作專題講演，參加聽講人員有各級軍政首長、國會議員、公教人員、青年學生及地區民眾；又協助棉方中上級幹部二二六員，分四批前來「復興崗」政戰學校「遠明班」受訓。在各軍區辦理政戰講習，參加講習的有一般軍官、公教職員及青年學生，共計二十餘萬人，加深軍民揭穿邪惡共黨的猙獰面目及增進政治作戰的戰法。高棉政府為落實教育功能，將原心戰訓練中心，擴編為政治作戰學校，調訓校尉級軍官、士官、一般官員、教育人員及工廠員工等，共計千餘人。

一九七四年元月，高棉成立「反抗印支共黨高棉青年團」，由曾在復興崗「遠明班」受訓的國會議員孫達擔任青年團主席，顧問團從旁協助推展，在高中、大學院校吸收忠貞愛國的學生，組成堅強綿密社團，防止共黨之滲透、破壞及分化。

同年八月顧問團第一任團長郁光將軍任期屆滿，因棉方懇切之請求，我國防部核定再留任兩年，其餘團員於九月上旬，由參謀長趙中和上校率領返台。國防部另遴選新任參謀長王道烓上校、高恩榮中校、陸裕漆中校、宋建業少校和作者共五員，於九月十三日抵達金邊。

這一次奉派到高棉工作，距一九六八年赴越南服務，又過了六年，越戰仍烽火連天，據軍事觀察家評論，越南共和軍前途多舛，越南政府岌岌可危，以美國為首的「聯軍」無計可施，整個戰局，似乎很快就要結束。作者回想在越南兩年多的情景，如影一幕幕出現在眼前，忽明忽隱，對越南國力之頓挫衰敗，感到無限的同情與惋惜。我國對高棉，原本的「惠遠計畫」，預計替高棉裝備兩個師，現已暫停；其餘三個計劃，包括「湯山計劃」協助砲兵訓練、「高翔計劃」協助空軍訓練、「遠朋計劃」協助政治作戰等仍然進行。

高棉歷史溯源

柬埔寨（Cambodia）面積十八萬一千零三十五平方公里，位在湄公河下游和洞里薩河（Donle Sapriver）交會的位置，東邊是越南、西邊是泰國、南臨暹羅灣、北邊是寮國。在洞里薩湖的四周，如磅通省（Kampong Thom）、馬德望省（Battam Hang）、磅清揚省（Kampong Spue）、菩薩省（Pursat）及暹粒省（Siem Reap）等省份，都是平原地帶，也是人口集中繁華地區。湄公河發源於中國青藏高原的唐古喇山脈東坡，全長四八七九公里，流域面積六五六萬平方公里，穿越雲南、緬甸、寮國、泰國、柬埔寨及越南，最後流入南海，有六千萬居民，仰賴此河富饒物產之生活。一九九五年四月五日，成立「湄公河委員會」。（註一）

柬埔寨的梵文名字是**Kambujadesa**，對其種族稱為高棉（**Khmer**），據史載，第一世紀時柬埔寨國家與中國就有往來，其祖先是卡穆（**Kamu**）至普里松（**Preah Thong**）來至印度，搭船到柬埔寨與當地公主結婚而繁衍後代子孫。如同歷代統治高棉的帝王，將大批人力建造寺廟與神殿，這些廟宇是吳哥王朝留存至今的遺跡，其中已被聯合國列為世界遺產的吳哥窟（註二），建於十二世紀早期。吳哥窟原供奉印度教的毗濕奴神（Vishnu），隨著柬埔寨民眾在十一至十三世紀時，改奉佛教至今。高棉世襲國王，均廣納妻妾，揮霍過度，隨心所欲，無所拘束。吳哥王朝自十五世紀即衰弱消亡。

依照柬埔寨之歷史發展，遞嬗交替，概可劃分下列時期（註三）：

扶南（一世紀至五五〇年）－膜拜印度教為國教，受印度文化影響。

真臘（五五〇年至八〇〇年）－真臘兼併扶南。

高棉帝國（八〇二年至一四三二年）－闍耶跋摩二世紀統一高棉帝國，建立最強盛的吳哥王朝。

法國殖民時期（一八六四年至一九五三年）－法國將柬埔寨納入法屬「印度支那聯邦」。

日本佔領時期（一九四〇年至一九四五年）－施亞努親王繼承王位，統治柬埔寨二十九年。

法國再佔領（一九四五年至一九四七年）－日本投降，法國再度佔領。

施亞努時期（一九五三年至一九七〇年）－柬埔寨王國脫離法國宣佈獨立自主。

龍諾時期（一九七〇年至一九七五年）－總理龍諾趁施亞努訪問蘇聯、中國大陸發動政變，成立高棉共和國。

紅色高棉時期（一九七五年至一九七八年）－改國號為民主柬埔寨，施行鎮壓統治。

韓桑林時期（一九七九年至一九九一年）－越南佔領金邊，削弱韓桑林權力，推拱洪森擔任總理。

聯合國監督時期（一九九二年至一九九三年）－聯合國接管柬埔寨，維持和平行動。

洪森與拉那烈時期（一九九三年至二〇〇四年）－全國大選，由洪森擔任總理，拉那烈為國會主席。

洪森時期（二〇〇八年至二〇一〇年）－洪森的人民黨贏得政權，一黨獨大，不必聯合執政。

施亞努國王

施亞努一九二二年十月三十一日生於金邊，小學在一所公立學校「博杜安教育中心」念書，加入童子軍，遵守各項紀律，擔任戲劇和營火組組長。博杜安小學畢業，進入金邊西索瓦中學，第二年受母親開導：「我們的國家是法國的保護國，只有精通法文的高棉人，才有可能在行政部門得到優厚職位。」因此，他赴越南西貢進入「洛巴中學」讀書。他勤奮學習，愛好體育，熱衷藝術，為人親和友善，身邊朋友很多。一九四一年施亞努離開西貢的中學，回金邊跟父母住在一起，從此就再沒有回學校。同年四月二十三日，莫尼旺（Monivong）國王突發心臟病去世，在位十四年享年六十五歲。法國決定挑選施亞努繼承王位有三個原因：

第一、施亞努獲得印度支那總督德古上將的大力推薦。

第二、施亞努年紀尚輕，容易擺布，宗主國指望通過這位年輕君主，繼續保持與西索瓦王族，長達半世紀的和諧相處。

第三、任命施亞努繼位，能解決高棉王族之間「分支之爭」。

從一九四一年十九歲登基以來，他在國內的地位始終令人矚目，而且在亞洲和世界上隨後發生的變動中，發揮高度作用，與戴高樂、毛澤東、金日成、蘇卡諾等要人皆有接觸。當國內各派力量紛爭不斷，他是唯一能夠被各派所接受的人物。盡管與美國關係疏遠，他說的話能夠同時被西方列強及中國、越南甚至聯合國所聽取。

他先後有七位夫人和一位王妃，生育十四個子女，八個夭折，五個被紅色高棉殺害，膝下共有二十九個孫輩。酷愛體育，尤其踢足球，同時集各種才華於一身，他是國家元首、政治戰略家、騎手、音樂家、作家、電影人和歌手。日常學佛修行，以自己的道德影響力為人道事業奮鬥到生命的最後一刻。從一九八〇到二〇一〇年，他在「文獻月刊」上撰文，三十年總共寫了七萬餘頁，以流亡者、抵抗運動領袖、國王、太王的身份發表自己的見解。他在「文獻月刊」中轉載自己的寫作，包括一萬多篇報刊文章、數千封重要國內外人士和民眾給他的信件，全部保存在金邊國家圖書館與金邊王宮陳列館。他錄製百首歌曲，灌製成「王宮歌曲」DVD。許多歌是他作詞譜曲，不僅用棉語和法語，也用英語與西班牙語歌唱，亦擅長拉手風琴。

這位傑出的歷史人物，在法蘭西第四共和國與戴高樂時期廣為法國人民所知，在自己的國度歷史進程中持續起著重要影響力。他以柬埔寨國王和佛教僧迦首領的身份，結束了法國對柬埔寨的保護關係，於一九五三年爭取了民族獨立。一九五四至一九六九年間，柬埔寨迅速崛起，他經歷印度支那戰爭、越南戰爭、一九七〇年龍諾政變、一九七五至一九七九年紅色高棉政權、一九七九至一九八九年越南佔領，長達二十多年的流亡生涯，一九九一年十一月十五日返回故土，重建祖國，終在一九九三年再次登基成為國王。他是世界上唯一兩度退位的國王，一九五六年第一次把王位讓給父親蘇拉瑪里特親王，二〇〇四年讓給兒子西哈莫尼親王繼位。

柬埔寨的歷史與施亞努密不可分，有些人說他是個有爭議的人物。他為柬埔寨做了許多貢獻，恢復高棉傳統、佛教、高棉文化身體力行，尤其是子民與國王親如一家的情感。超越政治鬥爭，成為柬埔寨實際生活的元素之一。他以恢復和保持柬埔寨領土完整，贏得國家獨立，抵抗外敵入侵，實現民族聯合與和平的形象，將名垂青史。二〇〇二年十月十五日施亞努因心臟病突發，於北京醫院逝世，享壽九十一歲。生前囑咐將其遺體於金邊王宮附近火化，骨灰置金邊靈塔銀殿內。

柬埔寨獲得獨立以前，世界上瞭解的人不多，只有少數學者知道那是一個擁有吳哥窟文明古國。從一九五四年日內瓦會議起柬埔寨在國際舞台上逐漸受世人注目，這主要歸功於施亞努從一九五五年開始的國際訪問。一九五三年至一九七〇年是柬埔寨的「黃金時代」，世界發現了它的最佳代言人和最高領袖的施亞努。一九五五年三月他飛往新德里，受到博學尼赫魯影響，領略各國人民和平共處的原則。四月十六日出席不結盟在印尼召開的首屆亞非首腦會議，認識了蘇卡諾、約賽爾和周恩來。九月動身去日本訪問，除獲得大量經濟援助外，另有三個原因：第一、他見到了裕仁天皇，日本天皇家族與柬埔寨王室特殊關係由此開始。第二、訪問期間，聯合國大會通過決議，宣佈獨立不到兩年的柬埔寨加入聯合國。第三、就是施亞努王子西哈莫尼誕生。一九五六年二月他應周恩來邀請訪問中國，首次見到毛澤東，兩人由此建立起私人友誼，同時兩國簽訂了友好合作協議，中國援建吳哥國際機場。同年六月到七月，出訪西歐，赴巴黎、馬德里、維也納，還訪問蘇聯和東歐捷克、斯洛伐克、波蘭、南斯拉夫，與狄托元帥結下長期友誼。十月首次出席聯合國大會。國王正式訪問各國的同時，柬埔寨逐步在海外開設不少使領館等外交機構，而且格外留意西方陣營、共產主義陣營及不結盟國家之間的平衡，從而履行自己在日內瓦會議上所作的恪守中立承諾。

一九六四年六月他進行法國正式訪問，簽訂一項重要的軍事、經濟、文化援助協定，戴高樂將軍對他的個人友誼從中起了很大作用。從一九五八年戴高樂將軍重返政權，直至一九六九年辭職引退為止，奠下了法柬兩國深刻烙印。法國主動提出幫助柬國發展高等教育、軍事、技術和文化，援助規模逐年擴大，尤其軍事裝備、武器、坦克等，另在吳哥建造一所軍事學院與軍事研究院、在金邊設立高等師範學院以及農業、畜牧、漁業教育中心。

結束國事訪問之後，一九六五年秋天，他在中國遊歷十天，第一站四川重慶，周恩來前往迎接，國王受到十萬民眾熱烈歡迎。遊賞長江風光，至武漢，再搭專機飛往北京，當時主席劉少奇在首都機場相迎，沿途數十萬民眾拿著中柬兩國國旗歡呼揮舞，天安門廣場上千人載歌載舞，氣氛達到了最高潮，施亞努感動的說：「北京的迎接令人震撼，無比美麗，舉世無雙。」一九月三十日晚，他在毛澤東和劉少奇的陪同下，出席五千人的晚宴，被尊為上賓。第二天參加中華人民共和國十五週年建國大典。中國之行結束，直接前往朝鮮，開始對這個國家首次正式訪問。

龍諾與高棉共和國

一九七四年作者在金邊工作時，就稱謂「高棉共和國」（Khmer Republic），現在普遍改稱柬埔寨，不叫高棉，是繼法國統治時期與柬埔寨王國之後的政權。一九七〇年三月十八日，王國首相龍諾將軍與副首相馬塔克（Sirik Matak）親王，發動政變推翻施亞努（Norodom Sihanouk）王朝，鄭亨（Cheng Heng）成為新政府的國家元首而龍諾弟弟龍農（Lon Non）掌控三軍並兼任「全國特別協調委員會」的主席，該組織是由忠於國家的軍官和知識精英組成。同年十月九日宣佈廢除君主制度，成立高棉共和國。

龍諾（一九一三年十一月十三日—一九八五年十一月十七日）總統是柬埔寨華人，出生於法屬印度支那聯邦柬埔寨保護國波蘿勉省。是一九七〇年代政壇的風雲人物，早年從軍，曾經支持施亞努國王的民族獨立運動。一九五〇年代成為施亞努的主要助手，擔任過三軍總參謀長、國防大臣、副首相。

一九六六年十月、一九六九年八月兩度出任內閣首相。一九六〇年代後期，與施亞努在內外問題上發生重大歧見，主張聯合美國對抗東南亞共黨勢力的滲透。一九七〇年三月趁施亞努訪問蘇聯、中國大陸機會，聯合柬政府和軍隊中的右翼勢力，發動軍事政變，推翻柬埔寨王國政府，建立高棉共和國，自任新政府總司令、總理及總統。這一年開始，北越越共以正規兵力，支援棉共利用乾季圍攻金邊及其他城市掩護棉共擴大控制農村面，強化恐怖行動，控面、斷線、孤點的態勢。在任期間（一九七〇年三月十日至一九七五年四月一日），聯合美國鎮壓、封鎖越南共黨和柬埔寨共產黨。一九七五年初，首都金邊對外陸上交通，被「紅色高棉」（Khmer Rouge）切斷，四月一日龍諾赴印尼尋求援助未果，在內外交困中棉共大肆進逼情況下，共和國政治軍事力量全面崩潰，不得不宣佈辭職，職務由參議院議長蘇金奎接替「臨時」國家元首。龍諾從巴里島飛往夏威夷，流亡美國。美軍搶在四月十二日將美國人安置在暹羅灣待命的美軍艦艇上，四月十九日高棉共和國終被施亞努與「紅色高棉」組成的聯合武裝行動所推翻。一九八五年，龍諾在美國加尼福尼亞鬱卒病逝，享壽七十二歲。

一九七五年，美國原駐金邊大使館大使狄恩（John Gunther Dean）在家中接受「美聯社」訪問時，邊訴說邊啜泣，痛心疾首：「美國對柬埔寨的關係，以始亂終棄來形容，拋棄了一個追求自由的民族，把整個柬埔寨交給屠夫紅色高棉。」同年四月十二日美國大使館撤離金邊，四月十七日由波布（Pol Pot）領導中國一手扶植的「紅色高棉」部隊佔據金邊，成立「民主柬埔寨」（Democratic Kampuchea），龍諾共和國最後一任總理龍玻瑞、施亞努的表兄副總理馬塔克和龍農均被行刑隊槍決，四月三十日，越共攻陷西貢，高棉、越南相繼赤化。人類歷史上罕見的強迫遷徙行動，將金邊三百萬人民驅逐下放到農村，反抗者格殺勿論，「紅色高棉」殘酷手段，不到三天，金邊變成一座空城鬼蜮。「紅色高棉」是革命性格極殘暴的社會思想政權，為了推動農業烏托邦，對全民執行屠殺式的革命改造，在三年八個月中，透過處決、酷刑、死於飢荒、勞役、疾病者，高達二百萬人，相當於柬埔寨四分之一人口（註四），倖存人民，不是流離失所，就是骨肉分離。政治評論家為此諷刺了一個新名詞「自我屠殺」（Autogenocide）。

金邊「萬人塚」是一九七五年波布（Pol Pot）奪取政權（註五），大屠殺血淋淋的鐵證，那些孤魂任它飄泊，沒有人知道是那家的親人？抑或是朋友？這就是戰爭現實面的反映。截至二〇一六年，已超過三十年的總理洪森（註六），仍大權掌握，鞏固個人政治地位。越棉淪亡，是七十年代慘痛的歷史悲劇，對於國際政治和反共戰爭，產生震盪性的衝擊及深遠的影響。

個別研究集體討論

郁團長思維周密，具前瞻眼光，對高棉共和軍之現況，掌握精準，與高層之間，無話不談，尤其觸及棉共之威脅，團長均能客觀分析，提出對策，頗受高棉當局之倚重與賞識。

團長為使同仁能將本身專長獻替於高棉政府，召集同仁分工合作，把「政訓自衛」、「文宣心戰」、「軍紀肅貪」、「保防安全」及「民運服務」等作五區分，責令同仁，依所列研究項目，針對高棉國情，軍政實況，提出具體可行至當方案，俾供棉方參酌運用。團長指示，先依每人分配之研究項目，逐一撰寫後，先與參謀長研議，認可再提「會報」集體討論，經團長核行，以本團名義提「備忘錄」致函棉方參辦。「研究項目」及「研究人員」配當表如下：

區分	研究項目	研究人員
政訓自衛	愛國信念 忠貞志節 官兵組織 貫徹憲法 保國衛民 政訓活動 軍人武德 政令宣導 民眾自衛	高恩榮中校 宋建業少校
文宣心戰	文宣作為 心理作戰 軍聞處理 政治教育 心理素質 新聞管制 鞏固心防 傳播策略 軍媒關係	陸裕漆中校 林恒雄中校
軍紀肅貪	軍紀監察 精神戰力 心理輔導 貫徹命令 肅貪防弊 杜絕毒品 應變機制 戰場抗壓 防止逃亡	高恩榮中校 林恒雄中校
保防安全	保密防諜 保防教育 狀況掌握 安全部署 反制滲透 危機管控 安全調查 軍機外洩	林恒雄中校 陸裕漆中校
民運服務	愛民教育 軍民關係 全民國防 難民安置 防範衝突 官兵生活 家屬連繫 康樂活動 官兵慰助 眷屬服務 社福資源	宋建業少校 陸裕漆中校

團長每次交下一項研究項目，同仁莫不「腦力激盪」。作者間或討教經驗豐富、文筆流暢的王參謀長，經他指點、潤飾，原研究主題（子目）不成熟之內容，就變成文采豐厚，具體可行的辦法。像我這麼遲鈍的人，真是有貴人幫忙，否則處處開天窗，讓團長「變臉」喝斥，就難看了！有幾次團長臨時交付題目，必須當晚趕辦，正襟坐在椅子上，伏案沉思，久久腦袋空空，理不出頭緒，這才體會，昔日涉獵的書籍，不夠廣泛，欠缺深入探討，沒把書本的精華，融會貫通，翻轉化為己用，頓覺「書到用時方恨少」的道理。當一位「顧問」，可不是「天花亂墜」胡說一通，人家又不是傻瓜，馬上被拆穿西洋鏡，那就尷尬無地自容。一九七四年十二月八日，團長召集同仁，宣佈五個研究專案，必須在兩週內提出，在同仁共同匯集智慧及反覆討論，終能如期順利成案，提供棉方參酌。

第一研究案（高恩榮中校、宋建業少校）

砥礪官兵愛國意識，堅定反共滅共的決心

第二研究案（陸裕漆中校、林恒雄中校）

針對棉共蠱惑、煽動軍民，如何鞏固心防，採取傳播策略

第三研究案（高恩榮中校、林恒雄中校）

如何防止官兵逃亡，有效貫徹命令，發揮精神戰力

第四研究案（林恒雄中校、陸裕漆中校）

積極反制敵人滲透，做好安全部署，迅速危機處理

第五研究案（宋建業少校、陸裕漆中校）

妥善難民安置，防範衝突事件，增進軍民情感

我們同仁人少，個人智能有限，群體頭腦的想像力、判斷力及決斷力，綜合起來，就可達到「以智取勝，以慧聚才」的動力。四位研究人員，各具「操盤」的能量，作者為另三位同仁描述其特質長才：高中校頭腦冷靜，內斂含蓄；陸中校深謀遠慮，認真執著；宋少校佈局縝密，運用靈活。沒有一個人是完美無缺，整合同仁的優點、長處，足以勝任各種「震撼疑難」的問題，應驗了「三個臭皮匠勝過諸葛亮」的哲理，沒讓團長丟人現眼。

顧問團每月的「團務工作報告」，團長親自執筆，呈報國內長官核閱。撰寫內容含蓋本團工作現況、高棉政軍情勢、棉共動態，甚至國外媒體對戰

局之評論及興革建議事項等，團長均能盱衡全局，隨時掌握狀況，運籌帷幄，一切設想為促進中棉兩國邦誼而全力以赴！

團長倡導休閒活動

本團每日三餐，由棉方經過「安全查核」之一家華裔開的中式餐館提供。如有棉方官員蒞團拜訪或研商問題時，恰遇吃飯時間，參謀長會通知餐館多加幾道菜一起共餐。

團部駐地靠大馬路的兩層獨門大院的西式樓房，樓下棉方派駐一班兵力，擔任警衛安全，由高棉共和軍一位上尉軍官帶領。團長指定作者負責本團內外維安工作，幾乎每晚不定時查察衛兵站崗情形，遇有衛兵打盹瞌睡或人槍分離，即刻面告上尉軍官，予以告誡改進，以維團部人員之安寧。我們同仁全部住二樓，每人有一間寬敞的臥房及衛浴間，採光充足，適宜辦公、看書，加上隔音設備完善，房間彼此不受干擾，是一座理想的建築物，同仁甚為滿意。

在二樓陽台，團長特別購置桌球檯，希望同仁餘暇多運動，在團長帶動下，同仁紛紛下場練習。一場球就以五十分鐘來算，打完汗流浹背，每天有恆心的練球，不但活動筋骨，增加肺活量，精神亦十分旺盛。論球技，作者比同仁好一些，究其原因，可能具有「運動細胞」，不過團長也不是省油的燈，和他輸贏各半，他的戰術為「短打搶攻」，作者則以「左右開弓，聲東擊西」破解之。有時大使館的官員也來較量，欣賞團長攻守運用自如的球技，連棉方軍政要員前來切磋，團長仍是「技壓群雄」，幾乎無對手可言。

每年十月十日是我們國家的慶典節日，在一九七四年十月十日當天，大使館舉辦盛大的慶祝雙十國慶晚宴，除了邀請高棉軍政首長、各國駐外使節及僑界領袖，大使董宗山致詞：「中棉兩國素來邦交堅定，面對共黨的威脅，兩國更應加強攜手合作，徹底揭穿共黨陰謀本質，同時要呼籲愛好自由民主的國家，正視共黨襲擾破壞的手段，為人類正義和平共同奮鬥。」在熱鬧氛圍中，宴會進行二個多小時，大使始終周旋會場，不斷與貴賓敬酒致意。當晚宴會結束已十時許，大使請顧問團同仁與使館官員一起合影留念。

每兩三週只要團長時間許可，都帶領同仁到金邊或郊外賞遊，作者印象最深刻的就是在各通衢大道上，塑立幾座人物雕像，栩栩如生，如「英勇戰士」，「聖女愛國」銅像，都具有高度的民族意識與象徵輝煌歷史性的史蹟。值得一提的已被高棉政府關閉多年的「王宮」，在團長與棉方交涉之下，特別開放給同仁入宮參觀。

「王宮」是國王施亞努的官邸，四周面積約四個足球場大，有專人養護栽植，精心設計的庭園，規劃井然有序，彷彿到了「仙履奇緣」的境域，萬紫千紅，百樣花叢陪襯著高大茂盛的林木，令人心曠神怡，剎那間，忘記了人間勞苦憂愁之生活。有一隻大象，慢條斯里在圍籬中踱著腳步，狀至愉悅，見到同仁踏步過來，用牠的象鼻向我們打招呼。逡巡至一間大車庫，原來這五、六輛國外進口的「古董」賓車，還是那麼光亮潔淨，看樣子是有定期保養。在「王宮」主殿正中央，是一座舞台，專供「王宮」家族欣賞高棉民族舞蹈之表演。作者曾經多次觀賞過舞技仕女演出，她們從小在專門舞蹈學校，接受洗鍊，一投足一顰笑，甚為講究，配上悅耳動聽的樂曲，讓觀眾沉浸在飄飄欲仙中。

二〇一六年三月二十七日重遊高棉，距今四十多年的情景已不可同日而語。五星級旅館櫛櫛比鄰，豪華宏偉，國際財團大量入棉投資，逐漸與越、泰、緬等國等量齊觀。由於柬埔寨政府，對外國前來投資者給予優惠關稅，加上工資低廉，台商早在十多年前捷足先登，展開有利佈局。柬政府行政效率較差，公務人員素質也不高，同時清廉程度在世界榜上有名，要想步入現代化國家之林，重現九百年前鼎盛王朝，恐怕不是一件容易的事。

每到夜幕低垂，金邊市歌舞昇平，人車熙熙攘攘絡繹不絕。柬埔寨的美食文化，混合著法、越、泰及中式的特色，使菜餚料理多元而更豐盈。作者對於牛肉酸辣湯、魚肉椰汁咖哩及芒果沙拉更是食髓知味，難以忘懷，配以各式香味的醬料，使客人垂涎不已！

在金邊車廠，常見到來自台灣報廢的警車，竟然成為當地「時髦車」，機車掛著有篷的車廂，在大街小巷載客，儼然成為市區的特殊格調，不但價廉，也吸引外國人搭車兜風，玩賞街景人物。

在市區周邊幾萬戶人家，是貧民窟，住家簡陋，屋內沒水沒電，衛生條件很差，到處髒亂，蒼蠅多、垃圾堆積如山，水溝蛆蟲溢滿，臭味熏天，異常難聞。居民普遍未接受教育，兒童骨瘦如柴，因營養之不足及環境惡劣，致使疾病孳生，傳染全村，百姓向來「拜天認命」，得過且過，美滿的人生憧憬已遙不可及。

作者自幼嗜好運動，尤其游泳更甚。每天清早五時許，從團部慢跑二十分鐘到湄公河畔游泳。男女老幼，五顏六色的泳衣、泳帽，大家在河中嬉戲濺水，不求泳姿之正確，隨心所欲，達到清涼與健身之目的。在另一河邊，不少民眾用漁網補魚，不必到深海中，就可輕鬆網到一桶大小不同魚類，三五天的主食佐膳，可滿足一家人的生活，顯見湄公河魚類之繁多，也可減輕窮人日常之開支。

除了正常工作之外，團長還指定作者，兼辦譯電與財務管理。譯電作業要細心、縝密，否則譯錯了國防部打回票，重譯就麻煩，會耽誤正事。從團長賦予的第一天起，就沒出過漏子，直至任期屆滿返國為止。每天午餐後，作者開始譯密碼，約在下午二時左右，呈團長核批再持電文赴大使館直發我國防部；若國防部密電過來，赴大使館取回，即刻譯密來文。至於團部財務較單純，人少錢少，每月底結算乙次，團長辦公費撙節使用，每月還有節餘，有時團長視同仁加班情形，會酌予頒發「工作獎金」，藉以鼓勵同仁之辛勞。

本團聘有兩位協助中棉文翻譯，這兩位皆是華裔，祖先從福建移民至高棉已有三代。有一位男傳譯名叫賴速，體格健壯，表達力強，常陪同團長赴棉方相關部門，擔任翻譯，很受團長信賴。另一位蔡小姐，秀外慧中，處理高棉政府來函的文件及團部函送棉方的中文書件。他（她）們兩人，負責盡職，待人親切，中棉文尚能達「信實」要求，團長十分滿意。惟兩人雖然基本條件不錯，卻遲遲沒有好姻緣的消息。高棉局勢逆轉之際，據悉賴速遭「紅色高棉」綑綁殺害，而蔡小姐很幸運的逃來台灣，顧問團同仁還一起請她吃過飯。席間聽她邊啜泣邊講述逃亡經過，人生幸與不幸，不是個人可以掌控，我們為她慶幸，終於逃出魔掌，奔向自由！沒多久，她遠渡重洋，到法國巴黎寄人籬下。憶起賴速之被殘殺，同仁感到悽愴，十分不捨，但願他在天國，過著無拘無束，逍遙的「神仙生活」。

才華橫溢　孔令晟

自一九七五年八月二十日抵達金邊，作者遵奉團長之指派，擔任「顧問團」譯電工作，每日必須在下午將電文送至大使館譯發我國防部或外交部。故平日與使館官員有所接觸，從彼此談話中，對大使的生平事蹟、待人接物、豐富的人生閱歷及其對國家社會之殷切期望等，更深一層的瞭解與認識。大使於一九七五年元月十五日抵達金邊，同年四月二日因局勢逆轉，赴命曼谷待命，前後僅三個月，是我外交史上任期最短的一位使節，卻也是最難為的外交任務。綜其一生，概略區分下列幾個階段：

家庭背景：

一、孔氏先祖向南遷徙到安徽壽縣城北二十里路，建立了孔家村，世居於此，祖父時發展至江蘇常熟。孔令晟是孔子第七十六代後裔，生於一九一八年六月十八日。

二、祖父孔繁陞，清末投入福山軍鎮新軍，落戶常熟之際，娶董氏為妻，官拜統領，相當於今日團長，民國建立四鄉經營旅館。

三、父親孔祥麟，上海國濟大學醫學肄業，北伐時報考省城警官訓練班，曾擔任公安局長。母親朱珊出生於常熟，湖南湘鄉人，祖父、外祖父都在福山軍鎮當過統領。

青壯年時期：

一九三五年：就讀北京大學化學系，二年級導師錢思亮。時值對日抗戰爆發，投筆從戎，考入胡宗南（黃埔一期）的西北軍官訓練班，即中央陸軍軍官學校十五期受訓。

一九三八年：任第十六軍第二十八師連營長

一九四七年：進入陸軍大學第二十二期

一九五四年：任海軍陸戰隊中校副參謀長

一九五五年：升任上校參謀長

一九五七年：赴美兩棲作戰指揮參謀大學受訓

中年成熟期：

一九五八年：進入三軍大學將官班受訓

一九六一年：調任國防部聯三少將助理次長

一九六三年：任海軍陸戰隊第一旅旅長

一九六七年：升任第一師師長

蔣經國推薦擔任總統府副侍衛長、侍衛長
一九七一年：調海軍陸戰隊副司令
一九七二年：調陸軍第一軍團副司令
一九七五年元月：派駐高棉代表團團長（接董宗山）
一九七五年五月：返台調升海軍陸戰隊中將司令
一九七六年十二月：派任內政部警政署署長兼台灣省警務處處長
一九七七年：兼任台灣省警察學校校長
國際刑警組織中華民國中央局局長

老年豐碩期：

一九八二年九月：派駐馬來西亞大使館代表
一九八五年：返台兼任中華民國戰略學會理事
一九八七年春：退休──蔣經國總統聘任總統府戰略顧問
淡江大學聘請擔任國際戰略研究所所長

參加之戰役：

一九四五年五月：

參與豫西西峽口之役，今西峽縣一帶，大橫嶺鈞絲崖日軍集體自殺，成功的發揮了兵器與戰術之間綿密配合，重創日軍，論功行賞晉升營長。

一九四七年三月：

國共內戰期間，突襲無河堡榆林，由於偵察計劃完善與行動秘密之有效運用，在上暾灣殲滅共軍的王聚財部，俘獲共軍數十名，內含一位政委。

推動警政方案：

大使於一九七六年十二月至一九八二年八月，奉令擔任警政署第二任署長，在將近六年期間，大力推動台灣警察現代化的大功臣，在警界留芳青史，受到警察同仁無限的懷念與追思！

他是帶領警察邁向專業化和現代化的靈魂關鍵人物，大開大闔提出「改進警政工作方案」並擬定「四十六個工作方案目標。」不僅從勤務制度、後勤裝備、組織編制上，進行系統化的整體改革，樹立警察的尊嚴，讓同仁有一份足以養廉的待遇。他苦心孤詣，對於重建警察專業的形象，帶給民眾的信任心與安全感，徹底轉變民眾對警察的服務態度。

他在警察的品質控管上，提出「三查一測」制度。「三查」是查警察局、分局、分駐派出所的勤務規劃、勤務執行、械彈管理和辦公場所的整齊清潔；「一測」是假設狀況，突擊式的測試並觀察紀錄對刑案偵察、交通事故和消防救災的反應，包括禮貌認真的態度、到達現場的時效與警力裝備。

對大使的觀感：

作者在高棉將近一年，本身譯電工作的關係，每日都要到大使館，自然和大使晤面的機會較多。每次只要見到大使，他都親切慈祥的招呼作者在貴賓室喝咖啡。興緻來時無話不談，上至天文、下至地理，口若懸河，滔滔不絕，尤其提及往昔對抗日軍、剿共的親身血淚體驗。自他投筆從軍，始終將生死置於身外，把智慧、精力完全貢獻於苦難的國家。

大使曾經向顧問團的同仁述說：「部隊訓練是長期的，非常艱苦，要紮實不能一蹴即成；堅苦卓絕的奮鬥，鍥而不捨的過程，不是一曝十寒，可敷衍過去。」又肯定的說：「堅持賡續的現況改進及革新創意的實質作為，站在時代尖端，來達成保國衛民的神聖使命。」大使一貫的信念就是「永不停止，永不放棄」的大原則，他的忠藎效忠，豐功偉業，將留在國軍史上，永垂不朽，與日月同光！

總統褒揚令：

二〇一四年九月十三日晚上九時，大使在台北榮民總醫院與世長辭，享壽九十七歲。十月二十一日，馬總統頒發「褒揚令」，全文為：

褒揚令──孔令晟

總統府前戰略顧問、海軍陸戰中將、內政部警政署前署長孔令晟，博約端毅，奇志瑋質。早歲入庠北京大學，以四郊多壘，蒿目時艱，毅然投筆從戎，卒業中央軍校；嗣遠赴美國三軍工業大學研修，濬瀹沈潛，謙撝淬勵。歷預抗戰、戡亂諸役，尤以豫西鄂北會戰西峽口、陝甘秦嶺追剿、榆林圍城戰、福建東山等戰役，狙擊日軍於強弩之末，遏阻赤共於東南之濱，扼襟控咽，出車殄寇；率部用命，虎旅奏捷。復任總統府侍衛長，援引美國特種警衛制度，精進國家元首維安機制，覃思遠謨，創置多方。銜令接掌內政部警政署兼臺灣省警務處任內，構築現代專業體系，深化警務改革事宜；確立民主法治原則，維護社會人權治安，迴籌轉策，慮周行果；靖匡宣勤，明效大驗。先後出使我派駐柬埔寨王國武官團長，悉力穩定僑界民心，周詳協濟僑胞撤離；洎持節馬來西亞聯邦，推展雙邊實質交流，推升僑團社經地位，計議折衝，揚聲睦誼。綜其生平，請纓黃埔，作衛國干城之前驅；興革警政，成保家護民之狀猷，文德武略，忠藎懋績；勛華鼎銘，奕世遐載。遽聞修齡殂落，軫悼良殷，應予明令褒揚，用示政府崇念耆勳之至意。

高棉淪亡之原因

一、金邊淪陷前夕，高棉政府軍仍控制四分之三省會及三分之二人口，而棉共僅盤據三分之一人口的村落。在兵力上，政府軍有十四萬部隊，官兵服從性強，能耐苦守紀，奮戰精神旺盛，裝備亦優於棉共，未聞官兵有叛變投共情事。盱衡軍事態勢，棉共雖僅有五萬人，卻運用暴力嚴密組織與徹底動員，以主動攻擊，聲東擊西，孤立金邊，封鎖湄公河水道，進一步砲擊封

鎖波成頓機場。（註七）

二、高棉政府內部分歧，各執己見，主要政黨，一是龍諾擔任黨魁的社會共和黨，二是馬塔克親王領導的共和黨，三是左傾的民主黨，其中以社會共和黨與共和黨的勢力較具份量。內閣方面，因各黨派之爭權奪力，致內閣部長更迭頻繁，影響政局之穩定及政令有效之推動。

三、棉共在佔領區，推行中共式的共產制度，脅迫人民參軍、勞役甚至要脅參加人民公社，多年來的戰亂，人民生活貧困，田園荒蕪，難民潮擁塞城市，大批顛沛流離的難民，造成政府窮於應付，場面失去控制。國庫的空虛，經濟蕭條，只有仰賴美援，支撐龐大軍費之開支。

四、每年旱季，棉共必集中兵力，進攻金邊，每次形勢均十分危急，幸賴三軍總司令親自督戰，才能化險為夷，轉危為安，將敵軍擊退。棉共在中國大力援助下，讓政府軍顧此失彼，戰力逐漸耗損，無力反擊始終採取守勢，又欠缺密切協調與運輸工具之不足，加上後備力量也未能及時投入戰場。

五、棉共最擅長發動學潮、工潮，來製造政府內部之分裂與暴亂。另一方面，中國更利用蘇亞努潛在之聲望，在國際統戰上極為成功。而西方記者，所發電訊報導，大多歪曲事實，為棉共虛張聲勢，混淆國際人士視聽，連美國國會都間接受騙。

附註

註一：一九九五年四月五日，由泰國、寮國、柬埔寨和越南等四國，在泰國清萊簽署「湄公河流域發展合作協定」，成立「湄公河委員會」（MeKong River Commission）縮寫為MRC。中國與緬甸在一九九六年成為湄委會對話夥伴。湄公河委員會，旨在各國共同開發及利用湄公河流域並在保護水資源、防災、航運安全等領域合作。轄下有理事會、聯合委員會及秘書處等三個常設機構。

註二：位於柬國西北方暹粒省，分布廣達四百平方公里，每年吸引兩百多萬人慕名來遊。一九一六年負責管理古蹟的「吳哥窟遺址保護與管理局」（Apsara Authority）規定，自八月四日起，衣著「暴露」者，禁止入內，以免污衊該殿堂的神聖性。

註三：喬・布林克里（Joel Brinkley）著「柬埔寨—被詛咒的國度」，大事年表第四二七頁。

註四：一九七五年柬埔寨總人口約七百七十萬人，在波布政權統治四年中，共死亡一百七十萬人，而中國在一九五八年進行「三面紅旗」運動，即大躍進、人民公社和社會主義建設路線，估計死亡人數三千萬人，將人民驅逐鄉下勞改。柬埔寨現有總人口為一千六百四十餘萬人（二〇一九年元月數據）。

註五：波布原名桑洛沙（Saloth Sar），在法國留學期間加入共產黨，信奉馬克斯列寧主義，曾赴中國參訪毛澤東推行的文化大革命。洪森於一九九二年被授予五星上將軍階，任柬埔寨政府總理，一九九三年被西亞努國王授封「親王」。

註六：據英國反貪腐非政府組織「全球見證」（Global Witness）於二〇一六年七月公布「柬埔寨執政家族的企業」調查報告，指控洪森縱容親屬控制柬國大部份產業或持有大量股份，估計總市值超過兩億美元，約台幣六十四億。美國是柬國最大貿易夥伴，三分之一的商品都銷往美國，每年近三十億美元。

註七：高棉政府在金邊設置特別軍區，劃分六個作戰區，區分A、B、C、D、E、F，形態上保持獨立作戰，相互支援。A區與E區更是戰略重要位置，戰爭最激烈，雙方官兵傷亡最多，終究棉共由這兩區直攻進入金邊政府所在地。

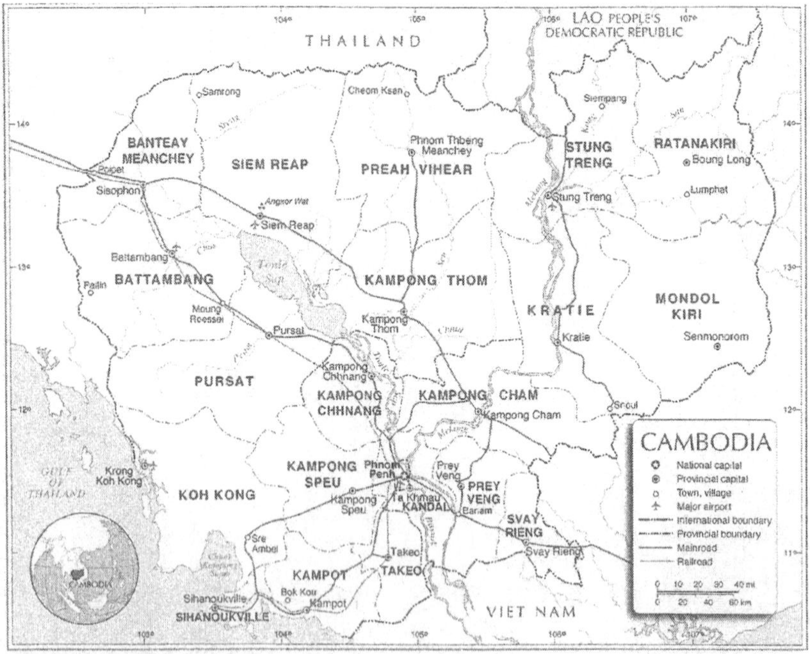

柬埔寨地圖

班迭棉芷省（Bamteay Meanchey）
馬德望省（Battambang）
巴薩省（Pursat）
國公省（Koh Kong）
奧多棉芷省（Oddor Meanchey）
暹粒省（Siem Reap）
磅清揚省（Kampong Chnnang）
實居省（Kampong Spue）
貢布省（Kam Pot）
柏威夏省（Preah Vihear）
磅針省（Kampong Cham）
干拉省（Kandal）
茶膠省（Takeo）
上丁省（Stung Treng）
桔井省（Krate）
柴膠省（Svay Rieng）
波羅勉省（Prey Veng）
拉達那基里省（Rattanakiri）
蒙多基里省（Mondul Kiri）
磅通省（Kampong Thom）

第七章 三度戍守馬祖

馬祖列島簡介

一、**地理位置**：馬祖（註一）列島隸屬中華民國的群島，位於台灣海峽正北方，面臨閩江口、連江口和羅源灣，與中國大陸僅一水之隔，距大陸最近點約九、二五公里。主要由南竿島（馬祖島）、北竿島、高登島、亮島、東莒島（東犬島）、西莒島（西犬島）、東引島、西引島及其附屬小島，共計三十六個島嶼、礁嶼組成，面積二十九、六平方公里，居民人口約一萬三千多人。一九九九年以馬祖列島為範圍的馬祖國家風景區成立，隸屬於交通部觀光局管理。除了地形地貌和人文特色外，因地理位置關係而成為多種候鳥過境或渡冬的區域，二〇〇〇年成立馬祖列島燕鷗保護區，主要針對白眉燕鷗、紅燕鷗、蒼燕鷗、鳳頭燕鷗、黑尾鷗、岩鷺、插尾兩燕等七種鳥類。

同年六月曾在此發現世界鳥類紅皮書中，被列為瀕臨絕種的黑嘴端鳳頭燕鷗共四對，每年最佳賞燕鷗季為五月至八月。馬祖除通用國語之外，還操長樂口音的閩東語，當地稱為「平語」、「馬祖話」或「福州話」，官方稱之為「福州語」。二〇〇一年元月一日開始辦理小三通客運，由南竿福澳港與福州馬尾，進行「兩馬小三通」。現階段每日兩班次，單趟程坐時間兩小時。二〇一五年十二月二十三日首航馬祖（北竿白沙港）－福建（福州市連江縣黃岐港）一日生活圈之實現，航程僅需二十五分鐘。現正規劃南北竿大橋連結之興建。

二、行政區域：縣名「連江」，與大陸福建省連江縣同名，下轄四個鄉，即南竿、北竿、莒光、東引及二十二個村、一三七個鄰。縣政府位在南竿鄉介壽村，東引由東、西引兩島組成，扼鎮馬尾港與上海之間出入咽喉，具重要戰略地位，東、西兩島已築堤相連，人口約七百人，是國內最佳釣場之一，也是保育鳥類黑尾鷗的故鄉。

三、地形特色：地質條件上為花崗岩錐狀島嶼，地勢起伏大且陡峭。北竿島的壁山標高二九八公尺，為馬祖列島第一高峰。南竿雲台山，標高二四八公尺，列為台灣地區小百岳之一。地形多谷地、灣澳，海岸地區花崗質岩石，受風化及波浪侵蝕作用，多崩崖、險礁、海蝕洞、海蝕門等地形，部分灣澳地區經過沖積與堆積，形成沙灘、礫石灘、卵石灘，在全縣四個鄉中只有東引沒沙灘。

四、自然條件：馬祖列島承襲了海島與大陸特性，孕育出許多獨特的動植物種。各島嶼面積小且多崎嶇丘陵，加上土壤貧瘠不利耕作，但鄰近漁場海洋資源豐富。因地緣之故，承接大陸、日本與台灣的物種，加上海島的特殊隔離機制，發展出不少特有物種。據調查列島上棲息的鳥種有十五科十三種，其中以燕鷗類為多。台灣少見的植物，如圓蓋陰石蕨、華南狗娃花、豆梨、唐杜鵑、流蘇等隨處可見。而馬祖石蒜、卷柏、紫珠、紫檀與野百合等，均以馬祖來命名的植物，是馬祖地區的特有物種，顯示當地自然資源的豐富與珍貴性。

五、氣候溫度：馬祖地區屬亞熱帶海洋性氣候，分明的四季天氣，冬冷潮溼，春夏交季多霧，秋天天候穩定。緯度略高於台灣北部，氣溫比台北低，年平均溫度為攝氏十八、六度，早晚溫差大，每年氣溫十二月至次年二月間最低，三月以後慢慢上升，七、八月氣溫最高，月平均溫度在二十九度左右，二月份最低溫，僅十度。風速在十月至翌年三月間，大陸冷氣團南下，強烈東北季風吹襲，風速最大，尤其是三至五月，形成多雲霧的天氣。每年春天，便形成濃霧，能見度驟降，馬祖航班就受此季節影響停飛的原因。

馬祖四周環海多風，居民利用花崗岩塊，沿著山坡地興建，其結構方正雙層獨棟建築，窗戶小開於高處，窗櫺以石條為骨架，屋脊為曲線造型如火焰燃燒般的「封火山牆」，屋頂以紅或灰瓦覆蓋並於接縫處壓上石頭，以防強烈海風吹刮侵襲。部分房屋受到南洋的歐式建築影響，俗稱「洋樓」或「蕃囝搭」。

馬祖軍事沿革

馬祖自古以來並非軍事重地，北宋年間才駐紮軍隊，及至明代，明太祖朱元璋統一福建，曾於上、下竿塘設置「埠寨」，撥官兵駐防。洪武二十年，江夏侯周德興經略福建海防，以竿塘埠寨在海島難援，移入北茭，撤走官兵，並盡徙島上居民於內地。嘉靖、萬曆年間，海防日弛，倭寇、海盜猖獗，為患閩海各地，燒殺劫掠，竿塘居民飽受騷擾。清嘉慶、道光年間福建沿海、竿塘洋面，海盜肆虐，荼毒百姓長達數十年。

自一九三五年國民政府設立「竿西聯保辦公處」後，歷經日本佔據與大陸的四大戰役（註二），於一九七九年元月，中共與美國建交，自此兩岸全面停火，馬祖恢復平靜。

一九四九年國民政府遷台，東海部隊轉進馬祖列島，一九五六年七月成立「馬祖戰地政務委員會」，馬祖地區劃入行政督導區，實施軍政一元化治理，自此而後馬祖全區進入三十餘年之軍事管制時期，隨處可見結構複雜的軍事建築、地下坑道及港口、據點、砲座、訓練場所、軍醫院等軍事設施，馬祖成為前線與中共隔海對峙，衍生許多軍事大事記，使馬祖增添許多軍事色彩。

（一）兩岸心戰策略

馬祖與對岸各自實施心戰策略，空飄、海漂等奇特的景觀。本島施放氣球，攜帶國旗、號召起義來歸優遇獎賞、復興基地建設、人民豐衣足食生活以及對大陸時局評論傳單。針對大陸同胞「一窮兩白」生活，我方開始把日用品搭載上氣球，甚至還有偽造的人民幣，各式各樣的誘敵策略，意在擊潰共軍官兵意志與信心。反觀大陸空飄的工具主要是風箏，將傳單繫於風箏上，不過大多落在海上，效果不佳。海漂工具則有酒瓶、玻璃瓶、罐頭盒等，只要能漂在海上的器具，全都派上用場。通常的做法是，把傳單塞進海漂器具中，用蠟封口，頭一天晚上派一條小船悄悄出海，在幾百米的海上將物品拋下，第二天一大早，潮汐便把這些無聲的「炸彈」漂到對面沙灘上。

（二）坑道密集的島嶼

全馬祖四鄉五島的防空避難設施，估計有二五六座，包括防空洞與兩用碉堡、地下化工事及坑道等，遍布馬祖各地，有學者指出，馬祖是全世界坑道最密集的島嶼。近年來，朝向戰地觀光發展，將雄偉的工事建設加以規劃、包裝，成為遊客體驗戰地風情的舞台，縣政府協調馬防部配合戰技操演，使遊客領略戰地原味。

(三)「軍中樂園」由來

「軍中樂園」設立於一九五〇年，為單身且正年輕的官兵解決生理需求；名稱的由來有一說法是電報密碼「屄」的代號就是「八三」；另一說法，則以軍中樂園剛開始都建在「半山腰」，因此取其諧音「八三一」。一九九〇年間，當時的立法委員陳水扁認為婦女被「輔導」到外島軍中樂園就業，違反婦女人權，要求廢止軍中樂園，軍方順應潮流，一九九一年間關閉金馬地區軍中樂園。曾經存在外島將近四十年，對於調劑外島官兵枯燥生活，防止軍民桃色糾紛與性犯罪，多少有些幫助。

(四)民防組訓

民防是國防的基礎，兩者相輔相成，欲求國防堅強鞏固，必須先從加強民防著手，我國古代所謂兵農合一、寓兵於農，正是現代民防的雛型。民防是民眾在戰爭時期保護生命財產的自衛措施。防衛作戰任務，達成殲滅敵人最終目標，是民防自衛隊主要任務。其組織編制：（1）機動區隊（2）守備區隊（3）

婦女區隊（4）機關自衛區隊。民防自衛隊平時擔任村落哨戒、海域監視、防諜肅奸工作；戰時則擔負村落防禦、反空降、搜集情報、軍事支援、照顧老弱等任務。

（五）管教養衛

軍管時期，地區的四大政治標語，用以約束居民的言行舉止並且貫徹中心思想，使人人皆能自我控管、自教自學、自給自足與自管自衛：

管─行政管理，利用幹部管理組織，而幹部管理民眾。

教─教育文化，以為人、利他、互助、互信的心理態度，激發人民的良知良能。

養─經濟建設，把握生產與生活結合，救濟與管理結合的原則，共同的力量來解決共同的問題，而不依賴救助。

衛─保安自衛，自清自覺，從而建立其對敵仇恨的心理和防衛責任的觀念，養成「嚴守紀律，遵守法令」的習性，成為鞏固地方治安人民的反共力量。

馬祖防衛司令部

一九四九年成立「陸軍馬祖臨時指揮部」，隸屬台灣省警備總司令部，一九五五年，改編成立「陸軍馬祖守備區指揮部」，同時改隸國防部指揮，一九六五年改編為「陸軍馬祖防衛司令部」，一九六九年由二十一軍司令部兼防衛部，一九九〇年改隸陸軍總司令部，一九九九年三月，陸軍精實案後，外島改守備旅，以輕裝步兵為主，砲兵為輔，配合戍守地區地形，進行防衛作戰，確保防區安全。二〇〇六年三月，更銜為「陸軍馬祖防衛指揮部」迄今。總兵力約二千人，指揮官編階陸軍中將，戰時負責連江地區的作戰指揮及軍事管制，全盛時期兵力約五萬，別稱「雲台部隊」。

雲台部隊隊歌（詞：涂遂〈前司令官〉．曲：白玉光〈現任戲曲學院教授〉）

號角連營起　歌聲動大地　我們是戍守馬祖的革命戰士
雄踞於海上長城　保衛著台澎基地
精誠團結　和衷共濟　同仇敵愾　驃悍勇毅

不怕浪濤洶湧　哪管風暴侵襲
為了維護民主自由　誓死拼到底
閩海風雲起　雲台練兵急　我們是戍守馬祖的革命戰士
管理著閩海疆域　高舉著反共旗幟
聞雞起舞　精練戰技　枕戈待旦　渡江擊楫
不怕浪濤洶湧　哪管風暴侵襲
為了光復大陸國土　誓死拼到底

指揮管轄：陸軍馬祖防衛指揮部。

直屬單位：防空連、火箭排、憲兵排及招募組。

配屬單位：

（一）陸軍南竿守備大隊上校大隊長──雲台部隊；隊部及本部連、機械化步兵連、混和砲兵連、步兵連、工兵排

（二）陸軍北竿守備大隊上校大隊長──擎天部隊‧亮島守備隊‧高登守備隊

（三）陸軍莒光守備大隊上校大隊長──莒光部隊

（四）陸軍馬祖地區支援營

化公蒞臨「莒光」師

作者有三次奉調至馬祖服務，第一次是一九七七年在馬防部擔任政二科上校科長，司令官梁鳳彩中將；第二次是一九八一年在莒光師擔任上校政戰部主任，師長戴義雨少將；第三次是一九八四年在防衛部任職政戰部上校副主任，司令官趙萬富中將。其中在莒光師因獨立作戰，自力更生，同島一命，官兵精誠，最值得懷念。一九八一年春節前夕，老校長王昇上將，冒著十二級大風浪，搭軍艦至莒光，據侍從官王耀華兄告知，校長出發前三天，軍務繁忙病倒住進三總，但校長牽掛外島官兵生活，雖經住院醫師勸阻，仍不顧孱弱身體，毅然執意前往。校長公忠體國，大中至正的胸懷，顯現了是一位「智者無憂、仁者無敵、勇者無懼」的最佳寫照。另外在同年某日作者返台處理公務之便，前往總政戰部晉見校長，報告在莒光師各項政戰工作概況，提及官兵在圖書館踴躍借書，學習風氣熾熱，校長當場批示東西莒各核撥專款十萬元，添購書刊，當時十分振奮感動。

莒光鄉原名白犬鄉、白肯鄉，由坤坵對面之蛇島附近海面往裡看，整個西莒島狀似一隻「犬」，居民稱東、西莒為東犬、西犬，又稱上沙、下沙，由於名字不雅，一九七一年更名為莒光鄉，原「東西犬」更名為東西莒，係蔣公命名，寓意「毋望在莒」。東莒與西莒面積分別為二、六三及二、三六平方公里，居民約五百人。聚落有青帆村、田澳村與西坵村，鄉公所在青帆村。

近年當地推動觀光，白色燈塔與辦公室的草地上，築一道長達三十公尺的矮牆景觀，成為吸引觀光客的亮點。台閩地區共有三十六座燈塔，其中東莒燈塔創建於清同治十一年，一九八八年內政部評定為台閩地區第二級古蹟，現已列為國家古蹟。高度十九、五公尺，由花崗岩砌成，強厚度九十公分，燈器發出二萬九千燭光的光力，光程可遠達十六、七浬（約三十一公里），這座燈塔已成為東莒地標，遊客白天欣賞古蹟、拍攝風景，夜間在此賞月、觀星，令人留連忘返的景點。此外，為吸引遊客前來東西莒觀賞「藍眼淚」的盛況，不絕於耳讓人驚艷，既充滿神秘感又動人心弦，所謂「藍眼淚」是夜光藻受到海浪拍打，因刺激而發出藍光。海洋大學教授蔣國平研究團隊，歷經一年的採樣研究，證實馬祖藍眼淚（夜光蟲）是海洋自然生態，與中國閩江的汛期有關，並非外界懷疑的海洋生態惡化指標，還給藍眼淚清白。會有生物性發光，在水表面捕食浮游生物，攫取細菌及較小細胞大量出現於每年四至九月，東莒的潮間帶仍可踩星砂（註三）。「藍眼淚」由馬祖居民命名而聲名大噪。

縣太爺 李麒麟

麒麟是作者政戰學校第五期同學，也是一位文武兼備的傑出將領。他生於雲林縣崙背鄉，因宗親家族參與地下組織抗日帝國政府，祖產被充公以致家貧如洗，讓他自幼小萌生仇日恨日情節，誓言長大從軍報國。從六、七歲就要幫雙親養鵝養雞，曾經放牛被牛踢傷過，差點喪命，雖然窮苦的農家子弟，卻能奮發向上，努力讀書，於一九四九年考上省立虎尾初中，三年之後續升高中，在校成績名列前茅，深獲師長器重。一九五五年考取政戰學校，

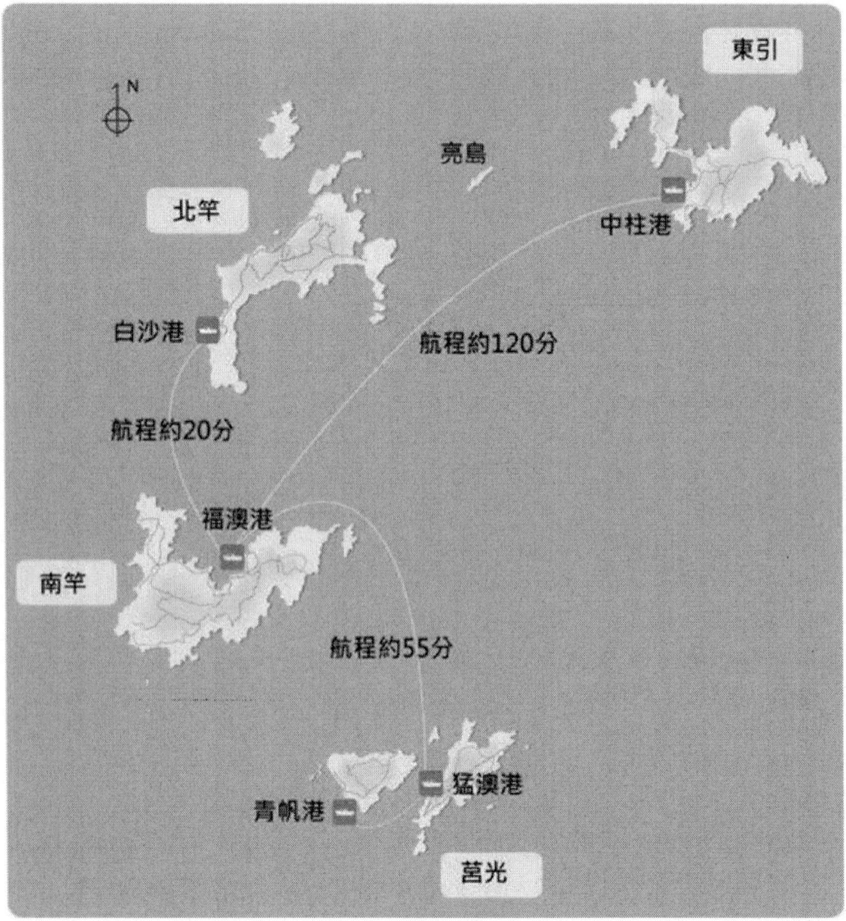

馬祖列島地圖

南竿鄉地圖

馬祖「劍碑」，象徵將士「奮勇殺敵」涵意

開始四十年戎馬生涯，從少尉一直晉升中將。他自勉自訂「不求名、不求利；不因私害公，不因情害法」的行為規範，無論工作順逆，始終如一，皆能勤敏負責，主動積極，腳踏實地，清廉自持，創造優異績效，為各級長官所賞識，樹立了國軍幹部良好典範。一九九六年八月從總政戰部中將副主任職務屆齡退役，曾獲頒雲麾四等勳章、忠勤勳章三座及軍種各類獎章二十八座，亦獲華夏、實踐獎章四座，榮耀永垂。

歸結他的領導統御原則，極受大儒王陽明「致良知」本性所影響。遇到任何困難問題，秉持「是非審之於心，毀譽聽之於人，成敗安之於數」。無論他在部隊或入主縣府，要求所屬包括他自己，堅持不因私情與私義、私利，來危害公家的制度，而作出貪贓枉法情事。

一九八二年三月十六日就任連江縣縣長（馬防部政戰部副主任轉調，而由作者接替他職位），他認為能被遴選是當時總政戰部主任王昇上將所識拔提攜。在縣長二年八個月期間，他全心全力推展縣政，鞠躬盡瘁誓死達成任務，僅將其任期重要施政簡列如下：

文化教育建設

（一）爭取馬祖高中升格為「國立高中」
（二）延長十二年國民義務教育職教實驗
（三）闢建「歷史文物館」，保存文化資產
（四）建造「黃花崗之役連江縣十烈士」紀念碑
（五）興建「勝利書齋」，提昇軍民精神生活
（六）發展全民體育，舉辦軍民自強運動大會
（七）成立「文化工作隊」，鼓舞官兵士氣
（八）核定縣花與縣徽，彰顯軍民奮發開墾精神
（九）拍攝「今日馬祖」影片，報導前線軍經建設進步實況

民政建設

（一）興建鄉村辦公房舍，提升行政效率
（二）興建市場，促進地方繁榮
（三）改善鄉村環境衛生
（四）修繕廟宇，以正民俗

電訊建設

（一）結合戰備需求，架設光纖電纜
（二）達成電報換設電傳打字電報
（三）自動電話，地下管線埋設施工完成

交通建設

（一）換購公車，服務軍民
（二）興建車輛保養廠，以利公民用車輛之保修
（三）交通安全標誌之設置

水資源開發

（一）興建津沙及儲水沃水庫並增進淨水廠、汙水處理設施（南竿）
（二）唐岐及鉾里自來水分廠供水服務（北竿）
（三）開闢菜埔沃、猛虎沃儲水庫（西、東莒）

漁業發展

（一）輔導漁民購置漁船及籌建漁港碼頭
（二）增建水產試驗室，拓展淺海養殖事業

（三）興建漁產設施，以利漁類保鮮及市場調節
（四）興建綜合魚產加工廠及急速冷凍庫

確立農糧政策，穩定市場調節

（一）果菜雞蛋統一運銷，增進民生物價之平衡與發展
（二）推行農地重劃，輔導設立養羊、養鹿及肉牛等場域

馬祖地區居民早期均賴捕魚為生，各島各聚落，修建廟宇，各尊其神祇，信奉熾熱。山隴「白馬尊王廟」重修，廟方請求縣長親撰並書各神祇嵌名楹聯，鑲貼各門柱上，足見麒麟同學「學養豐瞻」。

（一）「白馬尊王廟」大門聯：山耀瑞彩八閩安庇千秋共欣榮，隴畝深澤裕民厚德萬世慶大同。
（二）白馬尊王（內柱）：白水降瑞德被閩浙萬世咸尊，馬祖顯聖威鎮四海千秋為王。
（三）仁愛村「天后宮」（廟柱）：慈雲普濟九洲共享天德，海晏河清寰宇同尊后儀。

八千歲「亮島人」

馬祖亮島（註四）的「亮島人」，經DNA演化基因證實為最古老的南島民族，中國醫藥大學講座教授葛應欽，從人類遺傳基因研究，有突破性發現，證實早期南島民族約八千年前起源於福建沿海地區，包括馬祖，換言之，南島語族的祖先是亮島人母系家族。

「亮島人」是二〇一一年在馬祖亮島發現的貝塚遺跡裡，「亮島人一號」為男性，有Y染色體，年紀約三十到三十五歲，身高一六〇到一六五公分，手臂強壯，距今已有八千三百多年歷史。女性的「亮島人二號」，距今也有七千五百多年歷史。由連江縣政府委託中研院考古團隊，於同年十二月十九日發掘亮島人一號完整人骨骸出土，隔年七月，亮島人二號也在貝塚附近出現，經國內考古學家考證，其中一具經碳十四定年檢測，距今約八一九〇年（八〇六〇—八三二〇），是已發現南島語族人類遺骸中年代最久的，這是台灣近年重大的考古成果，廣受國際考古學者、人類語言學者及遺傳人類學者高度關注。葛教授結合古代DNA與現代DNA分析，以重建遺傳系譜有突破性發展，他提出的學術論點歸納有：

1.推翻台灣或東南亞島嶼是早期南島民族發源地。

2.證實早期南島民族約八千年前起源於福建沿海地區，包括馬祖。

3.早期南島民族與漢藏語族約一萬年前同源，分離而來。

4.約六千年前移入台灣可能性最高，且由台灣北部移入，很快再往中南部遷移，表示：「其墓葬方式為「屈肢葬」，即人剛死之時，將其下肢向上卷曲，可能也是南島語族最早的。並分化成十語支。

5.在台灣分化一支約四千年前移入菲律賓，再擴散至東南亞島嶼及太平洋各地。

為探究馬祖亮島遺址出土的「亮島人」人種學，葛教授偕中央研究院考古學者陳仲玉院士，攜帶骨骸前往德國國家馬普研究院萃取DNA分析，萃取完整粒線體成功，經解序歸為E單倍群，E之根譜系，經新突變率計算，距今九二八〇年。E單倍群主要分布在台灣原住民族、菲律賓、印尼、關島、馬達加斯加及大洋洲等南島民族地區。

「亮島人」是台灣考古上的重大發現，讓馬祖能見度躍上國際舞台，對此歷史悠久的文化資產，有助於馬祖推展觀光、文化藝術國際接軌更具獨特魅力。南島語系是世界上唯一主要分佈在島嶼上的大語系，可分為兩大次語系，第一是「台灣南島語言」，第二是「馬來玻里尼西亞語」。「台灣南島語族」有二十三種語言，再分成泰雅語群、排灣語群與鄒語群等三個語群。除了世居蘭嶼所使用的達悟語是屬於菲律賓北部巴丹語（Bashiic）的語言之外，其他台灣原住民族群所使用的語言都屬於「台灣南島語言」。「馬來玻里尼西亞語」則有一千二百三十九種語言，再分成「中─東部馬來─玻里尼西亞語族」（Central-Eastern Malayo-Polynesian）與「西部馬來─玻里尼西亞語族」及兩種尚無法歸類的語言。

附註

註一：根據清初《使琉球記》中記載，宋朝福建湄洲的孝女林默娘（人稱馬祖）生於北宋建隆元年（公元九六〇年）農曆三月二十三日，時年二十八歲時，因父兄駕船駛至閩江口海域，突遭巨風大浪，船毀人溺，媽祖得知，飛身入海拯救父兄，因而溺斃，媽祖遺體隨海漂流至南竿，被漁民打撈上岸，將屍體埋在海岸邊。湄州鄉親不見媽祖下落，認為它羽化昇天成仙，遂建湄洲媽祖廟作為紀念。媽祖葬於現今馬祖南竿馬港天后宮內的靈穴石棺中，且興廟供奉，相傳迄今。這個島因而被稱為媽祖島，爾後改為馬祖。媽祖也成為馬祖居民最重要的信仰。二〇一九年來算，已有一千零六十歲。

註二：四大戰役為（一）閩江口戰役，一九五八年二月十九日（二）八一四平潭戰役，同年八月十四日（三）雙十馬祖戰役，同年十月十日（四）五一東引戰役，一九六五年五月一日。

註三：星砂是介型蟲吃夜光藻後，躲在潮間帶的沙土中。

註四：亮島原名浪島，因側看宛如屏風而被當地人稱為橫山，行政區域屬北竿鄉，坐落於北竿與東引島之間，距離此兩島各約二十七公里。全島面積僅〇．三四平方公里，岩壁多陡直入海，船隻停靠不易。一九六六年浪島正式更名為亮島，島上駐軍人數最多達兩百人，目前僅留有一守備隊駐守。

第八章　一日甲兵終身甲兵

強化敵我意識

一九八七年四月一日作者自陸勤部運輸署，調赴湖口裝甲兵訓練指揮部暨裝甲兵學校服務，在一年七個月期間，歷經指揮官（校長）羅文山和胡家麒，兩位中將的學經歷與政績如下：

羅文山：廣東梅縣人，二十四年七月二十九日生，父羅友倫上將，曾任聯勤總司令、總政戰部主任、駐薩爾瓦多大使、國策顧問。將軍陸官校二十八期，美裝校一九六〇年班，陸參大二十二期、戰院六十年班。在校品學兼優，保送留美深造殊榮，一九七四年於馬里蘭大學研究所攻讀。歷任裝甲部隊班、連、營長，駐美副武官，裝騎二〇二團長、裝甲獨立五十一旅長、裝訓部暨裝校參謀長、陸官校教育長，一〇八、一〇九機械化兩任師長。曾經榮獲保舉最優，為國軍優秀之將領。為人誠正坦率，學經驗俱豐，精通英、德文，實踐勤儉建校，以校作家要求，績效卓著，奠定裝甲兵教育訓練之良好基礎。一九八八年八月離開裝訓部後，曾歷任六軍團司令、聯勤副總司令等要職。

胡家麒：江蘇省淮陰縣人，生於二十七年元月二十日。建國中學畢業，考入陸官校三十期。一九六八年，負笈美國除卓越之科學素養外，在軍事教育上，亦有優異表現。先後畢業於裝甲騎兵作戰訓練及軍官外語學校情報英文班。陸續進入裝校正規班、陸院正規班、戰術研究班及戰院兵學研究所，均以極優異成績畢業。歷任步兵旅長、裝校教務處長、陸總部計劃署組長、裝甲旅長、機械化師長等職。將軍倡導讀書風氣，鼓勵研究發展，始終不遺餘力。對校區整建，新建之規劃，生活設施改善無時或忘，為裝甲部隊勾勒出無限遠景。一九八九年七月調情報局局長，四十餘年戎馬生涯，最後外調駐越南大使。

從作者調升至裝訓部佔少將缺，直至一九八八年十一月一日離開，在「強化官兵敵我意識」方面，採取以下措施：

開闢政教展示館：學員生入裝校受訓，不論訓練時程長短，都安排時間列入課表，各班隊官、士、兵整隊進入，由素養的教官擔任解說導覽。展示館概分：（一）我們的國家（二）精壯的國軍（三）共黨陰謀剖析（四）防範敵人滲透破壞（五）復興基地的台灣。

莒光日教學：學校全體官員生兵，每週四上午按時實施莒光日教學。指揮部集中在中正堂，由參謀長林天賞督導，收視電視教學結束，律定由單位主官（管）作總結。專題討論時間，要求人人發言，不照稿念讀，訓練每個人的思維，見解及表達能力。每次撰寫的心得報告，責由輔導長批改。

聘請學者蒞校演講：每季利用擴大週會時間，安排邀請知名專家學者，來校專題演講，如馮滬祥教授、李鍾桂教授、穆閩珠教授及敵情專家王宗漢和張念鎮兩位教授等，期使官兵更堅定「知敵、仇敵、勝敵」的信心。

舉辦「認清敵我，堅定意志」座談會：由各連隊主官主持，各一級單位派員出席指導。座談程序為：（一）主持人報告（二）引言人發言（三）與會人員發言（四）討論（五）主持人總結（六）上級指導長官講評。為提高座談會實際效果及增加討論氣氛，校部事前頒發「指導要點」，供主官參考運用。

擴大輔教功能：為使官兵加強精神武裝，認清「國軍是國軍，共軍是共軍」敵我意識，不能混淆，製造敵我不分的模糊思想。拷貝一系列輔教影帶，頒發各連隊利用晚自習時間播放，收視完畢，由主官（管）作總結，以加深官兵印象，誓死達成滅共的無形戰力。

定期圖片展出：每月將陸總部頒製之政教輔助圖片，懸掛在各連隊教室四周，讓官兵自由瀏覽。每月定期換新圖片。這套系列圖片，印刷精美，圖文並茂，設計新穎，很能吸引官兵熱烈之賞識。年來官兵反映，成效頗佳，顯見上級在政教文宣上之創意，已引起官兵之共鳴。

作者於一九六五年，曾在裝二師第二指揮部歷任少校參謀，那時本部連輔導長林天埜上尉，是作者高中同學林錦順的近親。林上尉政戰學校八期畢業，學養俱佳，擅於表達，執行力強，活力十足，很受長官器重，在軍中各階層表現十分突出。調任中科院佔中將職缺時，任內因公中風，長期住院，所幸上級長官體恤他在軍中三十多年的貢獻，仍讓他晉升中將。雖然經醫院悉心診療，肢體窒礙，不良於行，一直靠拐杖行走，七十多歲離開人間。

裝甲兵歷史演進

建軍時期（一九二九年－一九三八年）：一九二九年三月國民政府將所購得之英製小型戰車十八輛編成戰車隊，隸屬教導第一師騎兵團，為我國首次編成裝甲部隊。同年十一月前線部隊接收奉系馮玉祥部隊遺留之鐵甲車納入裝備使用。十二月唐生智於鄭州通電反抗蔣委員長領導，並向中央軍發動攻擊，為國軍首次正式裝甲部隊作戰。

抗戰時期（一九三八年－一九四五年）：一九四三年五月，中國駐印戰車於藍伽成立戰車訓練班。七月國軍受訓人員二百餘人抵藍伽，編成戰一營，並開始接收美製M-3 A三輕型戰車及少量的M-4 A中型戰車一、二、三、七等四個戰車營，但僅一、二、三前三營有完整的裝備。

戡亂時期（一九四五年－一九四九年）：一九四六年一月，裝甲兵教導總隊移駐漢口，二月戰車第二團與駐印軍戰車第五營合編。駐印軍戰車第二、六營與原戰二團第八連，於北平豐台合編成裝甲兵教導總隊戰車第三團。三月裝甲兵戰車第一團與駐印軍戰車第一、三營合編為裝甲兵教導總隊戰車第一團。

中興時期（一九四九年－一九九八年）：一九五三年八月，戰車修造工廠，改撥納入聯勤司令部。同年五月蔣緯國將軍卸任陸軍裝甲旅旅長並赴美受訓，國軍為擴大裝甲兵部隊編組及配合接收美援裝備，遂計畫將裝甲兵旅部改編為裝甲兵司令部，部隊編成兩個裝甲師及若干個戰車營。

精實（進）案時期（一九九八年－二〇〇五年）：一九九九年四月陸軍實施「精實案」第二階段部隊編成三個聯兵旅；以原獨立第八十六旅為基幹，編成裝甲第五八六旅「鍾山部隊」駐地台中后里；以步兵二八四師為基幹，編成裝甲第五八四旅「登步部隊」駐地金門南雄地區；以原戰車第七〇三群為基幹，編成裝甲第五〇三旅「漢威部隊」駐地澎湖成功。

二〇一八年三月一日是裝甲兵建軍九十週年暨裝甲兵建校八十三週年，回憶一九三六年十二月二十二日，陸軍裝甲兵（陸軍交輜學校）首任校長（一九三六年三月一日至一九四七年十月一日）蔣中正以兼任校長身份於畢業典禮中訓示裝甲部隊是機械化兵種，必須做到下列兩點：一是「實事求是」，二是「精益求精」。什麼叫做實事求是呢？就是凡事要講求切實，檢查要細密，愛護要周到，勤勞要盡責。什麼叫做精益求精呢？就是要不斷研究發展，改進缺點，日新月異，益求進步，如此裝甲部隊才能永久而發揚光大。

裝甲兵「十二風格」（12ethos of armor troop）是要求全體裝甲官兵，時時惕厲自己，從思想觀念上，品德操守上，工作態度上及團隊合作上，要發揮堅強的無比戰力。

十二風格是：

迅速而不草率　謹慎而不寡斷
活潑而不輕浮　謙讓而不推諉
勇敢而不粗暴　自尊而不驕傲
積極而不妄為　整潔而不奢侈
溫和而不怯懦　莊嚴而不呆板
熱忱而不虛偽　禮貌而不諂媚

裝甲兵四大戰役

崑崙關戰役（一九三九年十二月十六日至三十一日）：一九三九年十月，

日軍進犯桂南，十一月下旬攻佔南寮東北各要點，十二月進駐八塘、崑崙關、何陽包圍國軍，我陸軍第五軍奉命攻復崑崙關險要，於十二月十八日以第一師、二百師及裝甲兵第一團行正面進攻，日軍頑強固守，我軍仰攻，損失甚重，唯賴戰車第一師先頭攻擊，步兵營官兵前仆後繼，於十二月三十一日攻克崑崙關要地；日軍第五師團及近衛旅團與二十二、四十二聯隊幾全被我軍消滅，死傷團長以下官兵一萬餘人，而南半壁終獲安全，締造了國軍抗戰與起後攻堅勝利之先聲。

瓦魯班戰役（一九四四年三月二日至八日）：一九四二年二月，日軍進攻緬甸，仰光不守，英軍急電我攻府應英國政府之要求，遣國軍勁旅遠征緬甸，協力盟國共同作戰。一九四四年三月三日中國駐印戰車第一營奉令反攻緬地，打通中印分路，該營於胡康河谷越過樹木參天之原始樹林，迂迴敵後，於三月八日奇襲駐瓦魯班之日軍主力第十八師團，粉碎日軍作戰指揮系統，擄獲日軍第十八師團關防一顆及無數軍品，使我駐印軍得進入胡康河谷、緬甸之門，就反攻緬北，打通中印公路，整個戰略上，確為扭轉戰機之轉捩點，為國軍裝甲部隊，留下永難忘懷之光榮事跡。

延安戰役（一九四七年三月十五日至十九日）：一九四七年三月上旬，因盤踞陝北之共軍，經常於電台中渲染廣播，企圖振奮其官兵士氣，確保沿安，阻止國軍之攻勢。

國軍為求一勞永逸，以戰車第二團第二營（欠第五連）配屬二十九軍進攻延安。三月十八日〇四〇〇時國軍抵達延安以南之塔沉山，〇五〇〇時佔領該山，十九日〇六三〇時攻佔延安門，十一〇〇戰車第二營攻擊延安西門，十一〇〇時第二十九軍之十二旅及十三旅先後攻佔延安東北五里之清凍山，延安全城均為我軍所控制，使共軍竊據十餘年之老巢告光復，國軍獲致攻略上輝煌之戰果，亦創造我裝甲部隊在困難地形作戰之典型。

金門戰役（一九四九年十月二十五日至二十六日）：

（一）敵我態勢：

1. 共軍：第九兵團挑選精粹人員，編七個加強營及其他特種部隊約兩萬集中四團兵力進犯金門主力指向古寧頭，龍口之線。
2. 國軍：戰車第三團第一營（欠第二連）由營長陳振威率領，配屬第二十二兵團之二〇一師及二一八師，由司令官李良榮指揮。

（二）作戰經過：共軍於一九四九年十月二十五日二時三十分，趁黑夜高潮之際，乘不同形式之船隻及木筏，向金門龍口迄南山北山之線登陸，當與我海岸守備部隊發生戰鬥，共軍向內陸猛攻，南山北山陷於混戰，此時戰車營第三連第一、二排戰車七輛，奉命配屬二八師協同三五三團迎擊，第一排於南山北端，第二排於南山反斜面，分別進入攻擊準備位置，乘員伸頭向車外觀測，利用電光彈指示，向滲透之敵直射。三小時許，該團趙副團長，山頂上之碉堡被敵奪戰，我第二排以集火轟擊，碉堡被擊毀，生俘共軍八名及火箭筒、機槍等。我駕駛手和射手各一名負傷，到拂曉登陸之敵，均為我拘束於觀音山以北，安歧與西保之間。七時許，我戰車第一連由觀音山南下向龍口以西地區掃蕩，戰車第三連第三排沿西保兩側道路直撲海灘之敵形成夾擊態勢，第三連在安歧北端擊潰共軍五百餘人，第一、三連集中力量直進海灘，敵不支投降，生俘八百餘人，武器一大批，殘敵一部沿海灘向北山、林厝一帶逃竄。十一時戰車第一連第一、二排向林厝、西一點紅間地區攻擊，共軍頑抗，被我砲毀西一點紅碉堡十餘座。十五時三十分第三連第三排與第一連，由北山、林厝向東北流敵攻擊，斃其四百餘人。二十六日晨我軍確保埔頭、安岐迄其正面海灘之旅，八時我軍四個團在安岐北端向海灘並列攻擊前進，戰車第三連引導步兵向林厝猛攻，九時攻克林厝，戰車續北山前進，該地海岸及北山碉堡被我戰步猛攻，計斃敵千餘人，至十一時許，戰車第一連接替第三連任務續向北山、南山攻擊，殘敵千餘人匿於北山民防之石牆內，頑強抵抗，戰車集火指向民防並實施喊話，殘敵無還手餘地，向我投降。金門戰役至此告結束。

（三）共軍傷數：陣亡一千五百餘人，生俘敵軍長朱紹清以及官兵六千五百餘人，虜獲步槍三千餘枝、輕重機槍三百餘挺、衝鋒槍二百餘隻、各式進擊砲二百餘門，其他通訊器材彈藥無數，創造軍事上徹底勝利之戰果。

（四）我損傷數：負傷士兵二員。

戰事結束後，經戰地司令部檢討，戰車營被獲選為此役勝利之首功，除營連長榮獲蔣公頒授寶鼎勛章外，全營並獲司令官胡璉將軍頒贈「金門之熊」榮譽旗一面。由於古寧頭大捷戰役，得以確保台灣海峽的安定，因而能從容建立強大國防力量，使復興基地各項政經建設，能在安定環境下蓬勃發展，成為繁榮堅強之反共堡壘。

湖口「兵變」

湖口兵變又稱湖口裝甲兵事件，發生於一九六四年元月二十一日，在新竹縣湖口鄉。裝甲兵湖口基地的一次未遂政變，司令部設在台中，當時司令郭東暘在陽明山實踐研究院受訓。湖口兵變的間接受害者，還有當時已經離開軍權核心的陸軍指揮參謀學院院長蔣緯國，由於此事件讓他十四年的中將，直到一九七五年八月蔣中正過世後才晉升上將。

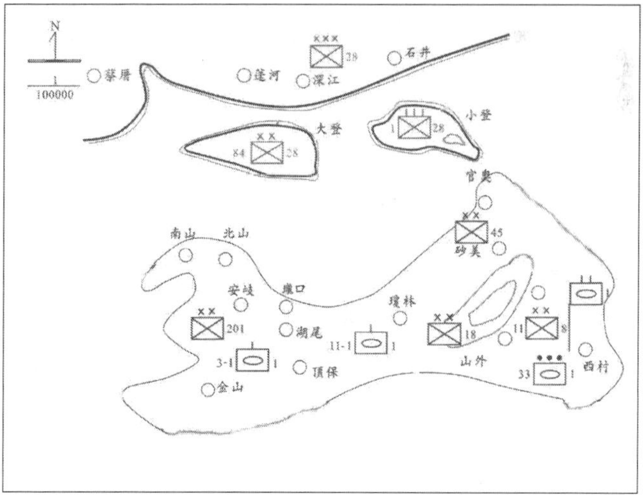

戰車第 3 團第 1 營金門會戰戰鬥要圖

元月二十一日上午十時許，裝甲兵副司令趙志華少將，在湖口裝甲兵基地大集合場，召集裝甲主力部隊第一師，以年度裝備檢查名義集合部隊訓話，慷慨激昂發表一篇「政見」演說，要部隊往台北市區進發，跟他掃清蔣中正身邊的壞人，以保擁蔣總統。演說重點有三：（一）國際局勢日益對台灣不利，台灣陷於孤立之可能，政府官員沒能力處理外交問題，甚至發表「兩個中國」論調，不想反攻大陸，如此將國家帶往危險境地，必須大力加以整頓。（二）若干高級將領缺乏鬥志，生活腐化，不關心部隊生活。（三）裝甲部隊乃國軍精銳，負有保國衛民之責，國家局勢既已至此，理應挺身而出，為國家、民族之前途而奮鬥。

趙員演說完畢，當場大聲質問：誰敢跟我一起去？台下無人應答。趙隨即掏出手槍，高高舉起後放置演講台上，再大吼一次：誰敢跟我一起去？這時台下忽然閃出一位工兵指揮部政戰處長朱寶康中校高舉右手說：我跟副司令一起去！說過大步走到台上，站在趙員身邊，趙員欲加以讚揚，這位政戰處長突然抱住趙員，高叫：抓起來！旁邊的憲兵組長鄭振墉率憲兵一擁而上，當場制服了他們的副司令官，把趙員壓進司令部，一場兵變就此結束。

一位上校團長上台宣布：所有部隊立刻帶回營區，沒有命令，不得外出走動。

從政治角度來看，「湖口兵變」實不夠稱為「變」，更談不上「政變」。由於是現職高級軍官鼓動部隊製造事端，只能稱之為一場軍事「嘩變」，實質上也僅是「嘩而未變」，事件很快擺平，主謀者趙志華迅速被繳械，並未釀成更大的事故。

事後，趙員被移送軍法審判，按照陸海空軍刑法之「叛亂罪」嫌起訴。本應判處死刑，經國防部考量趙之犯罪動機，非出自預謀，乃起於一時之激憤，以至有違犯軍法之舉，叛亂之意圖尚不十分明顯，最後判決無期徒刑。其他涉案的二、三名中下階層軍官，分別處以五年至一年之有期徒刑，情節輕微者，予以記過，調職處分。

趙員一直在新店近郊的明德監獄服刑，對他的行動管制極嚴，每日出來放風時都腳鐐手銬，所受待遇與一般犯人相同。趙員於一九七八年因病保外就醫，一九八三年去世，時年六十五歲。趙員黃埔十期，東北人，抗戰期間曾參加遠征軍到印度打日軍。由於曾赴維吉尼亞軍校受裝甲訓練，和蔣緯國交往密切，蔣也認為他是一位幹才。蔣緯國有一次在政治大學東亞所授課，提到「湖口兵變」，他的評價是：「動機單純、方法錯誤。」

談到蔣緯國（一九一六年十月六日－一九九七年九月二十二日）身世之謎，在一九九六年，緯國八十大壽之際，接受聯合報記者汪士淳四十次採訪後，整理而成蔣緯國自傳「千山獨行－蔣緯國的人生之旅」。自傳裡道出了身世之謎。文中寫到：蔣介石在日本與戴季陶共處時，戴結識了當地的護士重松金子，交往之下，金子懷孕，於一九一六年十月六日產下一子，這個孩子便是緯國，而金子生下沒幾年就過世了。事情的根源，在於戴的原配鈕有恆，性情較烈，如知道丈夫出軌，非鬧翻天。於是戴和好友介石說好，由蔣認子，一生下來就由對中國很熱心的日本人山田純太郎帶回中國上海，交給介石。蔣給嬰兒取名為緯國，與在上海結緣的夫人姚冶誠一起撫養。一九八九年元月十一日，蔣緯國以經國逝世一年來的感受為題，在台北發表演講，首次公開場合，談及自己的身世，無論是蔣介石還是戴季陶，做誰的兒子，我都願意。戴於一九四九年在廣州去世，安眠昭覺寺三年後，一九九六年九月緯國寫信給清定法師，表達謝意。信函中的致謝緣由為義父傳賢先生夫婦靈體得安塔寶寺，多蒙上人全寺法僧等照顧。二〇〇九年四月，昭覺寺舉辦了清定上師生平事蹟圖片展，期間展出了這封信函的圖片。

戴季陶（一八九一—一九四九年），籍貫浙江吳興，生於四川廣漢，國民黨元老之一。早年留學日本，參加同盟會，辛亥革命後追隨孫中山，參加了兩次革命和護法戰爭。一九一二年從日本回國，在上海創辦「民權報」，後任中山秘書。黃埔軍校成立後，曾擔任黃埔軍校第一任政治部主任。一九二七年參與策劃「四一二反革命」政變。一九二八年之後，歷任國民政府委員、考試院院長、國史館館長等職。一九四九年二月十一日，在廣州東源招待所，服安眠藥自殺。戴在黃埔軍校時，昭覺寺方丈清定法師，曾就讀於該校第五期步兵科。

「星光部隊」在台訓練

新加坡自一九六五年從馬來西亞聯邦獨立出來之後，新加坡共和國的締造者，第一位總理李光耀就立即向以色列要求幫助建立新加坡的軍隊。新加坡武裝部隊有三個組成部份：正規軍人、現役軍人及戰備軍人。總兵力為五萬五千五百人，後備役部隊為十七萬人，另有準軍事部隊四萬人，每年軍費約四十三億八千萬美元。新加坡軍事安全戰略有三項原則：

「毒蝦」原則：軍事安全戰略講究威懾，一是讓對手懾於其軍隊的戰鬥力，二是讓對手懾於其全民的抵抗力。新加坡有一支在東南亞地區現代化水準最高，有較強的空中打擊能力與地面突擊能力的精銳部隊，同時經濟、社會、民事、心理等方面的應變力也非常強。

「魚群」原則：新加坡十分注重聯防自保，尋求集體安全，來遏制潛在的敵人。新加坡安全體系有三個層次，第一個層次是維持和加強與馬來西亞、英國、澳大利亞及紐西蘭的五國聯防。第二個層次是推動東歐國家，在政治和經濟上的合作並創造條件，把東盟合作的領域擴大到地區安全方面。第三個層次是支持聯合國在維護國際安全充分發揮作用。

「大魚」原則：新加坡講遏制，靠的是雙管齊下，既要加入「魚群」，又要拉住大魚，這條大魚就是美國。美國是一條友善的大魚，能阻止其他大魚到本地區鬧市，把美國的軍事力量引入新加坡。如果有人想吃掉新加坡這條小魚，除了要考慮五國聯防和東盟這兩個魚群外，還要特別考慮美國這條大魚答不答應。如此，新加坡就能借助其他國家的力量達到保衛自身安全的目的。

一九六七年蔣中正在新加坡請求之下，我國防部選派優秀飛官和空軍技術人員赴星國指導，擔任種子教官，培育飛行軍官戰術，戰技素養。一九七三年總理李光耀來台灣和當時的行政院長蔣經國晤面，商談持續加強兩國軍事交流與合作。一九七五年四月雙方簽署「絕密軍事合作計劃」亦即所謂「星光計劃」，就是新加坡武裝部隊在「星光演習」代號下，赴台灣進行軍事訓練。

新加坡先天國土狹小，面積有限，缺乏戰略縱深，三軍訓練地域嚴重不足，影響訓練成效。因此，陸續與美國、法國、澳洲、泰國、汶萊等國家，簽訂代訓計劃，實施各種軍事聯訓項目，不但能藉機從中培養星國自身的戰鬥力與臨機應付突發狀況之發生，同時向各國學習吸收相關戰略，戰術與戰技之祕訣，來彌補本身的缺陷，進而提升彼此間互惠互利，無形中亦提高星國在國際上的能見度。新加坡在台灣編組建立了一支數千名由步兵、砲兵、裝甲兵與突擊隊的「星光部隊」，每年定期輪流在湖口裝甲兵基地、斗六砲兵基地、恆春三軍聯訓基地及谷關特戰基地實施演訓，歷次國軍年度軍事演習，星光部隊應邀參與見習。採徵兵制的新加坡，官兵素質有一定水準，平時和台灣民眾互動良好，也讓地方民眾對其官兵頗有好感。兩國五十年來軍事合作，可謂「緊密的軍事夥伴」，加上兩國政軍高層秘密頻繁的互訪，增進我外交堅實的邦誼，彌足珍惜。

一九九〇年新加坡受國際現實環境影響與中國建交。近年來受到中國不斷施壓，台星軍事合作關係，由萬人官兵逐漸降溫，來台訓練人數降到約三千人次，受訓的梯次亦逐年遞減。二〇一四年新加坡派員前往中國海南島，進行軍事基地勘察，並選定理想基地作為新加坡部隊未來進駐訓練的場地，雙方已就兩國合作事宜，進行細部討論，中國與新加坡部隊，將採聯合組訓、共同指揮、併肩作戰的方式，進行聯合軍演。

二〇一六年十一月二十三日中國利用香港扣留裝甲車事件，究其原因有五：（一）趁勢告誡各國，必須確實尊重一個中國原則，不能和台灣發展任何形式的官方交流。（二）新加坡對南海仲裁之結果表示支持，中國甚為憤慨，意圖以地緣政治大國姿態，使新加坡就範。（三）多年來新加坡追隨美國重返亞太戰略部署，形成在整體安全上與區域經濟上，扼制中國通路，讓中國深惡痛絕。（四）針對新加坡經濟遲緩與其人民害怕中國經濟制裁心裡，趁機分化台灣和星國之間傳統邦誼。（五）逼使利誘「星光部隊」早日撤離在台訓練場域，移往海南島，便於掌控指使。

新加坡在前李光耀總理，高瞻遠矚的長治久安政策及其子李顯龍繼承衣缽，使國力日盛，政治清明，社會安定，雖居彈丸之地，但具有前瞻性的國家大戰略，才能處在世局詭譎變動中，以小國遊走於列強之林，在國際的綜合國力，普受世人重視，值得我們借鏡，靈活運用策略，開拓新契機，屹立不搖！

第九章　膺任瓜國顧問團團長

郝總長召見面試

一九八四年三月十六日馬防部司令官趙萬富中將，接奉總長郝柏村上將密電，指令我儘快返台總長召見。三月廿六日在國防部聯二次長趙知遠中將引領下晉見總長。趙次長預先告知過我，總長先前已約見另一人選，惟面試未通過，提示我應對要領，我自忖曾經在越棉兩個國家，有實務工作經驗，當可「輕騎」過關。面談半個小時光景，總長除嘉勉作者在部隊的表現，另垂詢三點：「一是馬祖地區軍民關係？二是官兵精神士氣？三是會不會西文？」我據實回答：「馬祖在司令官領導之下，軍愛民，民敬軍，軍民相處十分融洽；官兵加強戰備整備，嚴守軍紀，軍心士氣昂揚；我曾經在軍官外語學校，英文儲訓班畢業，會話還可以，至於西文從未修習。」總長頷首，面露笑容，不像平素巡視部隊時的嚴肅。總長語氣溫和接著說：「瓜地馬拉（Guatemala）政府頻來電，邀請國防部派遣顧問團前往協助。你要入境隨俗，利用時間學習西文。有任何困難問題，直接向趙次長反映。」

四月二日接到總政戰部政一處黃家瑾處長電話，囑我三天內向主任許歷農上將作簡報。時間緊湊，為了簡報內容構思，整整花了一天的功夫撰寫。四月五日上午九時在總政戰部會議室向主任簡報，內容分為：壹、前言　貳、瓜國情勢分析　參、工作指導與構想　肆、「遠朋班」瓜國學員受訓概況伍、建議事項　陸、結論。簡報完畢，許上將隨即指示四點：「一、要注重團員人身安全，避免單獨行動　二、促進中瓜彼此邦誼　三、保持顧問良好風度，不矯不傲　四、定期回報工作情形。」

本團奉核定正式名稱為「國軍援瓜軍事顧問團」，作者擔任團長，團員有政戰嚴昭慶上校、通信陳育央中校、空軍梁志明中校、空軍邱錦健少校與空軍汪成一少校等五位軍中優秀幹部。出發前兩天，趙次長設宴為全團餞行，每位團員偕太太參加，場面溫馨感人。席上趙次長懇切叮嚀我們：「集體行動，安全守分，多寫信回家，免得家人掛念。」酒過三巡，我起身代表全團特別感謝趙次長多方關照，保證達成上級賦予的任務！

在瓜國政府頻頻來電希望顧問團早日前往，我們六人於同年四月十二日，從中正（桃園）機場啟程，經洛杉磯再轉搭瓜航，於十六日晚抵達首都瓜地馬拉機場（La Aurora Aeropuerto），受到瓜國軍事發言人多明格（Dominguez）中校等要員，熱烈而誠摯的歡迎。在多明格陪伴共搭禮賓車，約三十分鐘車程，安排我們入住國防大學（Centro de Estudios Militares）貴賓宿舍。我們兩人一室，房間整潔舒適。瓜國為便於顧問團之工作，提供乙部車輛及一位上尉連絡官兼護衛之安全。還有一位小姐負責宿舍內外之清掃與房間之整理。我們三餐設在軍官餐廳貴賓席，學官每當入廳吃飯時，都先向顧問團桌席的我們行「敬禮」後，很有秩序魚貫進入安排好的餐桌用膳。學官清一色年輕、活力，精神飽滿，可見國防大學對軍紀要求嚴明。十七日起由武官桂務勇上校陪同，晉見元首梅希亞（Gral.Oscar Humberto Mejia Victores）少將，參謀總長兼副元首羅勃斯（Lobos）准將、副部長、副參謀總長及拜會聯三、五處長、軍校、國防大學校長、軍區司令等軍方首長，交換反共經驗，晤談甚歡。咸認本團之蒞臨，對促進兩國之邦交，與協助瓜國推展政戰工作，有所助益。

瓜地馬拉位於中美洲北部，西、北方接墨西哥東南界，東臨貝里斯、濱加勒比海並臨宏都拉斯，東南與薩爾瓦多接壤，西南臨太平洋，首都瓜地馬拉市。我國與瓜國自一九三三年建交，迄今逾八十六年。長年與台灣維持外交關係的瓜國，在中國於中南美洲影響力日增的情勢下，也曾傳出邦誼不穩的訊息。我國雖與瓜國簽訂關貿協定，但雙邊貿易額不高，二〇一八年雙邊僅一億八千五百四十三萬三千九百七十九美元，是六十四大出口國，近年貿協積極帶領台商參與當地商展，增進雙方政商界之交流。

歷史因素與馬雅文化

十六世紀西班牙王國全盛時期，整個中美洲都是它的屬地，一五二四年西班牙人來到瓜地馬拉，摧毀了馬雅文化，開始殖民瓜地馬拉。由於西班牙殖民的消滅政策，幾乎所有馬雅書籍，都被銷毀殆盡。一八二一年中美洲紛紛脫離西班牙獨立，瓜地馬拉三十餘年後，分成宏都拉斯、薩爾瓦多、哥斯達黎加、巴拿馬五國，彼此榮辱與共，多年來五國之間，現成中美洲統合，召開五國元首會議，成立中美洲議會，甚至國慶日十月四日都選在同一天慶祝。

馬雅帝國時代，即以瓜地馬拉為中心，西班牙殖民時期，設總督於瓜地馬拉，轄屬北起墨西哥南部各省，南至巴拿馬。瓜國國立「聖卡洛」大學(Universidad de san Carlos de Guatemala)，有三百多年歷史，較哈佛大學早百餘年，中美洲歷史上重要人物都出身該校。瓜國軍校亦有一百四十年歷史，中美洲各國總統多數出身該校，顯示瓜國為中美洲之重鎮。今日中南美洲國家中，瓜國人口最多，達一千六百九十一萬人，平均年所得三千四百三十美元，一瓜幣等於四・三一元新台幣，遠超過巴拉圭、烏拉圭、玻利維亞、多明尼加諸國，資源亦甚豐富。

瓜國受西班牙統治三百年，帶來的後遺症不少，例如虛華浮誇，不務實際，官僚作風，文書主義，尤以缺乏愛國心最令人擔憂，這也是中南美洲一般現象，加之政府貪污腐化，亦為中南美洲之通病。瓜國較早政變頻仍，又受民主思潮之衝擊，為避免如多明尼加 Trujillo 或尼加拉瓜 Somoza 政權把持國運幾十年現象，瓜國於一九六五年憲法規定總統任期四年，終身只能一任。但也因此造成五日京兆之心理，政府每次更迭，從上至下全部更換新人，使行政工作無法保持連續性、完整性，各種政策、計畫窒礙難行。

瓜國全面積十萬八千八百八十九平方公里，為台灣三倍大，警察僅一萬多人，犯罪率逐年增長，盜賊橫行，綁票案迭次發生，社會治安差，憲警疲於奔命，緝拿罪犯成效不彰，政府頭痛不已。西班牙殖民地傳統最顯著的徵象，就是貧富不均問題。瓜全國百分之七十財富集中於百分之二少數富人手中，佔人口百分之五十七之印第安人，經年累月辛勤所得有限。瓜國土地肥沃，氣候怡人，農產品為其主要出口，以咖啡、香蕉、棉花、蔗糖、牛肉、皮革為主。在中南美洲各國中，瓜國經濟堪稱較佳，所負外債比率最低，據國際貨幣基金組織二〇一九年元月公布，其外匯存底一百二十四億四千七百六十七萬美元，瓜幣與美金官價尚能維持運作，差額不至過鉅。

我們曾參觀過瓜國國家博物館（Museo Nacional），在導覽小姐之簡介說明：「馬雅族的祖先原居亞洲大陸，從西伯利亞渡船經白令海峽到達阿拉斯加，再循西海岸南下，於中美洲安頓下來。馬雅人在公元前六世紀就已經營帝卡（Tikal），直到十五世紀，整個南北美洲的原居民，雖然全屬於印第安系，只有馬雅人的文明程度最高，其社經比當時北美洲的印第安人、墨西哥與秘魯原住民，都超出許多。」帝卡位於瓜國北部的佩滕省（Peten）建於西元前三世紀到九世紀，後被遺棄。一九八四年六月四日，我們同仁搭瓜國空軍專機，飛往佩滕機場，轉乘專車直抵帝卡。據陪同官員敘述，整個帝卡全區面積七平方公里，至今只發現六座金字塔及宮殿十多處，最高金字塔未及百公尺，我們不費力的一步步上台階，走到最高塔頂，只有三坪大的宮壇，依考古學家的推斷，這裡是提供貴族與祭司宗教儀典之處。公元九百年後，帝卡不知受天災或傳染疾病等因素，突然消失，而遺址就被熱帶叢林整座覆蓋，直至一八四八年，由美探險家發現，有學者指出，金字塔是模仿天際星座建造而成，不過比起埃及金字塔，又是小巫見大巫。馬雅族（Mayas）原住民，屬印第安系，男人體格粗獷，皮膚黝黑，生性良善，幾年下來從帝卡陸續挖掘出來的彩繪陶器、黑色玉石、飾物及巧奪天工的人骨雕刻，讓後人從認識先人古文明文化，進而追憶古文物之價值。舉凡墨西哥、薩爾瓦多、宏都拉斯等，都有許多馬雅人的遺跡。雖然西班牙人對馬雅的宗教傳統，造成威脅，但馬雅宗教沒有全部消失，反而融入了天主教的精神與圖騰，呈現原住民旺盛的生命力。馬雅人的世界觀，主要著重在太陽起落的方向，也就是紅色代表日出的東方，而藍色或黑色代表日落的西方或死亡。獻祭的目的，在向天神祈求族人平安健康、治癒疾病、五穀豐收及預卜未來。馬雅人放棄了許多中央低地的城市或在乾旱導致的饑荒死亡。十世紀末低地區的馬雅文化消失後，中央高地區仍然存在。瓜地馬拉是古代馬雅文化中心之一，是世界上印第安人口最集中、文化保存最好的國家，素有「馬雅人的國度」之稱。

首任顧問組長 張明弘

一九八〇年瓜國左派游擊隊，到處竄擾襲擊，百姓生命安全遭受極大威脅，人心惶惶，社會失序。當時瓜國國防部長蓋瓦拉（**Anibel Guevara**）來函，要求我國派遣政戰顧問組協助該國建立政戰制度。同年四月國防部派時任空降特戰司令部政戰部主任張明弘上校率同嚴昭慶中校、湯守明少校和張衡華少校，前往瓜國。經顧問組與瓜國多次共同研討策劃，於八月成立文化部，下轄新聞處、心戰處及軍中電視台。所屬連級以上單位，設立政戰組織，各該單位的第一副主官兼任政戰主管，執行政戰實務工作。張組長在瓜國階段任務完成，遂於十一月歸國。

一九八一年至六月期間，先後受到瓜國蓋瓦拉部長、參謀總長孟多沙將軍，再次邀請函，國防部續派政戰學校教育長張明弘少將率同謝天霖上校、嚴昭慶中校和湯守明少校等四位優秀幹部，於同年八月十八日飛抵瓜國。張將軍在瓜國前後一年，除編印「馬雅主義－瓜地馬拉人民的靈魂」乙書，還將王昇所著「政治作戰概論」與「三民主義與其他主義之比較研究」兩本書，譯發三軍官兵研讀，俾加深官兵對反共理論與政治作戰之認識。另針對瓜國時局，著手編印幹部訓練教案九種，藉以砥礪官兵忠貞愛國信念，剷除共黨荼毒之遺害。張將軍在瓜國之工作態度與竭盡智慧之精神，頗獲瓜國當局賞識、肯定。

瓜共趁機竄起

第二次世界大戰時，瓜總統尤皮格（Ubico）獨裁政權，於一九四四年被阿雷巴羅（Areralo）推翻，一九五一年阿民芝（Arbenz）繼任，改革整頓之際，被共黨滲透，逐步走向左傾。雖然他不是共產黨，但在國內推行土地改革措施時與美國資本主義起了衝突，不幸在一九五〇年代初期，瓜國於聯合國投票時，遂被蘇聯共產集團牽制。一九五四年，美國中央情報局強力支持卡斯迪羅（Castillo）上校，由宏都拉斯領兵入侵瓜國，陸軍毅然宣佈「中立」，阿民芝倉皇出走，結束瓜國短暫左傾政權時期。

一九六〇年古巴卡斯楚推翻巴第思達（Batista）獨裁政權，成立中南洲第一個共黨政府，同年十一月十三日，瓜京第一批左傾青年軍官，企圖發動政變未成，攜械逃入內地，是為瓜共游擊隊之始，迄今已有百餘年之歷史。

瓜國游擊隊雖號稱四股，皆由瓜國勞工黨（亦即瓜共）領導，表面上使用不同名稱，掩人耳目，爭取國際同情與支助。城市游擊隊以綁票、籌募經費、製造宣傳、爆炸等伎倆，目的在製造社會動盪及蠱惑民心。領導人物智識份子居多，工人農人較少；鄉村游擊隊避正面作戰，以伏擊、佈地雷為主，政府軍雖主動出擊，因地域遼闊，兵力分散，不易肅清。瓜共首腦人物在墨西哥、尼加拉瓜與古巴潛居，以瓜墨邊境難民營作為訓練基地，運用歐美人權團體，為其撐腰發聲。瓜共策略，在養精蓄銳，植基戰力，扭曲政府形象，爭取民眾認同，伺機發動全面或局部攻擊。

國際共黨巧妙運用自由派人權組織，多年來不斷詆譭瓜政府蔑視人權，造成人民對政府之不信任感。聯合國每年通過譴責瓜國之議案，甚至美國會民主黨籍，以此為藉口，阻止當年雷根政府恢復對瓜國軍援與經濟支助，使瓜國原已疲弱之經濟更雪上加霜。一九七六年起美停止對瓜國政府之軍隊援助。瓜政府一九八四年之國家預算，用於國防者僅三億五千九百餘萬元瓜幣。官兵每月薪餉較我國軍略高，而國防開支除二萬五千官兵之薪餉外，其他國防經費之支付，捉襟見肘，國防建設「因陋就簡」。惟瓜國一般軍官之家庭，多數購有私人轎車，瓜國軍官待遇與福利之優厚，無形中提高了軍人社會地位。

瓜國政軍情勢

一九七八年大選，前國防部長魯卡斯（Lucas）將軍當選總統。一九八一年任命其弟為參謀總長，原總長棉多查（Mendoza）升任部長，原國防部長根巴拉（Guevara），政府支持競選下任總統。一九八二年三月大選，根巴拉當選，但外界認為有舞弊之嫌，三月廿三日一批少壯派軍官發動政變，解散國會，組織三人執政團，徵召前參謀總長里歐斯（Rios）將軍為總統。他上台積極清剿瓜共，提出「不說謊、不貪污、不濫用職權」之口號，推行「步槍與黑豆」政策，意即政治與軍方並重方針，使游擊隊遭受致命打擊。他本人為虔誠基督徒，與勢力雄厚之天主教會格格不入，其所成立之軍方刑庭，嚴懲罪犯之徵收增值稅等措施，遭受輿論反對。一九八三年八月九日軍方再度發動政變，國防部長梅希亞將軍繼任元首。他自稱元首而不稱總統，意謂「總統」需經由民選，以示還政於民之決心。有鑒於阿根廷軍方讓出政權，由文人當選總統後，梅希亞受邀前往參加就職典禮，心中已有定見，誓言走向民主之路。

梅希亞在後勤司令任內，曾於一九八一年應我國邀訪，參加國慶及參訪政經建設。他在軍校受訓時，是一位勤奮讀書，與同學相處和睦，頭腦冷靜，學術科表現優異。畢業之後，歷任軍中要職，極受長官器重及廣大人民的擁護。

同年七月一日選舉制憲議會，由議員八十五人制定憲法。次年七月一日根據新憲法選出總統，軍政府即還政於民。選舉由最高法庭主辦，各地省市長從旁協助，初步登記籌組之政黨有三十九個，完成法定手續正式角逐之政黨只有十三個，但瓜共繪聲繪影誣指選舉有違人民之意志為由，大肆攻擊政府顢頇無能，拒絕參加競選。正因瓜國小黨多，法紀蕩然，軍方乃成為安定社會之重要支柱。多年來政變迭起，設在首都之三個軍區（警備司令部、沙巴拉旅軍區及第一軍區）只要聯合一致，就可左右政局，更換總統。組織全國民眾自衛隊，是由陸軍組訓、輔導，其八十萬成員勢力，成為瓜國最大政治力量。

一九八四年四月廿六日總長郝柏村率領海軍總司令葉昌桐上將、空軍總司令林文禮上將及吳東明中將，應瓜國政府邀請蒞瓜訪問，瓜國由副總統兼參謀總長羅柏士（**Lobos**）接機，禮儀隆重。梅希亞元首在總統府（**Palacio Nacional**）舉行授勳，象徵中瓜兩國深厚堅定的邦誼。

瓜國三軍最高統帥，由元首兼國防部長，國防部由參謀本部指揮三軍，總兵力為二萬一千五百六十人。陸軍依省行政區劃分，下轄廿三個軍區及瓜京「衛戍旅」、近郊「沙巴拉旅」、七軍區、廿三軍區等四個旅。士兵配有以色列製造之五・五六式衝鋒槍；海軍司令部設於大西洋之多馬斯（Santo Tomas），主要基地尚有太平洋之西巴卡迪（San Jose Sipacate）；空軍司令部位於瓜京軍用機場，與民用機場緊鄰，為因應時局需求，另闢輔助機場於北部佛羅列斯（Flores），作為訓練飛行之用。各型飛機保修零件欠缺，修護能量十分有限。三軍兵力與裝備數量如下：

軍種	**兵力**	**裝備數量**
陸軍	二萬人	一〇五榴砲 十二門 七五無後座力砲 廿四門 三、五火箭 六十七筒 輕型戰車 四十九輛
海軍	九百六十人（含陸戰隊六百五十人）	海岸巡邏艇 十五艘 登陸艇 一艘 小型運輸艦 二艘 突擊艇 十二艘

空軍　六百人

直昇機 Bell 四一二型 六架
Bell 二〇五型 六架
Bell 二一二型 一架
Bell 二〇六型 十二架
Bell 五〇〇 D 型 一架
教練機 T 三三 一架
DC 七十九架
攻擊機 A 三七 八架
空運機 DC 六十一架
F 二七 二架
C 四七 八架
ARAVA（以色列製可載十八人）六架

陸軍旅級編裝：

旅部、旅部連 一　步兵營 三　勤務營 一　偵搜隊 一
通信連 一　戰車連 一　工兵連 一　砲兵連 一
全旅兵力為四千五百廿八人

元首梅希亞將軍，平易近人，精明幹練，常赴三軍親校，深受中上級幹部之擁戴，官兵向心力極強。瓜國多數軍官經常派赴各友邦深造，接受各種專長訓練，因此，軍官素質高，在部隊能起帶頭作用。為應付各種突發狀況，每位軍官均隨身配有各式手槍，士兵泰半為印地安人，普遍僅國小教育程度，惟勇猛驃悍，服從性強。三軍官兵訓練要求嚴格，整飭紀律，軍心士氣壯盛，誠為中南美洲一支勁旅。

貝里斯主權爭議

貝里斯（Belize）原名英屬宏都拉斯（**British Honduras**）北部與墨西哥接壤，南部和西部與瓜國接壤，東部瀕臨加勒比海。領土長約二九〇公里，寬約一一〇公里。森林覆蓋率佔全國面積百分之七十以上。夏秋兩季常受颶風侵襲。面積二萬二千八百平方公里，人口三十八萬七千八百人（二〇一七年）土地多數未開發，千年沉積黑土肥沃，適合發展有機農業。行政區劃分六個區，首都貝里斯市（**Belize City**）。十八世紀，英國首次派官員駐留，當年被英國以砍伐黑檀木為由，從西班牙取得伐木權，一八四〇年英國正式將貝里斯視為英國殖民地，一八六二年劃入王家殖民地稱為「英屬宏都拉斯」。瓜國基於歷史、地理及經濟因素，不斷運用種種方法，積極爭取貝里斯之主權。當地人受英管轄已逾一百八十年之久，其風俗生活習慣、宗教信仰、日常語言，甚至人種膚色，明顯與瓜國人民有所差異，大多數居民，不願歸併瓜國。一般民眾都以英文、西文相互交談，比率上來說以英文較多，貝里斯與瓜地馬拉，本不是「同文同種」，瓜國始終未能在貝里斯行使其主權耿耿於懷。一八五九年英瓜兩國幾經多次磋商，兩國同意簽訂一項條約，瓜國承認英國的統治，而英國允諾給予建造一條從貝里斯港口通到瓜國的公路，不過英國卻反悔背信，條約形同虛設，瓜國憤慨之餘，強烈要求英國歸還貝里斯。

一九八〇年至八一年，英國、瓜國與貝里斯三方，曾多次舉行三邊談判，三方卻南轅北轍，無從交集，最後宣佈談判破裂，不歡而散，引起瓜國不惜與英國斷交。一九八一年九月廿一日，英不理瓜國激烈反對，驟然正式向國際宣佈貝里斯獨立，更於九月廿五日促成貝里斯加入聯合國。此時瓜國一面向國際呼籲主持正義，另一方面聲明貝里斯仍為其固有領土之一部份。貝里斯原有英軍駐守二千人，英漸感每年軍費開銷大，協請美國同意援助，以減輕國防預算之負荷。

從報章雜誌獲悉，台灣國內民間幾年前，掀起一股「貝里斯熱」，紛紛透過特殊管道，取得貝里斯護照的人士，有萬人之多。作者一位朋友告訴，他以美金二萬元取得了貝里斯國籍，領到貝國護照，這位朋友和他的眷屬，一直在他過世之前，都未能踏上貝里斯的國土。國內人心之浮動，多少對台灣國家前途之不安，或許是一種警訊。朝野政治領導人，宜隨時提高「居安思危」的意識，戒慎恐懼，為國家長治久安與人民福祉，共同戮力以赴！

我國外交部為了與貝國建交，急件指令陸以正大使就近接觸開展。一九八二年九月，大使初次前往貝國探路，為了掩人耳目，先到邁阿密，由美轉至宏都拉斯，再直接飛抵貝里斯。在貝國拜訪了重量級政要人物。一九八四年元月，大使再度往訪貝國，晉見總理蒲萊士（George Price），在貝國人民稱呼他「貝里斯的國父」。他的政治聲望日隆，鎖定我們交往的對象。同年五月七日大使第三度造訪貝國。在這交涉期間，存在著瓜國與貝里斯糾纏不清的政治因素，幾乎阻礙我國與貝里斯之間建交之扇門。主客觀形勢不易掌握，建交之路處處荊棘，大使數次也趁出國繞道貝國拜訪過新政府，建交實質上沒多大進展。一九八六年底，在瓜國的基民黨主政下，遂與英國恢復邦交。中共始終在瓜國無所不用其極，在利誘雙管之攻勢下，於一九八七年二月六日與貝國建交。大使為了國家，不屈不撓，運用他的人脈與外交長才，多方與貝國不斷斡旋，才說服貝國決策高層，不辱使命。一九八九年九月蒲萊士重任總理，於同年十月十一日大使飛往貝國首都，雙方重新接觸，正式簽署建交公報，迫使中共在十月廿三日宣佈與貝國斷交，我外交部部長錢復，稱讚大使為「外交鬥士」，實當之無愧。

「重建村」在收攬人心

一九八四年七月十八日上午，顧問團一行先到瓜國文化部（文宣局），聽取簡報。瓜國國防部於一九八〇年八月成立文化部，其主要任務與職掌分為：一、新聞處─主管新聞、民運、康樂、服務、慶典活動、公共關係及綜合協調　二、心戰處─主管政訓、文宣、心戰及組織　三、軍中電視台─主管軍民反共愛國思想之宣教、政府政策之宣導、民心士氣信心之鼓舞、軍民合作之橋樑及全國文宣心戰工作。文化部之設置，著眼於全面性、全程性及實效性，以創造有思想、有活力、有生命的軍隊，達成「統一部隊意志、鞏固部隊團結、強化部隊戰力」，爭取作戰勝利為目標。

簡報後舉行座談，雙方彼此交換經驗，氣氛融洽，使我們進一步瞭解瓜國對共黨開展「政治作戰」的優勢作為，增添了不少信心。接著由心戰處長希耶拉（**Coronel Sierra**）陪同，在離墨西哥邊境三公里的恰卡「重建村」（**Chacaj Refugiados**）或稱（**Polode descarrills**）參訪。由軍方建造永久性建築和完備的設施，讓難民住有定居。「重建村」又稱戰鬥村或新生村。原來是鄉鎮，左派游擊隊佔領之後，成為共黨基地，被瓜國政府軍剿滅收復，所建立的人民住所。

聯合國在難民協定及章程中，對「難民」一詞有三種定義：

一、難民（**Refugiado**），指戰爭期間，百姓被迫遠離至國境邊界，渴望回家，獲得食、衣、住等援助。

二、尋求保護者（**Desplazado**），百姓為了避免受到危險性威脅，而遠離家鄉，到鄰近省份，於國境之內尋求庇護。

三、撤離者（**Euacuado**），由軍方妥善安排，為自身安全而撤離原居住地者。

為了「重建村」難民適應村內環境與儘速恢復原有生活，責由軍區司令統一指揮，其指導要項為：

一、通告村內難民，自身之權利、義務。

二、每位難民照相存檔，以利身份之查核。

三、聘請教育、心理、社會、醫護等專家學者，輔導難民，諮詢協商。

四、依難民個人專長、性向、資質等，分門別類，使人人參予國家建設。

五、軍醫、護理人員，視難民個別差異，實施心理與生理治療，並不定期做健康檢查、傳染疾病防治。

六、推行愛國教育，慎防共黨破壞、顛覆。

七、組成民眾自衛隊，保護自己家園。

八、遴選農畜專家，指導難民生產技能。

九、派員講解自由、民主、民族主義切身問題與國家和平安定之重要性。

十、適時邀請國內外傳播媒體，來村內實際參訪，報導有利「重建村」之功能。

十一、邀請國際著名學者、友邦政要蒞「重建村」參觀，藉以凸顯政府重視人道、講求人權，爭取國際上良好形象。

顧問團工作概況

本團主要任務，以「課程講授」為主，「協輔實務」兼之，共計召開兩個班次，調訓民事連幹部、三軍部隊掌管民事與心戰之軍官，每期八週，學官合計四十一員，內含少校八員、上尉廿三員、中尉二員、少尉八員，學官食宿均在國防大學。每週課程卅五小時，全期課程二二七小時，其中政治作戰課程一〇八小時，課程時數配當如下：

課目	主要課程	時數
政治作戰	1.共黨理論批判　2.共黨制度評析　3.共黨策略研究 4.政治作戰概論　5.國軍基層政戰　6.國際情勢分析 7.反游擊之政治作戰　8.國際共黨滲透中南美之陰謀 9.越高淪亡之歷史教訓　10.政治作戰兵棋推演	152小時
心戰	1.心戰情報　2.心戰計畫 3.宣傳分析　4.反顛覆作戰	25小時

課目	主要課程	時數
民事	1.難民處置 2.民兵組織、生產 3.民事連組織、任務 4.民事連指揮與行政支援	13小時
精神教育	1.國旗、國歌、國徽之象徵 2.國鳥、國花、國樹與國樂之介紹 3.國父創造之瓜地馬拉	12小時
軍中倫理	1.團結與忠誠 2.士兵義務與軍譽 3.士兵戰鬥中英勇事蹟	6小時
瓜國歷史	1.偉人簡介 2.殖民時代及獨立建國 3.中美洲分裂因素 4.革命風潮與自由政府 5.反共黨運動	31小時
政治制度	1.民主、自由主義 2.共產社會主義特徵 3.階級控制 4.政治領導 5.自由企業之研究 6.國際性組織介紹 7.尼加拉瓜共產制度	12小時
人際關係	1.概念和重要性 2.如何增進情感 3.演講技巧 4.法律之效力	20小時
大眾傳播	1.大眾傳播範圍 2.凝聚群眾之要領 3.領導方法 4.電視操作 5.經驗傳授 6.傳單製作	54小時

在開班前與瓜方相關部門及教官（授），召開兩次協調會，以溝通觀念，律定作法，教官（授）課程適當調配及撰寫教案、大綱等，使教學前準備週詳。全部課程，由顧問團成員和瓜國遴選曾在我國「遠朋班」受訓之優秀軍官與大學知名教授，共同分擔講授。政治作戰課程，採課前研讀、課堂講授、問題研討、作業測驗、分組討論、綜合座談等方式實施並充分與瓜國教官（授）交換教學方法，探討教學問題，將政治作戰由理論性與原則性，做到具體化與行動化，讓學官對政治作戰有完整概念，建立反共理論架構，洞悉共黨陰謀，消除軍民恐共心理。期末針對瓜國敵情，結合實況，施以「政治作戰狀況推演」，擬訂演練項目，使每一位學官，從理論性之認知，靈活運用政戰技能，研採制敵破敵具體化之有效對策，貫穿全期課程，達到「學用結合」之目的。

為因應瓜國之需求，本團先後拜會通信勤務處、通信站台、軍區通信設施、民用電信局、衛星台及電信訓練所等，瞭解軍事通信與民間通信間之結合關聯。經與通信勤務處副處長歐體柔（Otzoy）中校，逐次會商討論，針對現存缺失，由本團具通信素養陳育央中校，以本團名義書面建議瓜方參酌辦理。

元首梅希亞與總長對本班教學極為重視，曾兩度蒞臨視導，對本團縝密計畫，熱心教學，協助訓練，深表嘉許，我們引以自豪，無上光榮，授課之餘，均安排參訪十一軍區民事連，廿一軍區「重建村」、九軍區後備部隊、軍校、心戰處、軍中電視台及經建設施等單位。每期結訓當日，邀請陸大使專題報告「光明之路—台灣政經建設的成就」，由於內容精闢，深入淺出，博得學官之歡迎。

結訓典禮由副部長阿魯布雷斯（Albures）主持，全體學官攜眷參加，每位學官逐一上台領受結業證書，陸大使並親自為學官佩戴「遠朋紀念章」，每人咸表莫大榮耀，眷屬併同分享光彩。結訓當晚，舉辦「惜別餐會」，除學官、眷屬、教官（授）外，還邀請相關單位之軍政主官（管），參加盛會有百餘人，本團供應中式各樣精緻餐點、酒類、飲料等，在兩個多小時，賓主盡興，氣氛夯到高點。顧問團為中瓜兩國，舉辦一次難以忘懷而圓滿的盛會。瓜國政府為了致謝顧問團熱心的協助，以鐫刻字體精緻木牌，懸掛於學官講堂，以示永誌紀念，象徵兩國邦交的永續。

瓜國政戰工作成效

一、持續實施政治教育：三軍各連隊每週實施一至兩次政治教育，以堅定官兵忠貞志節，激發愛國情操，進而培養同仇敵愾意識。

二、定期編印戰士月刊：心戰處創辦「戰士」月刊，士官兵人手乙本，內容含上級政令、長官講話、國際現勢、部隊動態、剿共捷訊、愛民助民、好人好事、短評等，綜合性通俗的刊物，極受士官兵喜愛。

三、擴展大眾傳播系統：國內有五家電視台，除第五台由心戰處直接掌管，餘第三、第七、第十一及第十三等四台，皆屬民營。心戰處定時提供國內外要聞，配發各台播放，適時結合國策，宣揚政府德政及抗共必勝決心；以簡明宣傳字畫、標語、幻燈，分送各電視台、廣播電台、影歌劇院播放及各報社刊登並大量印製宣傳物品，在各交通要道、公共場所張貼，供民眾隨意閱覽。

四、加強軍校政戰課程：心戰處以我國「遠朋班」之教材作為藍本，參酌瓜國現況，陸續編撰政戰教材。一九八五年起，以軍校（九月一日校慶）

修業期間，計畫講授總時數六個月的「政治作戰」課程；在國防大學，授予一個月的政戰課程，其他班次亦增加授課時數，期使學生（員）嫻熟政戰技能，堅定勝共滅共的意志。

五、灌輸全民愛國教育：各軍區為各省之責任區，軍區司令一元領導。每週以鄉村為單位，集中全體民眾，實施反共愛國教育，藉此激發全民愛國熱忱，關心國事之使命感。

六、重視後備軍人組訓：八十萬後備軍人，由所在地之軍區負責組訓與教育。為兼顧平日正常工作，統一運用星期日實施集訓，配合部隊參加各項演練與具有意義之重要活動。平時擔任警戒、巡邏、搜索等任務，對共黨游擊隊之滲透、顛覆、破壞，甚具嚇阻作用。

七、有效成立「重建村」：政府為收容遭受共黨迫害、要脅、遠離家鄉之難民及投誠歸來之共黨份子，於十九、二十、廿一等三個軍區內，闢建千人以上之「重建村」，聘請具有教育、社會、心理、衛生等專家學者，按個人專長、性向、志趣予以輔導，達到「自管、自教、自養、自衛」之目標。

八、充份運用民事連：各軍區陸續設置民事連（註一），其任務為改善社會不良風氣，協助地方蓬勃發展，擔任組訓，教育與心戰等工作並宣導政令、溝通軍民情感，對敵展開心戰，均有顯著功效。

九、積極促進軍民關係：瓜國深知教民、用民之道，透過學校教育及大眾傳播系統，宣導「軍愛民、民敬軍」之重要性，消除軍民隔閡。每逢軍中慶典節日活動，廣邀當地民眾、學生參加。部隊主動協助地方修橋、鋪路、耕種、建屋、醫療等服務工作，解決民生疾苦，軍民情感日益增進。

十、發揮三軍統合戰力：瓜國三軍幹部皆畢業於同一軍校，深造教育亦同在國防大學實施，幹部已養成階級、職務絕對服從之傳統美德，重視逐級授權，勇於承擔，樂觀奮發的志節。各軍種之間，協調密切，合作無間，精誠團結，對敵發揮了聯合震撼功能，形成穩固國家的磐石。

公忠體國 陸大使

陸以正大使，民國十三年出生，江西南昌人，國立政治大學外交系第一期畢業，美國哥倫比亞大學新聞研究所碩士，服務外交崗位長達四十一年之久（前後駐美十九年），曾擔任韓戰美軍翻譯官、英文中國日報、中華日報及歷任新聞局國際宣傳處處長、駐美大使館參事兼新聞中心主任、我國駐奧地利代表處兼新聞處主任、瓜地馬拉大使、南非大使。一九九七年十二月廿四日離開南非，四十一年的公務生涯正式結束。退休不久，獲聘首任無任所大使，也在政大、師大、淡大等大學院校兼教。經常在各大報開闢專欄發表讜論時評，深受社會人士喜愛，其自傳「微臣無力可回天」盛極一時，洛陽紙貴，佳評紛至沓來。特別要將大使，在韓戰期間，擔任美軍翻譯官的軼事敘述下來，可作為國軍「審訊」敵人俘虜之參考。

一九五〇年六月韓戰爆發，南韓部隊節節敗退，麥克阿瑟元帥（註二）率領聯合國部隊，在仁川登陸，才扭轉劣勢。大使於一九五一年三月考取赴韓第一線服務，迄至一九五三年七月，在韓戰時期擔任聯軍翻譯官兩年。「翻譯官」在美軍正式職稱是DAC（Department of the Army Civilian），但在韓國的「翻譯官」，英文職稱卻叫 **Interpreter-Interrogator**，主要工作是審問戰俘。翻譯官穿美軍制服，佩戴 US 領章，起薪階級相當於美軍少尉，月薪二百餘美元。審俘虜、寫報告的要訣是鉅細靡遺。審問對象都是北韓士兵，從入伍開始、何地受訓練、編入那個部隊、何時調來前線、長官的姓名、重武器裝備、三餐伙食、醫護設施、彈藥補給、防禦工事、陣地交接、斥候偵察、部隊番號、部隊移防、官兵士氣等等。俘虜的心態各有不同，最容易審問是那些厭惡戰爭，自動過來投誠的官兵。若遇有俘虜言詞閃爍，謊話連篇，一定是共產黨員或偵察排的官兵，就必須反覆審問。大使在韓國工作告一段落，回國一年後，美國總統艾森豪頒授「自由勳章」，由駐華大使藍欽（**Karl RanKin**）代表轉頒，這是美國對傑出文人授予的唯一勳章，大使當之無愧！

一九七八年十二月十五日，美國總統卡特(**James Carter,** 一九二四年十月一日。)宣佈與中國大陸建交和中華民國斷交，雙方先在台北後轉至華府談判，如何調整兩國未來之關係。十二月廿六日「紐約每日新聞」（**New York Daily News**）刊登大使一篇投書:「我們將為自由誓死奮戰」（**We'll fight, We'll die for freedom**）的文章，對美國與中共建交嚴正抨擊，措詞讓美國不滿，惱羞成怒，次年元月十五日國務院宣佈大使為不受歡迎（**Persona non grata**）人物，限他一週內強制離美。

大使自稱外交生涯中遭逢的三件大事，一為退出聯合國；二為美國承認中共；三為南非與我斷交，這都是我國外交處境下無能為力的結果。惟大使始終奮鬥不懈的大無畏精神，更是令國人肅然起敬。

大使於一九八一年八月四日抵瓜國履新，馬不停蹄，展開各方拜會，從見面認識逐步建立彼此友誼，奠定日後在瓜國的工作順利遂行。在他九年任職期間，為中瓜邦交嘔盡心血，全身投入，他的外交長才、中西文流暢應對及敏銳觀察力、決斷力頗獲瓜國高層肯定。

武官桂務勇上校，頭腦反應靈敏，處事能力強，是大使的得力助手，與瓜國上下階層關係極為密切，每日工作繁重，沒有副武官編制，獨自一人處理與瓜方之軍務協調連繫。大使常交辦工作，武官都能欣然接受，迎刃而解，大使十分倚重他，信賴他，賦予任何任務必能圓滿達成使命。有一小插曲，武官太座未到瓜國之前，在台灣擔任護理工作，育有兩位千金，隔了多年終於在一九八四年五月產下帶「有把」小壯丁，滿月之餘，武官伉儷在一家華裔餐館舉辦「彌月之夜」，席開十餘桌，前來道賀瓜國軍政要員及僑領絡繹不絕，連元首梅希亞也親臨到場，足見武官在瓜國的「魅力」，這是他平日經營建立的深厚友誼。正在酣酒興烈時，武官請元首為男嬰取西文名字，元首當場允諾，全場貴賓鼓掌歡呼，次日瓜國各大媒體競相刊載報導，傳為「美譚」。

顧問團初到瓜國，人地生疏，大使請武官協助我們同仁不便之處。大使三不五時，邀同仁茶敘，大使館的新聞參事鄭玉山、商務專員曾建豐、商務秘書高婷、秘書胡治章等人，同在一起聚會。大使口若懸河，滔滔不絕，邊茗茶邊吃點心，傾聽大使的「一席話」，勝讀十年書。至於攸關中瓜兩國敏感的軍政「地帶」，作者盡量向大使討教請益，大使態度從容，謙沖幽默，切中時弊，使我如獲至寶。本來認為外交官大概自視高，自鳴得意，不易親近，經多次和大使相處交談，才明瞭大使是一位中英西文俱佳，滿腹經綸，處事明快及親和力的長者。有一天談及中瓜兩國近年邦誼，大使快人快語，興奮的說：「從一九八一年到瓜國這四年以來，與瓜國各階層建立了深厚良好關係，遇有棘手問題，就請武官尋覓去過『遠朋班』受訓學員，結果任何疑難雜症，很快就能解決。因此政戰學校復興崗的遠朋班教育，的確非常成功，這對敦睦中瓜兩國邦交貢獻至鉅，多年來的耕耘、播種，現在果實一一浮現。」言詞懇切，聆聽之餘，與有榮焉，覺得辦外交絕非易事，不是一朝一夕可竟全功，要像堆積木般，逐步踏實去開拓，世上沒有白吃的午餐。大使在瓜國的折衝樽俎，斡旋外交技巧，全心全意為促進中瓜兩國永續發展而大顯身手，立下「汗馬功勞」！

大使在南非六年多，任期內廣交友人，無論是白人政府或是黑人的「國民議會」黨各派系，特別是黨的精神領袖曼德拉（Nolson Mandela）。使原已在一九九六年十一月底宣佈與中共建交一事，遲延至一九九八年元旦才與中共建交，這就是大使和曼德拉兩人的真摯友誼，扮演了相當重要的角色。

大使夫人葉小珍女士畢業於東吳大學法律系，一九五四年在台北結婚，為人隨和，與之相處，如沐春風。育有二男一女，長子孝祖、次子孝餘、長女孝澤，夫人相夫教子，子女早已成家立業，過著溫馨美滿的幸福生活。

任滿歸國提建言書

顧問團從四月十六日抵達瓜國，即安排成員住在「國防大學」校區內，可窺避外界的「焦點」，在安全上也較隱密，尤其外國媒體，自始至終在探尋顧問團行踪，以揭密中華民國援助瓜國，訓練三軍幹部為重大「新聞事件」。我們平日行動，都著便衣，接觸對象皆是與瓜國有關係之相關部門，鮮少與不相干人士往來，對國內外捕風捉影的媒體，採低姿態，避免引起不必要的困擾。

拉丁美洲慣性的應酬不少，瓜國自不例外，通常晚宴請柬在八時，賓客先喝些飲料、雞尾酒配些小點心，不到九時不會上桌，客人坐定再喝些烈酒或啤酒，在「客隨主便」的氣氛中，非熬到深夜不散會。拉丁美洲人民，生性善良，樂觀無憂，待客熱誠，三天一小宴五天一大宴是家常便飯。所謂「小宴」與「大宴」之區別，不是指菜餚豐盛與否，而是指人數之多寡。「小宴」來的客人較少；「大宴」則賓客較多。人少鬧鬨不起來，人多自然聲大亢奮，主客人樂此不疲，不過次日上班照樣準時簽卡，看不出精神萎靡，到底他（她）們的身體還是蠻強健，有些較大場合，主人會聘請樂隊來彈奏悅耳動聽的一種 Balinba 樂器，最常奏的名謠歌曲有「老鷹之歌」，主賓客婆娑起舞，如痴如醉，過著愉快的夜晚。

「老鷹之歌」(El Condor Pasa)《If I could》本是一首為反抗西班牙殖民者而作的南美秘魯印第安民歌，原版的詞曲作者當年目睹在安地斯山(Andes)礦區的秘魯礦工反抗外國業主壓榨的血淚鬥爭之後，寫下了這部說唱劇，以濃郁充滿安第斯民族的特色音樂和奔放的歌詞，使其具有喚醒秘魯民族認同感及反抗殖民主義的意義。

真正讓這首成為國際知名的推手，要歸功於美國民謠歌手保笛·西蒙(Paul Simon)，一九六五年他和搭檔阿特·加芬克爾(Art Gartunkel)在巴黎一家劇院演出時，因緣巧合遇見了秘魯的印加人樂隊(Los Incas)。西蒙深深的被這首充滿安第斯風情的音樂與作品吸引；隔年就邀請印加人樂隊錄製了「老鷹之歌」的配樂部分，並為它填上的英文歌詞，曲名為「老鷹之歌─如果我能夠」，收錄在他的專輯(Old Friends Live On Stage)中。

翻譯的版本，有印地安排簫的音效氣氛，詞曲高亢悠揚且飄逸，充滿了印地安神秘色彩及西方美感；雖然有些人認為西蒙的音域不夠高昂，但卻韻味感十足，加上加芬克爾的合聲對唱，相得益彰，令人感動、讚許。兩人的合聲加上如天籟般的美妙旋律，把改編曲表現得天衣無縫，使人拍手叫絕，所以這首歌曲能成為屹立不搖的世界流行排行榜上的熱門金曲。英文版的老鷹之歌，是一首具有濃濃拉丁高原音樂的歌曲，到了七十年代，由美國的歌壇常青樹、情歌王子安迪·威廉斯(Andy Willians)，翻唱此曲後，真正把這首歌推向了全世界，因而風靡全球的愛樂者。

這首深邃、沉靜、高曠，讓人心瀲寧靜的曲子，翻唱後的歌詞中，首先舉出三對實物做比較：麻雀與蝸牛、鐵錘與鐵釘、森林與街道，作者都選擇了前者。相較之下，前者都能享有更大的自由空間。歌詞中尚有一對比較的物體，那就是天鵝與人；作者認為天鵝可以翱翔天際、展翅飛翔，而人類卻常被束縛在土地上，對著天際唱出最哀傷的歌聲。儘管如此，作者認為人生就要靠自己不斷的努力，才能獲得實在又充實且不脫離現實的自由範疇，做好自己，就能真正將理想與現實達到完美的美好境界。歌詞如下：

我寧可是隻麻雀，也不願做一隻蝸牛，
沒錯，如果可以，我會這樣選擇。
我寧可是隻鐵鎚，也不願是一根鐵釘，
沒錯，如果真的可以，我會這樣選擇。
我寧願航行到遠方，像隻來去自如天鵝，
一個人如果被束縛在地上，
他會向世界發出最悲傷的聲音。

我寧可是座森林，也不願是一條街道，

我寧可感受大地就在你腳下，

沒錯，如果真的可以，我會這樣選擇。

一九八四年五月廿一日，元首梅西亞來國防大學，主持一項重要盛典，未開儀之前，元首接見顧問團同仁，元首當面感謝我國多年來的援助與合作，希望我們同仁在瓜國這段時間，到處走走看看，給瓜國提些意見。隨後我將一幅從台灣帶來的山水名畫，敬贈元首，在兩人握手剎那，流露著溢於言表的邦誼。

我始終沒忘記，出國前郝總長叮囑的話，到瓜一週，就在瓜方介紹下認識一位老師，教我西文，她的名字叫卡羅達（Maira Carlota），美麗端莊，樂以助人，老師的父親是空軍中校退伍，有弟妹各一，家庭五口和樂融融。工作餘暇，我就到老師家學習西文，從基礎的發音教起，老師發音標準，口齒清晰，親切耐心，使我沒壓力的感受。練習整句時，老師的弟妹從旁和我對說練習，常因上回背誦的句型，今天卻走了樣，「荒腔走板」的發音，惹得老師哈哈大笑，身邊的弟妹，更是露出天真的笑容，這才知道自己原來是條

「小笨牛」呀！體認到要學好一種外語，不下苦功是不可能臻於理想之境。

中南美洲選美風氣一向盛行，每年的選美造勢，非常轟動。有一天在街上看到「海報」，選美訊息，同仁異口同聲的決定前往觀賞，當晚七時許，我們購票進入「國家文化劇院」時，已座無虛席，估算一下，前來欣賞的男女觀眾各半。節目開始，由主持人先一一介紹參加選美小姐的姓名、年齡、職業、嗜好及三圍後，經主持人逐一詢問簡單的話題，各佳麗回後台換裝，依序是現代裝、禮服、泳裝等不同服式，四十位阿娜多姿，體態豐盈的美女，魚貫出場亮相，每人爭奇奪豔，混身解數，全場二個半小時的緊張、扣人心弦的過程，經激烈「廝殺」，最後由評審團主席，宣佈當選「瓜地馬拉小姐」頭銜，由上屆后冠為本屆新人戴上「冠冕」及配掛當選綬帶。新后冠將代表瓜國與全世界各國佳麗角逐「世界小姐」。從歷屆世界小姐選拔來看，中南美洲當選比率較其他各大洲要高。反觀台灣國內，辦了幾次選美活動就紛爭不斷，真是可惜。選美也可以代表國家爭光，是很有意義的國民外交，盼望相關單位，繼續舉辦，能夠讓「台灣美女」為國發光、發熱，登上國際舞台。

本團在瓜國任務，於八月廿四日全部結束。為感謝瓜方在這五個月期間，給予本團的支援與合作，作者向大使面報，以大使名義，宴請瓜方軍政要員，作為惜別答謝之忱。我向大使報告：「是否宴請二、三桌？」大使明確爽快的說：「多宴請幾桌，開列邀宴名單多一些沒關係，所花費用大使館支付。」欣喜之餘，我與同仁商量，邀請五桌貴賓，把名單呈給大使核閱，他不假思索又加添五桌賓客。

八月廿五日清晨，全體同仁搭機至洛杉磯直飛返台，於廿六日晚抵達中正機場。回憶在瓜國期間，同仁們有為有守，終於完成了上級賦予的任務！本團與瓜國重要軍政幹部，建立了密切關係，「政戰班」結訓的幹部，為瓜國增添一批「政戰新力軍」，返回原單位，擔任政戰課程種子教官，協助主官展開各項政戰工作。

九月四日在聯二趙次長陪同下，晉見郝總長，除嘉勉同仁在瓜國的表現外，要我們回部隊以身作則，貢獻心力。作者將預先寫好的「顧問團在瓜工作報告」呈閱總長，內容分為：壹、前言；貳、瓜國三軍現況；叁、工作概況；肆、瓜國政戰工作具體成效；伍、「遠朋班」學員近況；陸、瓜共動態；柒、建議與意見；捌、結論。

謹將「工作報告」之建言，列述如次：

一、武官桂務勇上校，在瓜工作主動積極，與軍方之間連繫緊密，合作無間，深受軍方器重。武官獨自一人處理軍務，甚為忙碌，常加班不以為苦，建請增派一名副武官予以協助。

二、「遠朋班」成立以來，成效卓越，學員結訓回國，政府都委以重任，為發揮「幅射力量」，希每期酌予增加受訓名額。

三、「復興崗」校譽名聞遐邇，學校的碩博士班風評佳，瓜國高層希望能以甄選方式，提供獎學金來台深造，為瓜政府培育人才。

四、請政戰學校每半年發行「遠期班」定期刊物，將學校活動剪影、班上動態與學員生活及課程上的疑難問題，作綜合性報導、解說。

五、請大使館適時邀請在「遠朋班」受訓學員，舉辦「遠朋之友」聯誼會，同時邀請瓜方相關要員參加，促使中瓜友誼水乳相融，增進彼此情感。

六、建議國防部設置獎學金，由駐瓜大使館遴選瓜國具有中文語言能力優秀高中生，來我國軍事院校深造，爭取青年學生對我們的向心力。

七、加強中瓜軍方高層互訪，尤其「復興崗」校長之邀訪，必能受到「遠朋班」學員熱烈歡迎。學員皆認「母校」師長到訪，在他（她）們心中會留下深遠的懷念與影響。

八、為加強宣揚我國防、政經、社會、文化之底蘊，請精選西文人才，有計畫、系統性的翻譯西文，分送瓜國軍政部門，俾加深友我關係。

九、「遠朋班」現有教材，較偏重理論與原則，如能針對目前中南美洲共黨陰謀，重新編撰，研討政治作戰具體對策，將有助於早日肅清共黨之實現。

十、派遣出國之連絡官或翻譯官，請再加強其西文之素養，國防語文中心並遴選專人編撰「政治作戰」術語中西文對照本，有助於爾後課程之講授。

原在瓜國大使館的官員與顧問團服務的同仁，先後皆已屆齡退休，為保持往日在瓜國情誼，我們不定期在台北聚會，以「駐瓜使館同仁聯誼會」名稱，同仁一致推舉作者為召集人，好友嚴昭慶當總幹事，常參加者有曾連豐、鄭玉山、劉晉榮、謝天霖等夫婦，每次聚會，陸大使賢伉儷均按時蒞會指導，在席上仍然十分健談，從未耳聞的軼事，增進不少智慧與眼界。

二〇一五年二月廿六日報載大使溘逝消息，享壽九十二，瞬間心中無限哀慟與不捨。三月十四日參加在台北第一殯儀館景行廳公祭，悲從中來，不禁潸潸淚下，感傷不已。如今大使駕鶴歸去，他的忠貞幹才、運籌帷幄、縝密佈局及文采口才等，為長官所賞識，為部屬所敬重，這位「國之干城」、「外交鬥士」，令國人無限懷念，為後輩景仰、效法的典範。

世界展望會資助瓜國，直至二〇一六年已逾八萬多名兒童，其中「台灣展望會」十年來共資助七千名。在瓜國「哥馬巴計畫」區，赤貧人口有百分之四十三，百分之五十二的兒童，普遍營養不良，沒有淨水可用，又缺乏衛教觀念，是瓜國最貧窮的地區之一。瓜地馬拉除了是「茲卡」病毒（註三）疫區外，還有「查加斯」病，又稱美洲錐蟲病（註四）。瓜國是中美洲文盲比率、嬰兒死亡率較高的國家。「台灣展望會」透過資助兒童計畫，匯聚愛心，由認養人每月捐助七百元台幣，迄今已在全世界三十八個國家，二十五萬名國內外兒童及家庭受到實惠，台灣的大愛讓世界各國刮目相看，滋潤了貧困兒童的生命！

附註

註一：全國編成十一個民事連，聯五策劃督導，當地軍區司令負責指揮。民事連下轄排部、民事地方發展排、教育與心戰排、組訓排及社會改善排，官士兵與民事專家合計八十四員。

註二：道格拉斯·麥克阿瑟(Douglas MacArthur,一八八〇年元月二十六日—一九六四年四月五日)，曾參與第一、二次世界大戰。一九三〇年代擔任美國陸軍參謀長、一九四一年擔任遠東軍總司令、一九四四年十二月晉升五星上將、一九四五年八月至一九五一年派任駐日盟軍總司令、一九五〇年六月韓戰爆發，擔任「聯合國」軍總司令，一九五一年四月十一日杜魯門總統以「未能全力支持政策」為由將他撤職，同年四月十九日麥帥在國會發表《老兵不死》(Old soldiers never die;they just fade away)的著名演講。

註三：茲卡病毒(Zika Virus,ZIKV)，經由埃及斑蚊傳播，而使受斑紋叮咬的人罹患茲卡病毒傳播而感染。早在一九四七年於烏干達的茲卡森林中獼猴體內分離出來。二〇一五年底開始，在中南美洲快速擴散，世界衛生組織同美國政府都提出緊急應變措施。

註四：查加斯病(Chagas disease)，又稱為美洲錐蟲症(American trypanosomiasis)，是一種熱帶病毒，感染初期發燒、淋巴結腫大、頭痛等，甚至導致心臟衰竭、食道擴張、巨結腸症的症狀。

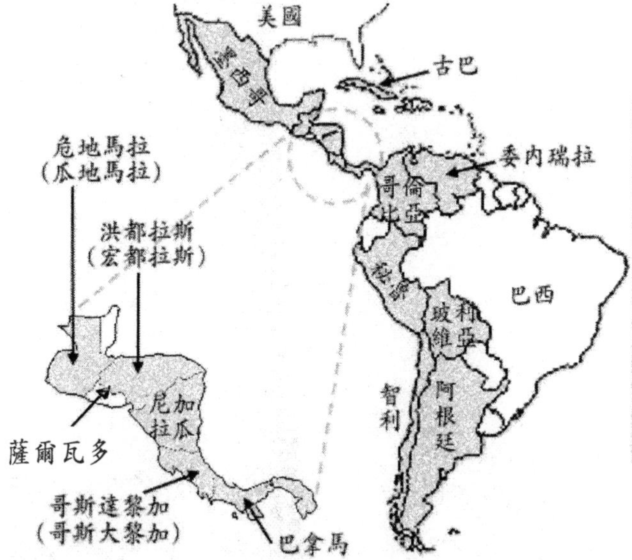

中南美洲地圖

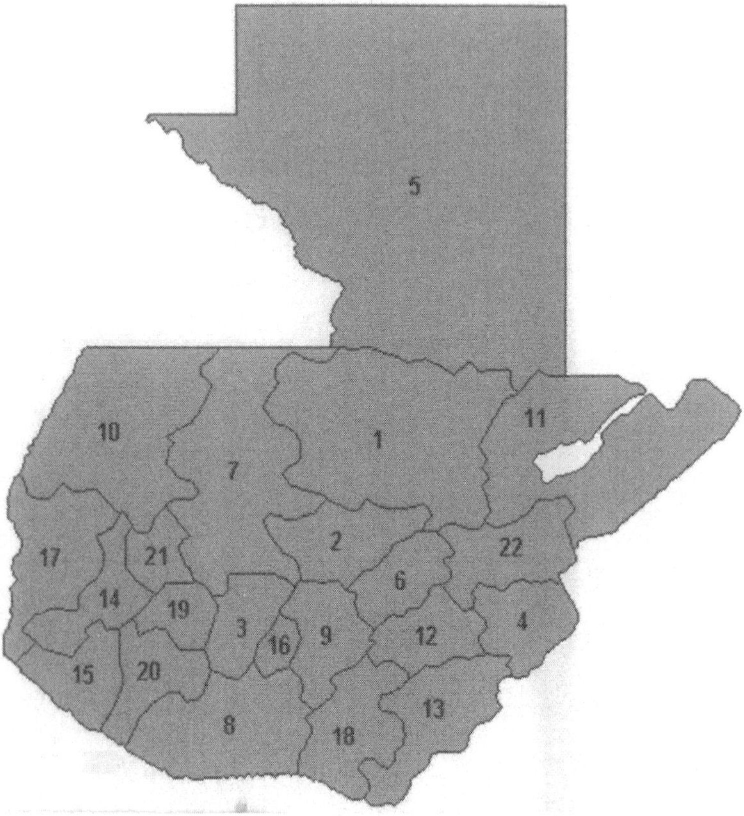

瓜地馬拉行政區劃

瓜地馬拉全國劃分成 22 個省（西班牙語：departamentos）下轄 340 個市鎮。

雖曾聲稱擁有貝里斯的全部國土（受韋拉帕斯省管轄），並在部分地圖上如是標註。1991 年，瓜地馬拉承認貝里斯獨立國家之地位，但兩國仍然時常發生領土糾紛。

1. 上韋拉帕斯省（Alta Verapaz）
2. 下韋拉帕斯省（Baja Verapaz）
3. 奇馬爾特南戈省（Chimaltenango）
4. 奇基穆拉省（Chiquimula）
5. 佩滕省（Petén）
6. 埃爾普羅格雷索省（El Progreso）
7. 基切省（Quiché）
8. 埃斯昆特拉省（Escuintla）
9. 瓜地馬拉省（Guatemala）
10. 韋韋特南戈省（Huehuetenango）
11. 伊薩瓦爾省（Izabal）
12. 哈拉帕省（Jalapa）
13. 胡蒂亞帕省（Jutiapa）
14. 克薩爾特南戈省（Quetzaltenango）
15. 雷塔盧萊烏省（Retalhuleu）
16. 薩卡特佩克斯省（Sacatepéquez）
17. 聖馬科斯省（San Marcos）
18. 聖羅莎省（Santa Rosa）
19. 索洛拉省（Sololá）
20.蘇奇特佩克斯省（Suchitepequez）
21.托托尼卡潘省（Totonicapan）
22.薩卡帕省（Zacapa）

第十章　介聘黎明文化公司

黎明文化人

一九九三年四月一日從母校退休，即介聘至黎明文化公司，擔任副總經理兼總編輯，曾襄助兩位總經理，一位是學長張明弘，另一位是許明雄同學。為了復興中華文化，端正官兵思想，擴展社會文化意識，遂行海外文化傳播，國防部於一九七一年七月策劃創立「黎明文化事業公司」，敦請著名學者錢穆（註一）、沈剛伯、曾約農等三位教授，共同開會研討，積極展開籌備工作，至同年十月國慶日宣告成立。依據公司組織法，黎明文化公司成立董事會，遴選秦孝儀、宋時選、徐亨、曹敏、田源及國防部相關單位主管等十五人為董事，蕭濤英和國防部各有關主管等三人為監察人，並由總政戰部主管文宣的副主任阮成章兼任董事長，聘請田源擔任總經理；在總經理、副總經理之下，分設秘書室、企管部、編譯部、營管部、海外部、產管部、會計室及關係企業文泉公司、華薈公司等單位。另在台北市區設立五個直營門市部，高雄、台中、澎湖、金門、馬祖設立分公司。

黎明公司成立兩年後，於一九七三年在美國舊金山首創分公司，直營者有美國舊金山、法國巴黎、韓國漢城、新加坡及香港光華、光宇兩公司；合營者美國十二個公司、加拿大、新加坡各有兩個公司、澳洲、日本、泰國、香港、比利時、波多黎各、多明尼加各有一個公司，總計直營有六個公司、合營有二十三個公司，以推廣圖書發行，進行文化作戰。公司所編印的各種書籍，理論精闢、文字優美、主題正確，極富教育意義，深受廣大讀者歡迎與喜愛，曾多次獲得行政院新聞局所頒金鼎獎。

作者在公司四年餘，秉承兩位總經理經營理念，督促公司各部門及分赴隸屬單位，協處營運困難問題。基於主客觀環境之受限，對出版文化事業與社會企業脈絡，其績效始終不甚顯著，沒有雄厚資金與創新經營策略，是很難提振業績，當然經營人才是不可忽視的重要關鍵。面對網路興盛，線上快速崛起，像誠品書局以二十四小時不打烊全方位為讀者服務，甚至直接訂購，由郵局、宅急便送到府上。近幾年各地書局紛紛歇業，關門大吉，擺在街頭巷尾書攤，寥寥可數，蕭條難以為繼。據統計，台灣約一千四百人出一本書，「人口貴於品質，不在眾多」，這句話確實有道理。書街代表的是一個城市文化，社會進步象徵，若沒有了書局，就失去了它文化意涵。重慶南路愛書者群聚書局而旺盛，在六十年代有八十八家，七十年代高達一一四家，八十年代也還有一一〇家，不過到了九十年代好景不常，卻逐漸衰落，只剩下六十四家，如今十五家仍然獨撐著，書街盛景不再昔日熱絡。「重南書街促進會」，自二〇一八年起舉辦「小小書店員」活動，讓家長和小朋友一起到書店共讀、講故事，體驗讀書的樂趣，很受歡迎，像這樣有開創性的推展眼光，鼓勵閱讀，找回愛書人。文化部委託台灣獨立書店文化協會派遣訪員，登門拜訪一五四一家書店指出，三成三採複合式經營，項目按占比依序為飲料、餐點、教育課程、藝品等，同時發現二、三代多不願接班，預期將在這一代結束經營。近幾年創辦的書局以書店作為倡議平台，推廣閱讀，社區營造、打造當地文史、藝文環境等面向，積極多角開發在地化的產品與服務，以書店作為推動社會議題的基地，發揮書局對社群的影響力。殷切期盼，出版界共同努力，建立書香社會，提昇國人心理與智能的張力。國人減少對讀紙本書，其主因可能工作忙碌無暇讀書是其一，電子書興起取代是其二，紙本書閱讀方便，隨時可眉批註記，不僅是文化縮影，亦是國家文化珍貴保存。數位化電子書不論是手機、平板電腦，均有損個人眼睛，不適宜長時間閱讀。若能像往昔，每年舉辦「金鼎獎」，大力倡導讀書風氣，讓國人普遍愛讀紙本書，這也是政府應該有的作為。

每年四月二十三日是世界「閱讀日」，台灣加入全球世界「閱讀日」活動已有三十年，透過上百條閱讀路徑，讓閱讀和周遭生活更結合，「讀萬卷書，行萬里路」。閱讀本質是創作和分享的渴望，考驗社會的思辨和創能力，人才要提升，就是從思辨開始，閱讀帶來的軟實力就是核心；而提升閱讀產業，要從提升閱讀開始。希望政府比照科技產業有租稅優惠，將出版產業加值型營業稅減免。

公司鼎盛時期，承製國防部「官兵文庫」、「國防白皮書」與教育部的「教孝月」書籍或特定任務書刊編纂等，數量多趕時限，甚至「原班人馬」還要夜間加班，製印分送各總部、外島地區，官兵的「精神食糧」要做到「迅速、普遍、有效」之目標。

黎明三位名作家

田源（一九二七年─一九八七年）山東人，公司開創總經理，筆名憶輝、魯司寇，安徽簡易師範學校、新聞專科學校畢業，曾任助教、教官、新聞官、社長、科長、副處長等職務，擔任力行報、自由勞工、前瞻及青年日報主編，著有自選集、小說集朝陽、這一代、松花江畔，等三十四種，作品改編電影、電視連續劇者有古道斜陽、大俠霍元甲、長白山上、豔陽天等，曾獲頒教育部文藝創作獎、中山文藝獎、吳三連文藝獎、嘉新文藝創作獎。

創作以小說為主，大都取材早年東北抗戰經驗，反映了現實社會情境，充滿濃厚俠義情誼與鄉土氣息。小說節奏明快，北方語言和地方色彩表現相當純熟，多部作品改編成電影及電視劇。

姜穆（一九二九年─二〇〇三年）生在貴州，苗族人，筆名牧野，是二十世紀苗族傑出作家。一九七〇年出任公司副總經理、編輯部副主任。作品包括詩、散文、小說、戲劇、遊記、文學評論、政論。曾擔任中國電影製片廠編導、青年戰士報、民生報台灣時報及華視周刊編輯、文藝月刊主編。短篇小說有紅姑、早落的太陽；中篇小說有決堤、心結、第二代；長篇小說有狄青傳。散文集「人生探索」、雜文「冷眼集」、電影劇本「一個打盡」、「浮沉之間」及「新血幹」等。一九五〇年創辦「駝鈴」詩刊，一九五八年成立太平洋出版社。曾獲中國文學小說獎、中山文藝基金小說獎，一生創作各類作品二千多萬字。

李超宗（李牧），筆名牛膂（一九三〇年—二〇〇一年），江西省人，法國巴黎大學博士，公司編譯部主任、總編輯，也曾在法國巴黎的黎明公司服務過，後被聘至政戰學校擔任中文系教授兼系主任，亦在政治研究所博士班擔任指導教授，是一位極受學生敬佩而愛戴的師長。他是作者在軍官外語學校的同學，那時他少校，作者上尉，勤儉好學，個性內斂，筆鋒十分犀利。創作文類有論述、散文，論述主題偏重中西文學理論，近現代文藝思潮之研究；散文藉由旅遊紀錄歷史，注重於知性啟迪。一生際遇坎坷，力爭上游，當過學徒、軍人、記者，對文學熱情未曾稍減。作品有評論集「三十年代文藝論」、「疏離的文學」、「新馬克斯主義思潮」及散文集「旅歐散記」等頗受佳評。

博學多聞 許明雄

明雄尊翁和先父在台中糖廠是同事，高中他讀台中高商，作者讀新民高商。自小聰明絕頂隨時手不釋卷，過目不忘，在高商始終名列前茅，考取乙種財務行政人員特考，分發市政府。在學期間是棒球隊選手，是頂尖的投手，曾獲得中南部六縣市棒球賽冠軍。我倆很有緣，人生的際會竟然有四次在一起：政戰學校和軍官外語學校同學、越戰期間共同對付越共、在黎明公司，他是頂頭上司。進入政戰學校五期，同窗共硯，為了「建艦」復仇，投入救國行列。夫人陳力績台中女中畢業考入政戰學校新聞系就讀，成績優異，畢業後國防部慎選她，前往陸、海、空、聯勤、警備及軍事院校巡迴演講，所到之處深受歡迎。她的後半生幾乎獻給了母校校友會，秘書長一職就長達二十年，曾榮獲十二個軍事院校績效評比第一名。好景不常，二〇一一年得了惡性大腸癌，前後十三次化療與五次標靶化療，終於在二〇一五年三月三十一日逝世，明雄同學曾撰寫一篇「力績愛妻，珍重再見」祭悼文，文情並茂，令人鼻酸！

明雄育有一男一女，男才女貌，十分優秀。男志行，陽明大學生化博士，任職永茂生技研發經理、女心茹，韓國慶熙大學國際商管碩士，派駐莫斯科擔任華碩俄羅斯及歐洲區總經理。明雄在其所著《有禮走遍天下》一書中，認為「一個人的言行是否合乎禮節，不是天生的，必須不斷學習、觀察、體會、參與活動，才能自然地成為日常生活的一部份以及在國際間與人交往時，和諧相處，進而光榮地成為地球村的一員」。學習國際禮儀，會增添人格上的美麗，充實精神上的富足，成為有教養與值得信賴的現代人。他對與人說話，提出獨到之處：「舌雖非劍，卻能傷人；利劍割體，易合，惡語傷人，恨難消。一個活在正常健康社會的人，要有氣度和容忍，以便減少猜疑與武斷所帶來的錯誤，因此，有權力的人，應懂得手下留情。寫文章的人，要知道筆墨留情。會說話的人，更應該疑中留情」。

明雄先後執教於淡江大學、南亞技術學院、政戰學校及管理學院。著作有越南經緯、美軍在越南之宣傳戰、美國對華外交政策、「安定、生存、幸福」、有禮走遍天下、人生隨筆、人生憶往、人生感悟、人生雜記以及英文版「華盛頓與北京關係正常化對台灣之衝擊」等書，著作頗豐。其重要紀事如下：

一九六三年赴美國接受特戰學校心戰、反暴動及非傳統性作戰班訓練。

一九六六年奉命前往沖繩美軍第七心戰群，擔任美、日語口譯官。

一九七六年赴美紐澤西「西東大學」，一年九個月獲得文學碩士學位。

一九七九年追隨王昇上將赴南非一個月，為南非提供政治作戰與反共全盤構想計劃。

一九八一年派任軍官外語學校校長兩年，再調任政戰學校「遠朋班」主任四年。

一九八六年外交部安排下，陪同校長曹思齊將軍前往中南美洲各國訪問。

一九九四年擔任黎明文化公司總經理（董事長）六年，擘劃經營策略，為公司謀福造利。

一九九七年應邀淡大外語學院，演講「如何讓人喜歡你」。

二〇一二年榮總診斷胃酸逆流，造成食道潰瘍，仍保持樂觀心態，積極面對人生。

自強活動赴帛琉

公司每半年舉辦「自強活動」，員工、眷屬每次都熱烈參加。一九九六年六月五日許總經理特別犒賞員工赴帛琉四天三夜旅遊。帛琉（**Palau**）共和國，通稱帛琉，也稱帕勞，位於西太平洋的島嶼國家。全國三四〇座島嶼，屬於密克羅尼西亞群島中加羅林群島的西鏈，總面積為四六六平方公里。總人口二一五一六人（二〇一八年統計）最多的島嶼是柯羅。首都司吉魯穆德，位於鄰近島嶼巴伯爾道布島，隸屬於梅萊凱與克州。帛琉的海上鄰國包括印尼、菲律賓和密克羅尼西亞聯邦。約三千年以前，來自菲律賓的移民，最先在這裡定居，直到九百年以前，當地人種都屬於尼格利陀人。群島在十六世紀初被歐洲人發現，一五七四年成為西屬東印度群島的一部分。

一七八三年，葡萄牙人發現帛琉，不久被西班牙人統治。一八九九年由西班牙售予德國。第一次世界大戰期間，被日本帝國海軍佔領。第二次世界大戰中，被盟軍攻佔。戰後於一九四七年由聯合國授權美國，以太平洋群島託管地進行託管，一九八一年獲准成立自治政府，稱為「帛琉共和國」，並制定禁止貯藏及攜入核武之「非核憲法」。直至一九九三年十一月第八次公民投票，帛琉遂於一九九四年十月一日正式獨立。

在帛琉，熱帶雨林覆蓋大多數的島嶼，有黑檀木、孟加拉松樹、麵包樹、椰子樹、露兜樹等，形成綠意盎然的樹海，同時帛琉還有野生紅樹林與熱帶大草原生態，可以探訪。海底生物形形色色，包括超過一千五百種的多樣魚類、七百種的珊瑚和海葵，其它的景觀，尚有巨型蛤蜊、海龜、蝠魟魚、灰礁鯊、海蛇、海牛等。靠近陸地之處，有入海口附近的鱷魚、大蜥蜴。此外，陸地上，沒有任何有毒的陸生動物。帛琉政府指定了洛克群島中七十個無人居住的島嶼，作為海洋生態保護區，禁止民眾進入，充分保護海龜與海鳥的生態環境。帛琉擁有「彩虹故鄉」美名，是世界公認的潛水渡假勝地，被讚譽七大海底奇觀之首，可說是世外桃源。

帛琉全國共有三個機場，分別位於主島、貝里琉與安加爾島上。其中帛琉國際機場為唯一的機場，位於主島南部，埃拉伊州境內。帛琉太平洋航空、大韓船空、達美航空及聯合航空均提供連接香港、東京、首爾、關島等航班。華航二〇〇八年以包機飛航帛琉航線，二〇一九年二月增班後，每週一、三、六共三班往返台北、帛琉間，航程僅四小時。

一九九九年十二月二十九日，我國外交部長程建人與帛琉國務部長安薩賓（Sabino Anastacio）在科羅爾分別代表兩國政府簽署建交公報，建立大使級外交關係。二〇〇〇年二月十七日，我國在前首府科羅爾設立大使館，二〇〇一年十月四日，帛琉在台北設立大使館。每年到帛琉的台灣旅客約有九千名，但大陸遊客卻高達五萬五千名，佔全年觀光人口一半，據路透社報導，中國近年強勢打壓帛琉，抵制旅遊、誘之以利，逼迫帛琉就範，帛琉社會與政商人士似乎也在期待「跟中國走得更近」。

瑞士的「垂死獅子像」

一九九七年八月八日，和富女參加十二天的北歐之旅，其中在瑞士盧森(Luzern)記述的是冰河公園(Glacier Garden)和隔壁的「獅子紀念碑」或稱「垂死獅子像」(Lion's Monument)。冰河公園展示一八七二年被發現的自然遺跡，是二萬年前包含琉森在內的侏儒山塊貝羅伊斯冰河覆蓋時，冰河衝擊轉動的岩石剝削而形成。

冰河時期留下最大直徑八公尺，深九·二公尺的壺狀洞穴，岩石之間總共有三十二個類似的展示物。公園內還有一座冰河博物館，展示冰河的歷史，從許多照片中，看到了少女峰與馬特洪峰冰河的奇景美色！

被美國文豪馬克吐溫（註二）評價為世界上最感動人的石像「垂死獅子像」，位於盧塞恩市的一座負傷獅子雕像。一八一九年由丹麥雕塑家巴特爾·托瓦爾森(Bertel Thorvaldsen)設計，呈現一個垂死的獅子躺在破裂的法國王室徽章上，用以紀念一七九二年為了保護法王路易十六，在巴黎市內的杜樂麗花園(Jardin des Tuileries)的戰鬥中死傷一千一百名瑞士傭兵。古代瑞士非常窮困，加上耕地少又貧瘠，眾多男性都出國從事傭兵的行業，那場戰役七六〇名戰死，僅三五〇名生還。

獅子背上插著一隻斷箭，瀕臨死亡，面露非常痛苦神情，雄獅臉部前立著鑲有瑞士國旗的盾牌，而爪子與臉部下方則有鑲一個代表法國皇室的百合花標誌的盾牌，象徵即使雄獅已經垂死，卻仍以身體守護著法國國王。在石像上方刻有「獻給忠誠和勇敢的瑞士」拉丁文，表示戰役發生的日期。

回想這幾年來，金門「八二三」戰役的國軍英勇事蹟，已不被政府和國人所重視、緬懷！國軍是始終保護我們的忠勇獅子，只是身上被有心的政客利用民粹作出毒箭射中要害。以致軍人武德氣節欠缺、精神戰力不振，一如垂死的獅子欲振乏力。我們寄期望全體國人，睜開雙眼，不受民粹誤導迷惑，共同拔掉射上獅子身上這支毒箭，要以尊崇國軍來為這頭獅子療傷，全國民眾的生命財產得以保障。

附註

註一：錢穆（一八九五年七月三十日－一九九〇年八月三十日）原名恩，字賓四，江蘇無錫人，歷史學家、儒家學者，教育家。研究領域為秦漢史、中國思想史、朱子學。與呂思勉、陳垣、陳寅恪並稱為「現代四大史學家」。台北市政府文化局於二〇〇一年十二月三十一日將所居住「素書樓」改為錢穆故居。

註二：馬克吐溫（Mark Twain，一八三五－一九一〇）是筆名，真名是塞繆爾·朗豪·克雷門斯(Samuel Langhorneclemens)，出生於密蘇里州農村世家，是美國文豪鼻祖，四大名著「哈克貝利·費恩歷險記」、「湯姆索亞歷險記」、「敗壞了哈德堡的人」及「苦行記」等，奠定了他在美國文學界的地位。對後世影響有二：其一是在文學形式上，鄉土文學開創了美國文學的先河；其二是文學表現上，他幽默、詼諧、機智的語言，贏得讀者青睞。

美國名作家－馬克·吐溫對其稱許為「世界上最讓人感傷與感動的雕像」。

第十一章 「台南榮家」六年

組成社團公益活動

有鑒於年歲漸長，子女均已成家立業，無後顧之憂，和內子幾經商量多次，決定進住環境清幽的台南榮家，不要給子女帶來心理負擔。二〇〇八年十二月一日，台南榮家正式發函生效日期，同意作者夫婦入住「博愛堂」自費夫妻房。

台南榮家成立於一九五三年，早期隸屬台灣省政府，原為收容及安置退除役榮民之任務，一九八一年改隸輔導會迄今。台南榮家總面積六公頃，交通便利，距台南火車站十五分鐘車程，南臨藝術中心，西有台南大學分部，西南側體育公園，集運動、休閒、藝文欣賞等功能於一地，非常適合榮民安養的好地帶，比民間安養機構不但活動空間大且收費低廉。夫妻套房，約六坪，每月連同伙食兩萬元。博愛堂是兩層建築，共有四十六間套房，經常額滿現象，另外還有單身住的忠孝堂、信義堂、長春堂及仁愛堂。一進大門在左側就有一塊銅製鐫刻「台南榮譽國民之家誌」：「台南榮民之家，位於台南市東區，佔地約六公頃，此間綠樹成蔭，花木扶疏，亭台樓閣，道路整潔，屋舍儼然，鬧中取靜，宛如國中之國，城中之城，非世外桃源何謂耶。解甲之士居於其間，既可養身兼可養志，養身者有整潔之宿舍可居，三餐之供應及完善之醫療照顧，養志者，老驥伏櫪，志在千里，烈士暮年，壯心不已，報國之志，未嘗稍懈也。台南榮家矗立南市已長達一甲子，全盛時在此頤養之榮民，多達三千之眾，如今物換星移，老成凋謝，今上餘三百餘人，近年又有攜眷者安養於斯，如魚之得水，如鳥之棲樹，各得其所，子曰：『老者安之朋，友信之少者，懷之幸哉至哉』僅綴數語以為誌。」此誌為博愛堂王家祥伯伯所撰，在軍中退伍後經考選轉任國中老師，於二〇〇五年六月三日偕夫人吉承麗入住。六年在榮家期間，榮家主任先後有盧文龍、朱嘉義與范福平三位，平日對榮民（眷）關懷備至，不論在食、衣、住、行、育、樂等方面，三位家主任都竭盡心力，榮民（眷）甚為滿意。作者本於「願力」初衷，綜括服務工作概述如下：

一、開闢「龍的天地」：經國先生於一九五六年出任輔導會主委，十年期間，念茲在茲的，要為榮民建造「榮譽國民之家」，由於主委高瞻遠矚，使我們榮民在就學、就業、就醫、就養及服務照顧等五大核心工作，展現優質功能，成效卓著。本家自一九五三年創立至今，已屆一甲子，在歷任首長與全體員工，共同打拼經營之下，讓袍澤在樂和恬適的環境中，安康福慧，頤養天年。值此建國百年之際，本家在「長青活動中心」開闢「龍的天地」，象徵著榮民歡沐在藝文走廊氣氛，發光發熱。以往日犧牲的志節胸懷，將內心純淨的靈魂深處，勾畫出瑰麗彩繪詩篇，拓展真、善、美的視野，彰顯榮民崇功報動的偉業。

二、擔任「管理會」首屆會長：

（一）整體構想：

榮民眷生活自治管理會，秉持著「無限關愛，多方體恤與熱心服務」的精神，以「吾愛吾家」生活公約為準繩，由點、線、面做好「我為人人，人人為我」的精神，期使全體榮民袍澤，從自我要求，共同遵守團隊紀律，在溫馨的大家庭，彼此惺惺相惜，心手相連，度過悠閒歲月，頤養天年，共創更加美好未來。

（二）設置目的：

為營造榮家成為溫馨、和諧、尊嚴的頤養環境，期以透過榮民（眷）自治管理作法，樹立共同生活規範，調息紛爭，化解問題，落實相互扶持，確保榮民眷之幸福和快樂。

（三）組織系統及職掌：

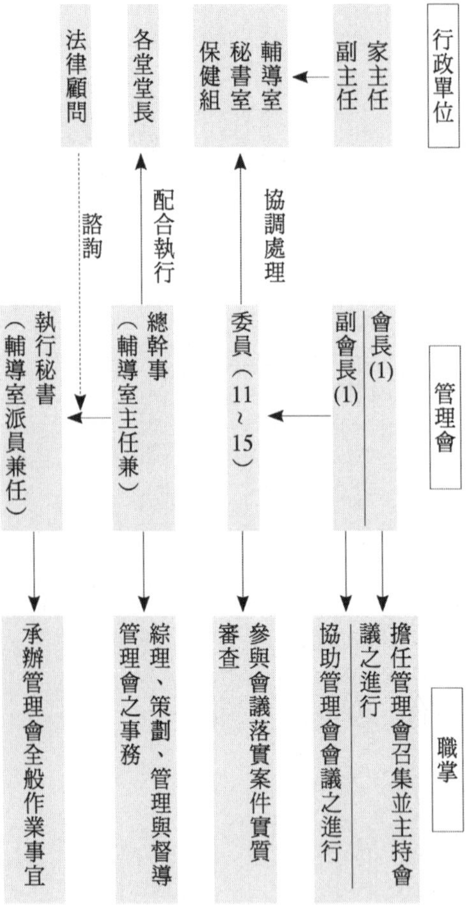

※經榮民眷推選產生之房長為當然委員，其餘不足委員得由榮民眷選任並得保障女性榮民眷一至二人。

※會長、副會長及委員任期兩年，均為無給職義務志工，得連選連任並由榮家核定頒發當選證書。

※管理會評議研商會議時，視需要邀請榮家法律顧問，領有社工醫護專業證照人員，參與諮商（詢）。

㈣任　務：

1. 研商生活起居、作息變更事宜。
2. 訂定（修）「吾愛吾家」生活公約內容。
3. 調解處理榮民眷糾紛事宜。
4. 評議榮民楷模、樂活模範事蹟。
5. 評議各堂提報各案表揚獎勵、輔導告誡及調整安置事宜。
6. 研商委員任期及改（輔）選事宜。

（五）「管理會」發揮功能示意圖：

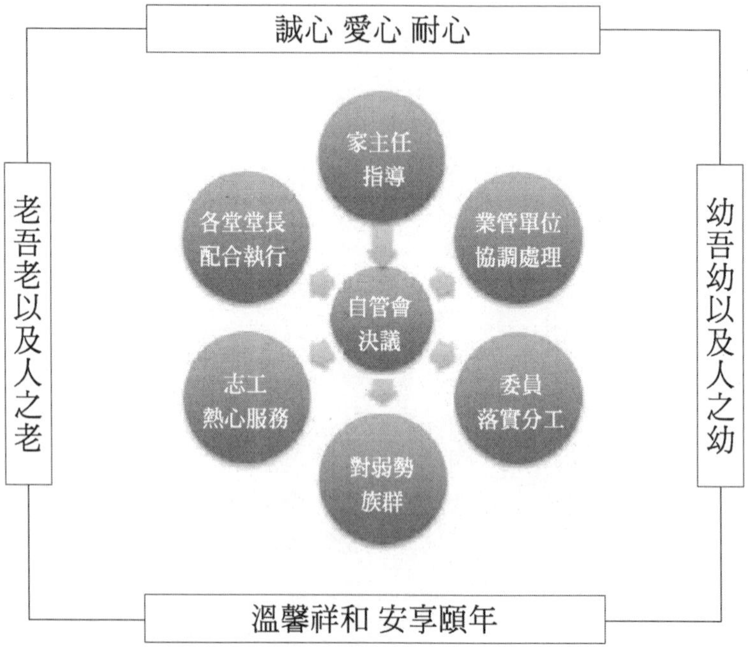

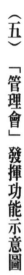

(六)「生活自治管理會」委員編組芳名(二〇一二年十一月廿一日成立)

職稱	姓名	籍貫	出生年月日	隸屬堂別	進住日期
會長	林恒雄	台灣台中	25・9・7	博愛堂	97・12・1
副會長	鄧達鑫	湖南湘潭	19・2・25	信義堂	94・2・1
委員	童榮祥	江蘇句容	18・7・9	忠孝堂	100・7・1
委員	費振平	湖南岳陽	20・5・9	忠孝堂	100・12・1
委員	余德海	陝西華縣	19・10・5	信義堂	96・8・1
委員	霍國才	四川綦江	20・1・10	信義堂	95・11・1
委員	魏殿臣	甘肅隆德	18・8・18	長春堂	96・3・22
委員	王　元	四川洪雅	12・5・29	長春堂	97・8・1
委員	方孝通	江蘇海門	34・2・23	長春堂	100・11・1
委員	桂務恒	湖北漢口	24・9・13	博愛堂	95・8・2
委員	陳玉榮	湖南益陽	16・3・19	博愛堂	98・11・1
委員	鄧龍香	江西東鄉	12・8・25	仁愛堂	98・12・3
委員兼基金管理	王壽美	台灣屏東	28・12・19	博愛堂	101・7・16
總幹事	方擎國	(輔導室主任)			
秘書	謝宏林	(輔導員、東海大學社工博士)			

三、以茶會友品茗聊天：

為了使榮民（眷），不拘形式，談笑趣談當年事，藉以提升生活樂趣，增進袍澤情感，促進加強社交互動，預防老人失智症。

（一）各堂「管理會」委員，屆時在場地協助招呼接應，為袍澤服務。

（二）喝茶、喝咖啡及吃點心，在現場享用，不可攜回房間。

（三）各堂堂長親自招呼引領，職員工撥冗參與，如有家屬或親友前來，誠摯歡迎一起參加，共襄盛舉。

（四）適時安排餘興節目，由各堂具有歌唱、樂器、相聲、數來寶、魔術等專長人員，至現場表演。

（五）茶葉、咖啡與點心等茶品，均由「管理會」統籌支付，免費提供，榮民（眷）自行享用。

（六）泡茶人員為會長林恒雄、副會長鄧達鑫、志工王壽美、周素華及方興寰、吳菊英兩夫婦。

（七）每月兩週一次的泡茶活動，均排入當週「快樂週報」公告通知於各堂隊。

每次泡茶時間，榮民（眷）參加者有越來越多現象，尤其是在博愛堂，甚至還有伯伯、阿姨主動拿來茶點和大家分享，愛心感人。家主任范福平最重視這項具有團隊精神的活動，除非有要公在身，否則他每次必到，間或也帶些點心來，榮民（眷）很受感動，除外，社團亦配合每月慶生會或特定慶典節日辦理，成效良好。

四、舉辦「樂活人生」講座：

（一）榮家榮民平均年齡八十四歲，往昔在三軍服務，著有功績；退役之後，多數還在社會各階層任職，四、五十年的淬煉閱歷，經歷非常豐富。「樂活人生」講座每月舉辦兩次，由榮民自行擬定「主題」，這意味著肯定自我的表現，同時彼此之間相互分享每個人的人生價值，藉以提升生活品質及精神內涵。

（二）開講當日，輔導室除廣播外，各堂堂長提醒袍澤踴躍參加。每次講座，「管理會」均免費提供茶點與咖啡。

（三）講座由會長主持，主講人報告完畢，由參與者提出問題，最後再由作者總結。僅將二〇一四年元月至六月份「樂活人生」講座之日期、主題、主講人及主持人列表如下：

日期	主題	主講人	主持人	地點
元月七日（二）	打油詩的趣味	李明之（博愛堂）	會長：林恒雄（副會長：鄧達鑫）	志工工作室 時間：上午九時至十時
元月廿一日（二）	耶路撒冷神蹟	王壽美（博愛堂）		
二月十一日（二）	我所認識的于豪章上校	鄧達鑫（信義堂）		
二月廿五日（二）	歷史的故事	王家祥（博愛堂）		

日期	主題	主講人	主持人	地點
三月十一日（二）	我參加了「印緬」戰役	董國璋（博愛堂）	會長：林恒雄（副會長：鄧達鑫）	志工工作室 時間：上午九時至十時
三月廿五日（二）	回憶離開故鄉的歲月	霍國才（信義堂）		
四月十四日（一）	宋朝大文豪周敬一	陳平忠（博愛堂）		
四月廿八日（一）	我在海軍艦艇十年	李叔林（博愛堂）		
五月十二日（一）	古寧頭戰役血淚史	陳玉榮（博愛堂）		
五月廿六日（一）	喝茶養生	李戊華（信義堂）		
六月九日（一）	我的籃球生涯	方孝通（長春堂）	會長：林恒雄（副會長：鄧達鑫）	志工工作室
六月廿三日（一）	我服務過的監獄、看所守	崔樹桂（博愛堂）		

五、規劃「溫泉養身」中心：

（一）作者在嘉南科大攻讀「溫泉產業研究所」碩士班，深切瞭解溫水養身產業，對促進老人身心健康，極具效益，乃分別向所長陳冠位博士和家主任請益，建議榮家建置溫泉養身設施。二〇一一年六月四日、七月二日，陳所長率同陳忠偉和歐陽宇兩位教授，前來本家會商，決定由研究所成立研發團隊，協助榮家現勘評估，構思及規劃，並開發潛在投資人。

（二）同年九月十九日作者在現地向輔導會曾金陵主委，提報「溫泉BOT」案：

1.基地面積三三六〇平方公尺，循建物向上發展，四周綠化原則規劃。

2.以溫泉游泳池、養身理療、用餐住宿為重點，多元、多樣、多角經營。

3.以「溫泉養身健康促進」為主題，循榮家與社區共享資源規劃研發。金主委聽過作者簡報後，即指示著手研擬規劃，將具體方案，依「促參法BOT」規定，呈報輔導會核辦。

（三）十月十一日輔導會函示：

1.依國有財產法第三十二條規定，貴家規劃經管國有公用土地辦理「溫泉養身健康促進中心」，宜審視是否符合「國軍退除役官兵輔導條例」第十六、十七條安置教養之用途或目的。

2.所規劃如由民間投資興建設施「溫泉養身健康促進中心」，非取自於貴家區地下水源，係由屏東等外地運來，興建或契約期滿後移轉貴家，其效益及使用因應措施，宜請貴家審慎檢討評估，避免因運費、電話等無法籌措，造成閒置浪費。

本案因政府整體都市計劃，台南榮家奉行政院二〇一七年二月核定，預計二〇二一年將本家遷往台南市永康區網寮北營區及平實營區基地，結合鄰近的高雄榮民總醫院台南分院，以綠建築形式打造「醫養合一」環境。將建構安養一百五十床、失能養護四百床及失智養護五十床的老人頤養功能，配合政府長照政策，提供資源共享。因此，「溫泉養生中心」之規劃案，胎死腹中，無法再進行，殊屬可惜遺憾！

編輯「六十週年」專刊

（一）為慶祝建國一百年暨本家成立一甲子，辦理「緬懷舊回憶，傳承新歷史」實施計劃，秉持關懷之核心價值，以保衛台灣、建設台灣、深根台閩及融合台南為主軸，蒐集榮民長輩珍藏具有歷史性的泛黃照片或值得記憶、紀念的老照片，進行個人懷舊治療與建立生命回顧史，由作者擔任「六十週年」紀念專輯總編輯。

（二）本案需整體力量及創意思考始能進行，動態由學生，志工為長輩們進行生命回顧統整資料，靜態是文物資料展現。

（三）協調國防部提供大型的歷史文物，如火砲、飛機、戰車等武器，配合家區的整體營造進行，除硬體建設外，相關文物需配套。

（四）中正堂作為多功能歷史文物館，主要幹道為圖片展示，顯示榮家的定位功能，從家區裡外展示榮民過去輝煌史實的文物。

（五）成立「推動委員會」，由本家各級主管以上人員，並遴選各堂資深榮民組成之。編組系統表及任務編組表如下：

主任委員	朱嘉義（家主任）
副主任委員	吳德勝（家副主任）
外部委員	吳中華（忠孝里里長）、林水池（志工）
委員兼總幹事	方擎國（輔導組組長）
委員	甯祖舜（秘書室主任）、王桂玉（保健組組長）、曾秀蘭（保健組護理長）
委員兼執行秘書	李昭蓉（博愛堂堂長）
委員兼總編輯	林恒雄（博愛堂資深榮民）
委員	王家祥（博愛堂資深榮民）、李戊華（忠孝堂堂長）、于士一（中孝堂資深榮民）、劉　祥（忠孝堂資深榮民）、廖倉照（仁愛堂堂長）、傅憲武（仁愛堂資深榮民）、曾磯法（仁愛堂資深榮民）、程緒望（信義堂堂長）、費鎮平（信義堂資深榮民）、鄧達鑫（信義堂資深榮民）、張邦基（長春堂堂長）、方篤志（長春堂資深榮民）、史百川（長春堂資深榮民）

台南榮家「緬懷舊回憶 傳承新歷史」任務編組表

單位	職稱	姓名	分工職掌
指導小組	主任委員	朱嘉義 家主任	指導全般工作
	副主任委員	吳德勝 副主任	督導各項活動進行
	委員兼總幹事	方擎國主任	綜理工作期程及執行工作管制
	委員	甯祖舜主任	協助建置懷舊環境
	委員	王桂玉組長	指導保健組同仁實習同學進行生命回顧之懷舊治療活動及記錄。
	委員	曾秀蘭護理長	協助保健組同仁實習同學進行生命回顧之懷舊治療活動及記錄。
	外部諮詢委員	吳中華里長	協助提供榮家外部環境變革及見證榮家歷史。
指導小組	委員兼總編輯	林恒雄資深榮民	專輯總編輯
	外部委員	林水池志工	訪問榮民及協助專輯編輯
	委員兼執行秘書	李昭蓉輔導員	擔任總承辦人與專輯編輯

（六）榮家六十週年祝賀詞：

榮民生活自治管理委員會林恒雄會長撰文賀詞

一〇二年四月七日是我們台南榮家建家六十週年的日子，緬懷六十年前經國先生創辦輔導會，披荊斬棘，慘澹經營，榮家始由簡陋基業漸趨走向現代化安適環境。值此一甲子具有特別意義的紀念吉日，本人謹以「生活自治管理委員會會長」的身份，提出以下五點與全體袍澤共策互勉，以示祝賀：

第一、實踐「生活公約」：

每一堂隊在醒目之處懸掛的「生活公約」都是經過每一位伯伯阿姨，親自簽名以表明志，從食、衣、住、行、育、樂個人的生活起點至堂隊的團隊規範，人人實踐力行，徹底遵守，不可違約，充分表現我們是一群有修持，能自動自發，律己嚴整的篤實榮民。

第二、參加公共活動：

要保持身心的健康與樂活的機能，人人踏出「戶」外，個個走出「房」居，做到每一個人至少參加一項活動。目前榮家有合唱團、國劇社、太極拳、槌球隊、撞球、桌球、棋弈麻將及電腦教室、結繩摺紙，另外還有樂齡大學等，希望未來還有琴藝書畫班、講古道今、台灣民俗講述、讀書會、大陸旅遊等多項活動，期使增加見聞，開拓人生境界。

第三、榮民員工一體：

有榮民才會有員工，員工替榮民服務，解決問題；而員工無私無我的奉獻，促使榮民更安康更幸福，因此，榮民和員工親如手足，情深義重，彼此像兄弟姊妹，扶持攜手，多包容，多體諒。我們要曉得「團結和諧，感同身受」的生命共同體，是激勵大家榮辱與共，福慧共享的大家庭。

第四、調適心理因素：

老不怕，忌諱的是自己心理作祟，老人代表是一種人生經驗、閱歷的淬鍊與智慧累積的成熟度，千萬不可「看輕自我、踐踏自己」。您我戎馬生涯之中退下來，在軍中的境遇順逆與否，已隨歲月流逝，只作為記憶的回味。「生老病死」是人生必經之路，在上蒼還眷顧您我時，我們就該敞開心扉，在榮家度過每一天、每一月、每一年甚至三、五十年的光景，心中毫無牽掛，無憂無慮，隨心所欲，來享受溫馨安樂的生活。

第五、積極走向社群：

往昔「榮家」給一般民眾較保守刻板的印象，門禁森嚴，甚少與社區民眾來往，形成「閉關自守」現象，被外界隔離的結果，將使我們的視界受到侷限，阻礙「榮民族群」和「社群」敦親睦鄰的發展。我們要瞭解，認識外界對榮民的觀感，從而促使社群民眾願意進一步彼此互動，資源共享，讓雙方族群之間，不再有距離，不會有歧見。

總之，榮民是榮家的瑰寶，榮家是榮民安身立命的歸宿，如魚得水，永不分離，絕不嫌棄。最後僅代表全體伯伯阿姨，對家主任的無限關愛，全身投入榮民身上的精神，以及職員工不懈不怠、熱心負責的服務奉獻，衷心表達十二萬分的敬意與感念，我們永誌難忘！未來歷史會給榮民定位：「保家衛國、國之干城」，全體袍澤伙伴我們互相勉勵吧！

伴我們互相勉勵吧！

台南榮譽國民之家平面圖

總面積五公頃

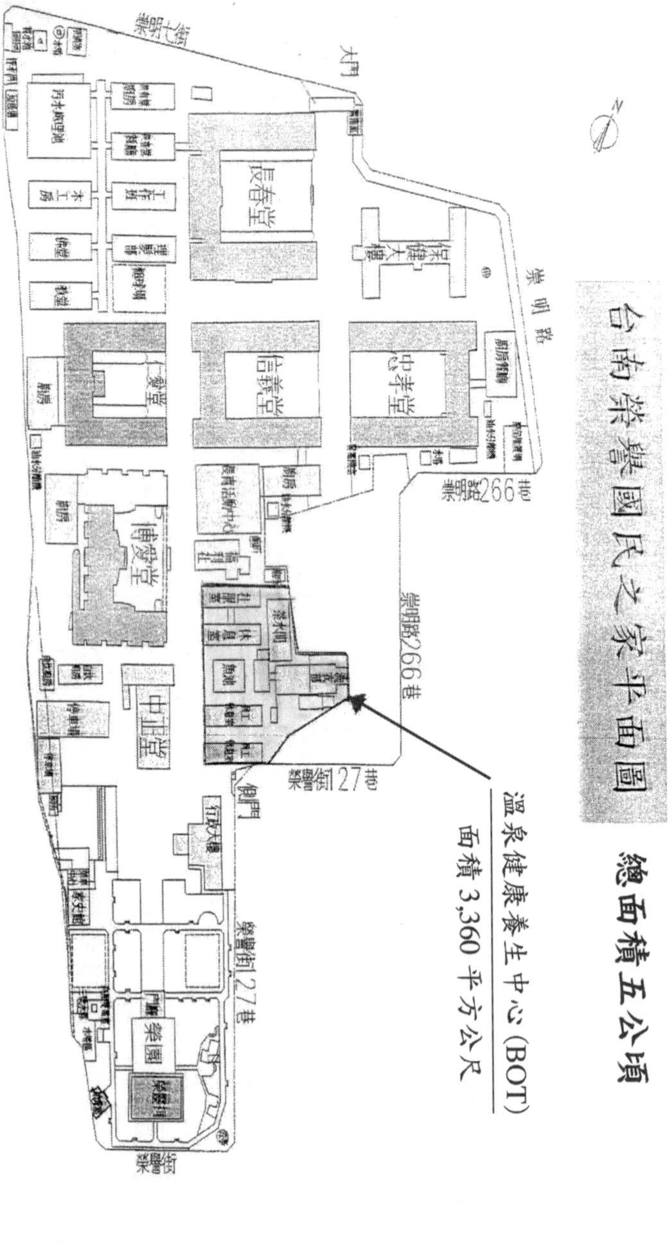

（七）口述歷史訪問：為現代史保留忠實而深入的記錄，作者曾訪問六位榮民（眷）及五位員工，由當事人盡情暢談，回憶往日在軍中工作，參與戰役或服務社會的真實事蹟，以自然流露，輕鬆口述，作者逐一記錄，所成筆錄原稿保留當事人原意，不刻意修飾文詞。

在「博愛堂」裡，有一位作者的同學王壽美，他是在「建艦復仇」運動中，和作者一樣投筆從戎，進入政工幹校，接受文武合一術德兼修的革命洗禮。他的夫婿是大名鼎鼎的夏漢民博士。兩人賢伉儷，於二〇一二年七月十六日進住榮家一一九房。在家園區，隨時可以看到兩人手牽手併肩漫步，享受清閒悠哉的生活，鶼鰈情深，令人稱羨。我們兩對夫婦，三餐同在一桌，茶餘飯後，就在作者一二一房門口茶几上泡茶聊天。尤其夏博士從小是一名寡母茹苦含辛養大，能從逆境中奮發向上，不但獲得美國博士學位，在行政教育科技上，表現亦十分傑出，是青年學子效法典範。

每逢年節，作者和夏漢民夫婦、方興寰夫婦及周素華阿姨，在輔導組專人陪同下，慰助養老院及育幼院，我們共同捐出慰助金、水果、點心之類物品，表達榮民（眷）一點心意。在作者的記事本有這樣記載：

一、二〇一三年十二月二十日前往「台南市老吾老養護中心」慰助──台南市金華路一段五三〇巷十九號（〇六）二六四三八三七。

二、二〇一四年元月十八日前往「台南仁愛之家」慰助──台南市永康區三村一街一五一號（〇六）二五三一八四五。

三、二〇一四年五月十八日前往「基督教六龜山地育幼院」慰助──高雄市六龜區興龍里東溪山莊一號（〇七）六八九二〇五四。

四、二〇一四年五月二十日前往「吾愛吾家養護中心」慰助──台南市平安區永華十二街二十七巷十號（〇六）二九五二七六三。

鄭成功攻佔赤崁樓

鄭成功生於日本長崎縣，原名鄭森，幼時回家鄉福建受教育。滿清入關，父親鄭芝龍在福州擁立唐王即位，唐王賜鄭森國姓朱，賜名成功，此為國姓爺（Koxinga）名號之由來。一六四七年滿清大舉南下，其父受降遭軟禁，母親自殺身亡，鄭成功決定以「忠孝伯招討大將軍罪臣國姓」名號起義抗清。

鄭成功從一六四七年抗清，以金門、廈門等沿海島嶼作為主要據點，與滿青交戰十餘年結果，沿海三十逐漸失守，清軍進逼之下，鄭成功自知長期守金、廈兩座島嶼，無法抵擋清兵，必須另謀整軍之地。荷蘭人於一六五〇年代在台灣的統治出現危機，使台灣人民反抗荷蘭的情緒日益激昂，自從鄭成功起兵抗清，荷蘭人就擔憂鄭成功會出兵攻打台灣，意想不到的就在一六五七年，鄭成功對台灣實施海禁，貿易完全停滯，荷蘭人在台統治岌岌可危。

一六六一年四月三十日清晨，鄭成功船隊在鹿耳門外港北汕尾島外的海邊，趁漲潮進入鹿耳門水道，直逼台江內海。傍晚鄭軍衝過荷軍防務，在赤崁樓以北的禾寮港登陸，進站赤崁，軍隊集結鄰近普羅民遮市街北邊的庭園區域，對赤坎地帶緊密包圍。此時荷軍受到嚴重打擊，派人與鄭軍談判，五月三日荷蘭使者來到鄭成功大本營，表示願意賠款，唯鄭成功並未同意，堅決荷蘭人全部撤離台灣，荷蘭人見談判已無法挽回，遂於五月四日交出普羅民遮城，退守至熱蘭遮城，雙方又形成對峙局面。五月二十五日鄭軍大舉進攻熱蘭遮城失利，決定採取圍而不打戰術，要迫使荷軍投降。一六六二年二月一日，荷軍在鄭軍猛烈攻勢中，只有與鄭成功簽訂「締和條約」，荷蘭方面明確表現獻城投降，降下荷蘭三色國旗並繳出全部軍械、彈藥、糧食及一切財產，於是結束了歷時十個月的交戰，讓荷蘭人在台灣三十八年（一六二四至一六六二年）的統治劃下中止符，起而代之的鄭成功開始統治台灣。

一六六一年五月鄭成功佔領普羅民遮城後，改赤崁地區為東都明京，以東都稱呼全台，改普羅民遮為承天府，即今赤崁樓。鄭成功就在此地擘劃國政方針及整頓軍心戰力，將熱蘭城改為安平鎮，置重兵於安平。在澎湖設安撫司，但中央組織部門仍在廈門。鄭成功從一六六一年四月三十日率領四百艘戰船由鹿耳門入港至一六六二年六月二十三日去逝為止，他人生最後一年多的歲月是在台南渡過。從歷史脈絡來看，鄭成功對台灣是很重要的關鍵，影響爾後台灣在政治、經濟、文化、風俗習性的繫帶。鄭成功在鼎盛時期，擁有二十萬兵力，除漢人外，也有日本人、朝鮮人、東南亞人乃至非洲黑人等不同族裔。士兵驍勇善戰，軍隊不怕死。鄭氏父子對當代台灣的意義，不是民族英雄收復失土或是建立第一個漢人政權，成為開台始祖，而是在大航海時代，第一位能和西方相抗衡的非白人海上勢力。我們以海洋國家自許，就應對海洋的戰略與格局審慎思考。我們光祖曾經叱吒東海、南海，威鎮四方。

嘉南藥理科技大學

一、董事長王昭雄治校宗旨

最早決定的校名，是「台南藥理專科學校」，可是教育部規定，私校不能以地名為校名，於是建議用「嘉南」兩字，也就此與學校結緣一生。藥學不是「技術」而是「藥理」，辦學的宗旨，是培育藥師人才跟工科技職教育不相同。一九九六年學校獲准升格改制，校名為「嘉南藥理學院」。

董事長於成功大學化學系畢業，順利獲得美國艾克朗（Akron）大學獎學金，主修高分子，這是發展應用科技的基礎科學。不久赴日攻讀藥學，取得東北藥科大學博士學位。隨著社會潮流與產業趨勢的變遷，許多觀念和做法，隨之調整。他對學校各級主管，一向秉持「用人不疑，疑人不用」原則，提供應有的資源與空間，讓教師、職員工充分施展抱負與潛力。董事會的運作從不干預學校的人事、預算，人人各司其職，各展所長，同舟共濟，融洽共事。

現在全台有三分之一的藥師，都出自嘉藥。要教出好學生，要有優良師資，校內多半老師擁有博士學位，學校的論文數量和品質，在學界有口皆碑，產業界與嘉藥合作，成為品質保證。在董事長的觀念裡，辦學不是承繼家族事業，而更是培育人才，貢獻社會的使命！

二、校長陳銘田治學目標

一九七七年校長專研有機化學拿到碩士學位，嘉南藥專以大學器度辦學，提供講師研究室、研究經費。校長陸續發表五篇夠分量的論文，他要歸功學校提供了良好環境，促成植物、藥理和化學三領域同仁研究團隊的合作。一九八一年，校長申請到國科會補助，進入清華大學攻讀博士。一九八六年取得博士學位，獲聘嘉南應用化學科主任，一待就是八年，第一年摸索階段，激發了企圖心和創意；第二年已經適應，企思變革；第三年展現深思熟慮的實戰力和應變力。他因為熱愛研究，常參與研討會，有機會發表論文，結識各方學者專家，切磋交流之餘，也提升學術境界與知名度。

一九九三年王昭雄校長指派他接任總務處，他欣然接受，認為在不同的工作崗位上，會有不同的學習和歷練，他不願錯過任何成長的機會，他的座右銘就是「認知、評估、控制」，藉由客觀面對，產生理性認知，評估所有可能的正、負面影響，擬定最佳可行政策。他認為總務之作不同於系務，要尊重行政倫理，分層領導，各司其職，分層負責，不宜越級報告。二〇一五年八月，嘉藥授予他新任務，擔起校長重責。他繼承學校五十年悠久發皇的傳統，以「教學、研究與服務」為己任，從科學領域中，體悟有機化學的律則與人生哲理相互呼應、相輔相成，使他在教學時建立特色，在處理行政工作或做決策時，保有宏觀的胸懷。

三、五學院、六中心的特色

五學院：

（一）藥理學院：主要任務在協助產業界藥物合成與應用，保健食品檢測與開發，活化產學績效，目標聚焦在藥學實力和全人健康服務。目前有四系三所三中心二個中繼場，包括藥學系（所），醫藥化學系，化妝品應用與管理系（所），生物科技系（所）；中心是「新藥創建中心」、

「臨床藥學教學中心」、「機能性化妝品開發與評估研究中心」；中繼廠指「實習藥廠」、「中草藥健康促進產學中心」。

（二）民生學院：以「利民厚生、健康全人」為宗旨的民生學院，於二〇〇年成立。現設置有食品科技系、嬰幼兒保育系、保健營養系（碩士班）、生活應用與保健系、餐旅管理系、兒童產業服務學位學程。

（三）人文暨資訊應用學院：培養現代公民核心能力及健全社會發展基石，進而養成創意思考、團隊合作、溝通協調、價值判斷、發掘問題、解決問題與科際整合能力。學院跨域整合五系一所，包括資訊管理系、社會工作系、應用外語系、文化事業發展系、資訊多媒體應用系及儒學研究所。

（四）環境永續學院：聚焦在環境永續經營，以全人健康為目標，培養出樂活人才。世界衛生組織提出的樂活概念，簡稱LOHAS(Lifestyles of Health and Sastainability)健康、永續的生活形態。現有四個學系與研究所，一個學位學程、六個院級研究中心，包括職業安全衛生系（產業安全衛生與防災碩士班）、環境工程與科學系（碩士班）、環境資源管理系（碩士班）、應用空間資訊系（碩士班）。

（五）休閒暨健康管理學院：面對壽命增長、高齡人口活躍的未來世界，休閒娛樂及健康管理的內涵，既深化又擴展，新興產業極需專業人才，包括醫務管理系（碩士班）、休閒保健管理系（碩士班）、觀光事業管理系（溫泉產業碩士班）、運動管理系、老人服務事業管理系。

六中心：

（一）通識教育中心：通識教育，指通才教育，亦是全人教育，分為核心通識與發展通識兩大類，期許學生，經由通識教育的陶冶，成為博雅的專業人。

（二）台灣溫泉研究發展中心：二〇〇三年十二月，整合環境資源管理系和休閒保健管理系，成立全台唯一的溫泉研究機構。現階段的主要任務，已由基礎研究轉到末端的消費運用。中心除擔任各相關溫泉法主管機關的智庫，也引領業界邁向國際化的目標。

（三）生態工程研發中心：生態工程實用化，透過人工溼地，處理家庭、校園汙水，期能優化環境。校內的溼地專業遠近馳名，吸引國內外單位，爭相前來取經。

（四）環境安全衛生中心：環安衛中心的核心能力是會 Plan（規劃檢測項目），然後設計 Schedule（查點排程），再做 Recheck（追蹤稽核）。嘉藥最出色的是廢水處理，全校有六座汙水處理廠，每天處理兩百多噸廢水，一年回收六萬噸乾淨的水。

（五）文化藝術中心：整和校內外藝文資源，推動校園藝文活動，人文藝術教育，培育師生藝文素養及增進校園藝文風氣。

（六）分析檢測中心：有三個實驗室，分別是職業衛生實驗室，有機與保健食品檢驗實驗室及食品藥物暨化妝品實驗室。檢測工作要做得好，需要有進步的精密儀器，精良的技術與敬業負責的工作人員。

馬總統蒞臨榮家

二〇一〇年十一月二日上午十時，總統馬英九蒞臨榮家宣慰榮民，同時在行政大樓門口和各堂榮民代表合影。總統精神奕奕，狀至愉快。中午在中正堂與全體榮民會餐，作者代表接受總統犒賞加菜金。餐席上總統懇切的講話：「今天來台南榮家向各位勞苦功高的袍澤致最高的敬意，心裡特別興奮。由於各位先進的貢獻，不但保衛了中華民國，光復了台灣，更牽制日軍近百萬投入太平洋戰爭。面對歷史，真相只有一個，八年抗戰是中華民國政府主導，抗戰勝利是蔣委員長領導全國軍民，英勇奮鬥的史實，不容任何人竄改、扭曲。血淚的歷史不能遺忘，這麼多先賢先烈的犧牲奉獻，才有今天台灣的繁榮進步與民主成就。我們飲水思源，更應珍惜得來不易的成果，最後敬祝各位先進健康百壽，安享頤年。」

次日作者代表榮民寄一封信函並附拙著「泳難忘懷」乙書，呈現總統。作者信函及總統府回函內容如下：

總統鈞鑒：

憶及十一月二日，您蒞臨「台南榮家」宣慰榮民，除和全體合照外，還一起聚餐，犒賞加菜金。榮民親炙您的風儀，聆聽您那親切誠懇的話語，宛如置身在一個大家庭，是那麼的溫馨，溫暖每一位榮民的心坎！僅代表全體榮民，向您道聲無盡的感恩。

我們在榮家，一直受到朱主任以及職員工，不眠不休週切照顧，徹底秉持您一向關懷榮民的初衷心意，令我們十分感佩。

平日在榮家當志工，有時北上續任紅十字會志工，指導救生與游泳訓練工作。謹將近日拙著「泳難忘懷」乙書，呈現　總統表達一位榮民在有生之年，尚能竭盡棉薄之力，為社會服務。最後

恭祝

總統政躬康泰！國強民富！

敬愛您的榮民

林恒雄　敬叩

二〇一〇年十二月一日

總統府用牋

恒雄先生大鑒：

日前承以　大作「泳難忘懷—救生與游泳訓練手札」乙書致贈　總統，

業奉 閱後交下，高誼盛情，無任銘篆，特 囑代申誠摯謝忱。耑此復謝，
順頌
時祺

總統府第二局
中華民國九十九年十二月七日

旅遊北韓見聞

二〇一〇年年五月二十八日至六月四日，在台中僑福旅行社安排下，展開八天的北韓之旅，全團僅十三人，也是該旅行社，第一次「破冰」之旅，僅將所見所聞簡要列述如後：

北韓地理位置

北韓自稱「朝鮮民主主義人民共和國」，位於亞洲東部的北韓半島北半部，東北與俄羅斯接壤，三面環海，山地多、江河多、湖泊多、溫泉多，山地佔總面積百分之八十，第一高峰白頭山二七五〇公尺，南北韓總面積二二

三三七〇平方公里，其中北韓面積為一二三一三八平方公里，南韓為一〇〇二三二平方公里，均為單一名族，通用韓語，總人口二二〇〇多萬，首都平壤人口二〇〇萬。北韓四季分明，雨量充沛，水質清澈，全年平均氣溫8-12度，最冷元月份零下10度，最熱八月27度。地下資源豐富，礦產達三〇〇多種，金、銀、白金、銅、鋁、鉛及寶石、建材原料等礦物儲存量甚豐。

近代北韓

北韓近代史，始於十九世紀六十年代，一九〇五年淪為日本殖民地達四十年，直至一九四五年日本無條件投降。金日成主席甚至父母、叔叔、弟弟、外祖父、舅舅都是早年抗日愛國者，金主席曾留學中國，因此對孫子兵法、兵學指南等軍事書籍，深入研讀。金主席一九一二年出生至一九九四年逝世，享年八十二歲，革命六十七年，備受全國軍民愛戴，國家以其四月十五日誕辰日制定為「太陽節」。其子金正日將軍，生於一九四二年，自幼聰明過人，雄心壯志，畢業於「金日成綜合大學」，秉承父母革命家精神，不保留奉獻給國家，為人民服務。三十多年來，金將軍領導之下，受到全國軍民無限信賴和尊敬，於一九九一年被推選為人民軍最高司令官及授予元帥稱號，一九九七年當選為「勞動黨」總書記。

所見所聞

（一）北韓受高山峻嶺限制，耕地面積有限，糧食極度缺乏，台灣曾援助數百萬噸稻米。

（二）全民皆兵，機關、學校、工廠、農民等各階層，服裝幾乎與軍人相似。

（三）農民皆由幹部主導，統一耕田，休戚與共，其米食、肉類皆採配給制，唯三餐伙食在各家庭治理。

（四）國家對人民有三種免費措施：一為房舍免費、二為健保免費、三為幼稚園至大學就讀學雜費均免。

（五）大城市各馬路「紅綠燈」甚少，因為車輛不多，十字路口交通，由「美女」指揮，制服美觀，引人注目。

（六）沒有私人企業，全國所有鐵、公路、飛機、旅館、大百貨公司等均屬國營。

（七）旅遊事業剛起步，尚未對外開放，現僅有台灣團與大陸團。

（八）遊覽車除司機外，還有兩位女導遊，一位年輕貌美，另一位中年經驗老到，三人均受特殊訓練，對遊客全程掌控監視。

（九）旅館宏偉美觀，男女接待人員，衛勤廚師均受相當訓練。

（十）遊客禁止使用「北韓」幣，以人民幣、美金、歐元最受青睞。

（十一）旅客三餐飲食，質量尚稱豐富，唯水果極度缺乏，准由瀋陽帶進去。

（十二）旅遊團每天行駛六、七小時，因道路以水泥鋪設，車輛顛簸不已。

（十三）遊客只能集體行動，不能單獨外出，旅館大門有專人監管。

（十四）不准北韓男女與外國人通婚，也不准外國人留學北韓；國家每年派遣優秀幹部、學生分赴中國、俄羅斯深造取經。

（十五）高幹生活優裕，一般人民貧窮艱苦，上下班百分之八十均騎自行車或步行，街上均無機車。

（十六）地鐵四十年前就有，城市的電聯車老舊不堪，又無冷氣。

（十七）北韓人民「民主意識」甚為強烈，均以領導人金正日奉為神聖。

（十八）重視自然生態，各地林木茂盛，空氣清新，風景宜人。

（十九）國家專政高壓，人民若違反規定，必遭重懲。

（廿）北韓有好山、好水、好風光，是值得推廣觀光的國家。

當前情勢研判

一、北韓接班問題：集黨政軍最高職位之金正日，二〇〇八年中風，身體狀況欠佳，因長期封閉的政經體制，面臨經濟崩潰的危機，加上身邊「智囊」人物之慫恿，金將軍捨長子金正男而立三子金正恩為接班人，中國表達支持，認為「成功化解了朝鮮革命的接班人問題」。二〇一〇年二月十六日是金正日六十九歲大壽，北韓官媒以長壽山二一六座山峰和其生日可相提並論，賣力造神。

二、南韓強硬路線：南韓執政的「大國家」黨屬保守派，對北韓政策採強硬立場，總統李明博強勢執政作風，使得所屬執政黨和自己支持率雙雙直落，以去年首爾廿五個區廳長選舉，反對黨竟贏了二十一席，足見李明博的強硬路線，不受民眾歡迎。

三、「天安艦」事件：二〇一〇年三月廿六日南韓護衛艦「天安號」，在南北韓交界的黃海海域巡邏時，爆炸沈沒，艦上官兵一〇四名，其中四十六位罹難。南韓雖邀美、澳、英和瑞典，組成聯合調查小組，唯展示一枚書有韓文的魚雷殘骸，即指遭北韓魚雷攻擊，其證據不夠完整，似嫌薄弱。據美智庫戰略研究中心之調查報告，結論是「跡象顯示不是魚雷，而是水雷，這是韓戰時期，兩韓、美軍留下的都有可能。」而南韓解決之道，定調為制裁，送文聯合國處理。

四、北韓砲轟延平島：十一月廿三日，北韓驟然砲轟延平島，造成南韓軍民四死二十餘傷。歐巴馬敦促胡錦濤向北韓明確表示，北韓挑釁行為，令人無法接受。胡提出「三要、三不要」即「要緩和、不要緊張；要對話，不要對抗；要和平，不要戰爭」，呼籲中美雙方應攜手合作，妥善處理敏感問題。南韓國防部擬將海軍陸戰隊，由目前一個師、兵力五千人，增加一倍，藉以提升自衛能力。

兩韓衝突的可能性

北韓兵力是南韓兩倍多，北韓一二五萬官兵，南韓只有六十九萬兵力，且北韓積極訓練「特戰部隊」包括特工、突擊隊和女間諜，曾經滲透至首爾中樞。南北韓緊張情況雖一度升高，但始終未達「爆點」；兩韓表面對話強烈，擺出不惜一戰態勢，實際上雙方尚能控制。據情報顯示，北韓在東北部咸鏡北道豐溪里核子測試場，開挖兩到三條隧道，跡象準備進行第三次試核，另外部署在黃海上的地對空飛彈，安裝在發射台上，將薩姆二型（SA-2）地對空飛彈，移至前線。「美韓」聯合軍演，意在威懾北韓，包括「喬治華盛頓號」，核動力航母並由巡洋艦考本斯號，驅逐艦拉森號、史蒂森號及黃茲傑羅號隨行。北韓的盟友中共，為降低緊張情勢，除約束北韓外，積極斡旋召開六方會談，以緩和朝鮮半島局勢。

苦讀榮獲碩士學位

回憶卅七年戎馬生涯，泰半皆在野戰部隊與戍守金馬前線服務，軍務繁忙之餘，甚少涉獵人文社會學科，因此內心一直耿耿於懷，始終抱持著：「學無止盡，不進則退，活到老終身學習」的意念，終於在二〇一一年春季僥倖的考取了嘉南藥理科技大學，溫泉產業研究所碩士班，在個人生命史上，邁進了一步！

為了報考碩士班，早在一年前即積極準備相關考試範圍與科目：一、筆試（占30％），二、面試（占50％），三、書面資料審查（占20％）含大學四年成績、自傳、研究計劃書、特殊成就或能力證明。同年四月廿八日學校公佈錄取名單，在卅二位報考當中共錄取十五名，作者以第十三名上榜（筆試二十七.九分、面試四十四分、資料審查十七.六分，總成績八十九.五分）作者是溫泉產業研究所第五屆學生，自第六屆後取消筆試，只有面試與書面資料審查，甚至國內國立大學碩博士班，多年前已陸續取消筆試。據悉，這是順應時代潮流，仿效歐美國家制度，對碩博士的甄試以個人發展淺能、專業知識、表達能力、思考邏輯及研究計劃列為甄選重點。

作者在第一學年就把二十四個學分「一氣呵成」，必修的科目有：溫泉產業發展特論、研究方法與論文寫作、專題討論、溫泉區環境開發實務、溫泉產業經營實務、休閒產業投資評估、溫泉泉質分析、溫泉地質學、溫泉資源探勘與開發、溫泉區環境安全衛生特論及溫泉區規劃與社區營造等科目。上課時間為每週星期五晚上六時至九時三十分與每週六全天。研究所教授群多數為成大博士出身，其餘如台大、交大、中山大學等具有博士學位教席者亦有之，均非等閒之輩，在學術領域上各有其卓越成就。至於本班十五位同學的社會背景，有十位是國小教師居多，學習能力強素質佳，再者為公務員、自由業等。綜觀兩年進修的學業過程，作者除在計算運用方面較為遜色外，其他諸如專題寫作、專書提報、講座論壇、議題討論、校外見習報告及英文導讀、論文研討與撰述等，可說不輸年輕同學。往昔我們軍中袍澤都是拿槍桿子，這兩年作者在學術上，從教授群和不同社會階層來的同學中，多少汲取了文人「思維與理則」特質的養分。

第二學年專心思考趕寫論文，題目經與指導教授反覆研討結果，核定為「台南榮家引進公私合辦溫泉健康養身中心策略之研究」（Study of theBOT strategy for health care centerused hot springinTainan vaterans home）。目錄分為第一章緒論、第二章文獻回顧、第三章國內外 BOT 案例、第四章發展策略探討、第五章結論與建議。整本論文約十一萬字，在最後一年至少參加 meeting（集會）power point 題報達十次以上，經與指導教授歐陽宇博士（中山大學出身）「緊迫盯人、質問疑點」，從理論架構，邏輯推論與策略分析等，花費了長時間的指導與修正，使論文在預定時間內順利完成。另外要感謝輔導會，兩學年所有的學雜費及個人申請之獎學金，悉數核發減輕了作者不少負擔。

論文撰寫完竣的最後一關是六月三日的四位口試委員詢問，三位是校內教授另一位是校外大學教授（教育部規定）同時擔任主審及召集人。在一個小時簡報與提問的煎熬，難免緊張焦慮，但打從心底提醒自己：「沈著應戰，頭腦要清晰，不可語無倫次」否則功虧一簣，就要再等半年擇期舉行口試，那時心理壓力就像緊箍咒，愈是在意就愈無法發揮應有的實力，皇天不負苦心人，最後經過四位口試委員一致決議，終於過關了，如釋重負一掃兩年來心頭的陰霾！

兩年的學業綜合成績：第一學期學業平均成績八十九·九五分而操行成績八十七·八六分；第二學期學業平均九十·九八分而操行成績為八十八·九五

分，理學碩士學位口試成績評定為九十二分，足見在校學習成績，一年比一年些微進步。學校當局為了激勵同學孜孜向上的好學精神，隆重表揚了較傑出的碩士生，作者受寵亦在獎賞之列。校長李孫榮博士約見勉勵，南部各大報均以顯著篇幅刊載。有位記者為了深入了解作者在校學習動瞻，還特別向研究所所長陳冠位博士查證真實，讓作者面有羞赧之色。慶功會上教授指出，不論從歷屆或爾後，研究所不可能再有像作者這麼「敢衝勁學習」年長的同學來報考。

二〇一三年除了作者獲得碩士學位外，長孫女祐萱也考取了中山大學，可謂「祖孫雙喜臨門，相互輝映」不亦樂乎！女兒芬蘭現任幼保老師，欣喜老爸榮獲碩士學位，小女也有意報考碩士班，活學活用。老爸「老牛拖車的精神」無形中開啟了女兒不愛讀書的竅門，彼此砥礪、互相成長，豐富了生命無窮的色彩。

為師為長 夏漢民博士

夏校長漢民博士，一九三一年出生，於福建省林森縣一個貧困家庭，七歲時父親猝逝，剩下母親做火柴盒加工賺錢維生。家中三個小孩，經常過著飢寒交迫的生活，隨著母親一同寄人籬下。母親打掃房間，他當跑腿供人差遣，一年後他被送到孤兒院寄養，整整在那裡度過四年煎熬的日子。

一九四九年福州淪陷，在友人協助之下，搭海軍運補艦來台灣，考取省立台中高工機械科，完成未完的學業。一九五〇年夏校長下定決心，考取了自大陸撤退在台復校的海軍官校第一屆學生，在三千多人競逐中，他出類拔萃，脫穎而出。校長說：「在海軍官校的訓練全方位，嚴格紮實加上自我的高度期許，以及大量閱讀軍事領導書籍與名人傳記，使他學會如何解決困難問題。讀書用腦袋就可以融會貫通，但做事可不是用腦就夠了！」四年海軍官校的淬煉，讓他奠定了學養的良好根基。畢業後他在艦艇服務，因工作勤奮，表現優異，保送到美國伊利諾州及紐澤西州，接受「教官訓練」與「深海潛水訓練」，深受美方讚譽表揚。

為了鑽研更高深的學問，校長於一九六〇年考取了成功大學機械工程碩士，一頭栽進書堆，努力研讀。當週末同學紛紛回家的時候，他總是一個人窩在研究室讀書，同學們都曉得他是全研究所最用功！一九六二年他申請到奧克拉荷馬州立大學攻讀博士班，在課業上全力以赴，相當拼命。在一旁的校長夫人王壽美不禁補充：「大家都說漢民是拼命三郎，太太一定幫忙了很多，其實他們都不知道，我最常做的事就是拉他一把，要他不要這麼拼！」一九六七年至一九七一年，校長擔任成大機械系教授，工程科學系系主任；一九七二年至一九七八年，任高雄工專院校（二〇〇〇年改國立高雄應用科技大學），一九七八年至一九八八年，膺任第七任成大校長，任內於一九八八年六月十二日創設成大醫學院，前後經歷滄桑，七年時間使竣工啟用；一九八八年至一九九三年擔任國科會主委，拓展科技研發與發展人造衛星，厥功至偉。這一生他集軍界、教育界、政界、科技業於一身，是國之干城、忠義之士，當之無愧。

校長和王壽美一九五九年十月結婚。太夫人劉玉英女士，一向在堂同住，夫妻事親至孝，鄰里傳為美談。校長在軍旅服務、或留美深造期間，端賴其夫人，孝敬姑婆。養育子女三人。壽美原就讀屏東女中，響應救國團發起之建艦復仇運動，投筆從戎，進入政戰學校，接受文武合一、術德兼備的教育。先後於屏東女中、高雄女中、台南光華女中、家齊女中、台南師專及成功大學擔任教官，是從軍報國之巾幗英雄，亦是學子心目中可親可敬的愛心媽媽教官，誠為令人感恩且懷念至深之模範教官。一九八五年元月以中校榮退，仍繼續從事公益慈善活動義舉。長公子榕屏，美國艾克隆大學機械工程博士，任職加州矽谷一家光纖公司，擔任微機電資深工程師，長孫女艾佳就讀大學；次公子榕文，台大商學博士，任教新竹中華大學國際企管系系主任，三位孫子女揚恩、暄祐、揚祈；千金念西，美國南伊諾州大學傳播研究所碩士，於崑山大學及長榮大學任教。

二〇一二年七月十六日校長賢伉儷，入住台南榮家，從此過著「溫馨祥和、寧靜美滿」的人生歸宿。在這清幽的大環境，校長偕阿姨緊緊牽著對方的手同行，彷彿是兩人長年的默契一般，鶼鰈情深，令人欣羨。總之，「立德、立功、立言」為人生三不朽，「天時、地利、人和」則為古今聖賢成就事業的助力。回顧往昔，艱困成長，赴美學成，回國任教，從政奉獻，所到之處，無不匯集有力資源，突破瓶頸，開創新局，為作育英才，培植人才，貢獻國家社會，竭心盡力，始終不改報國之志，廉潔、效能、興利除弊、有為有守，尤見高風亮節，誠令士林所崇仰景慕（二〇一三年元旦林恒雄專訪）。

喝茶的好處

台灣茶在十九世紀後半期到二十世紀前半期，銷售到全世界五大洲。烏龍茶「Formosa Oolong」在歐美和日本都是頂級茶的代名詞。一千五百年前唐代東渡日本的鑒真和尚，把中國茶文化帶進日本的先鋒。約翰·杜德（John Dodd），蘇格蘭人，是第一位把台灣烏龍茶直接從淡水出口到紐約的商人；而李春生，在廈門出生，原是約翰·杜德的買辦，後自立門戶，成為台北國際茶葉貿易中心大稻埕的重要人物，對台灣茶業的發展貢獻極大，被尊稱為「台灣茶之父」。

早期台灣，茶是平凡、平實、平常的一杯飲料，是常民生活中維繫人與人感情的符號，「奉茶」包含了互動元素，一杯茶水，注滿主人上乘心意。台灣茶的種植歷史，最早文字記載始於十七世紀，一六九七年《裨海紀遊》裡提及南投水沙連山區，長有丈高的野山茶樹，漢人取其焙製茶葉。台灣茶開始產業化，大約在兩百多年前，由中國大陸福建移民所引進。清朝後期，茶葉成為台灣最大的生產和出口品，促使台灣政經中心北移，對台灣整體發展有重要影響。經過數十年演化，隨著氣候、土壤、溫濕度等環境條件的不同，孕育出產區與茶種，「北包種、南凍頂」，說明了南北茶各自的獨擅勝場。近年來台灣最受歡迎的名茶分別為台北坪林的文山包種茶、木柵的鐵觀音、三峽的龍井茶、龍潭的龍泉茶、新竹苗栗的東方美人茶、南投名間的松柏長青茶，鹿谷的凍頂烏龍茶、石棹的阿里山珠露茶及日月潭紅茶，再加上台灣高山茶，成為台灣十大名茶。許多茶人不約而同表示：「茶葉好，簡單泡就好喝」毋須拘泥泡茶功夫，只要喝來順暢，適合口味，都是最自然的喝茶方式，也是新式台灣茗茶文化所追尋的精神。

據成大醫院醫師吳至行等六位醫師研究顯示，喝茶越多，對骨質密度愈好，可減緩骨質疏鬆現象。另據英國南安普頓大學分析報告，每天喝兩杯咖啡的人，罹患肝硬化或死於肝硬化的風險可降低百分之四十四。由於咖啡因會傷害胃粘膜導致出血，不宜過度飲用，每天最好喝兩千西西的水，讓鈉離子隨尿液排出。茶品含有兒茶素、茶多酚，可提高骨骼密度、降低體脂肪與血壓、殺菌防蛀牙、抗老化等。一日建議量四百到五百毫升，貧血、失眠者則少喝為宜。

第十二章　伊甸園的「馬蘭榮家」

「馬蘭」愛的召喚

詩人余光中教授（註一），對台東情有獨鍾，下面是他的傑作：

城比台北是矮一點　天比台北卻高得多
燈比台北是淡一點　星比台北卻亮得多
街比台北是短一點　風比台北卻長得多
飛機過境是少一點　老鷹盤空卻多得多
人比西岸是稀一點　山比西岸卻密得多
港比西岸是小一點　海比西岸卻大得多
報紙送到是晚一點　太陽起來卻早得多
無論地球怎麼轉　台東永遠在前面

作者深切瞭解台東後花園是偏遠地區，生活機能較差，更需要有愛心的善心人士前往投注，於是和內子商量，決定抱著持續為榮民長輩服務心裡，於二〇一四年八月一日由台南榮家轉赴台東市更生路一〇一〇號馬蘭榮家報到。三層樓 RC 建築物美侖美奐的夫妻房，作者住和平堂二〇五室約四十二平方公尺，比起市面上的旅館還雅緻，每戶客廳潔淨、臥房舒適及設備齊全的衛浴。榮家園區超過百年以上的各種樹木有二十多棵，尤其以兩棵菩提樹及五棵大榕樹最為葉茂高聳，真要感謝榮家歷任首長重視林木花卉的栽培，做到了「前人種樹後人乘涼」的道理。作者剛進住時，在後院花園種了兩棵玉蘭花，二〇一八年初，接到榮家保健組莊琇棉護理師電話告知，玉蘭花比一般成年人長得更高，枝幹更粗硬。一年多來，親朋好友蒞臨本家訪視，對榮家整體建設及環境美化等讚不絕口，非常羨慕，在全台十六個榮家當中，算是一等一的優質榮家。榮家大門更是宏偉壯麗，列為台東環境內評比第一，結合在地文化與藝術之美的建築。令人感到雀躍的是每周至少有三、四次，在本家園區，可看到「夜鷺」（註二）停在草地上吃蚯蚓。最多見到五隻分散在各園區草坪上。榮民伯伯不會去打擾驚動，在一旁欣賞牠們全身多彩多姿的羽毛和瞬間快速刁吞蚯蚓的動作。這意味著本家空氣清晰，沒受汙染，同時也沒受到化學劑的感染。每逢夏天來臨，一大早群蟬聲叫個不停，此起彼落，有時感到厭煩，聽慣了也覺得自然界譜出來的另一種韻聲，帶給都市裡忙碌人群不同感官的享受。在榮家園區，置放一部舊戰車與一架舊軍機，供長輩歷史回憶，也歡迎民眾來本家參訪。

這一部戰車是M四十八係由美國底特律兵工廠於一九五〇年設計成功的整體鑄造砲塔及底盤。配賦九〇公里砲一門、七六二公里同軸機槍兩挺及一、一二七公里機槍一挺，總重四十七、二一公噸。最大速率：每小時四十八、三公里、巡行半徑：二四八公里。曾在韓戰、越戰及以阿、中東等戰爭中獲得極高評價。美軍於一九六七年將原汽油引擎更換為柴油引擎，並改名為M四十八A三。一九七三至一九九六年間配賦我國裝甲部隊服役。另一架為F-五E戰鬥機，美國諾斯洛普公司產製，為改良F五A美稱虎式二型，一九七三年由我國與美政府簽訂協議，由航空工業發展中心（AIDC）在諾斯洛普公司授權下生產。這項定名為虎安（Peace Tiger）生產計畫，共生產二四二架單座F-五E與六十六架雙座F-五F，佔全球生產量四分之一，為全球最大使用國。一九七四年十月三十日第一架 F-5E 離線出廠，為慶祝當時總統蔣中正八十八歲生日命名為「中正」號。含飛彈發射器之翼展為二十六尺八吋，長度四十八呎二吋，高度十三呎四吋，總重二十四、六六四磅。發動機 J85-GE-21A 渦輪噴射引擎二具；推力五千磅，最大速度一．六馬赫（每小時一〇六〇公里），武裝 20mm 機砲二門、炸彈七千磅，實用界限五萬一千八百公呎。本架 F-5E 戰機編號五二九，為空軍七三七聯隊所屬「假想敵中隊」，服役時曾為空軍捍衛台海上空，後又接任對敵戰術訓練之機種，除役後獲國防部同意於二〇一四年十二月十七日由空軍七三七聯隊贈予置放本家，提供榮民懷舊憶往及社區民眾觀賞，以增進全民國防教育之認識。

關注教養院與療養院

來到「馬蘭榮家」，第一步的服務工作，就是組成「樂齡社團」泡茶活動，志工小組長由作者擔任，組員請擔任榮家秘書室主任退休不久的范平亞中校和曾任太平榮家政風室主任退休的王音懿中校，兩人共同參與。泡茶時間是忠孝堂與和平堂每月一、三週星期二上午；慎修養護中心是每月一、三週星期二下午；懷德堂、頤安堂每月一、三週星期四上午；還有每月一次赴救星教養院為職員工泡茶、沖咖啡及替院童送點心、水果及飲料等。為了使榮民伯伯走出臥室，踴躍參加樂齡社團，作者向「力富有限公司」（台中市太平區中山路五十八號）添購一部品牌 **Liftek** 六人三排座椅電動車，供行動不便的長輩使用。平日也可以乘坐到「台北榮總台東分院」看病，一舉數得，能多為長輩效勞，是作者從心底產生的願力，在夏天甚至給伯伯吃仙草冰、愛玉冰、蓮子桂圓湯，還有台糖自製的軟冰棒；冬天提供虱目魚粥、雞湯、薏仁湯等，盡量迎合袍澤的味覺與胃口，實施以來，每場均熱絡溫馨。僅舉二〇一五年元至十二月榮民志工泡茶活動實施時間列表如下：

二〇一五年元月至十二月榮民（眷）免費泡茶聊天社團活動實施時間

參加堂隊	地點	實施時間	
忠孝堂、和平堂	忠孝堂一樓餐廳	星期二每月第一、三週上午 0830~1000	1/6（二）
慎修養護中心	餐廳	星期二每月第一、三週下午 1430~1600	1/6（二）
懷德堂、頤安堂	多功能活動中心	星期四每月第一、三週上午 0830~1000	1/8（四）
救星教養院	活動中心	星期三每月最後一周下午 1430~1600	1/28（三）

泡茶日期			
1/20（二）	1/20（二）	1/22（四）	2/25（三）
2/10（二）	2/10（二）	2/12（四）	3/25（三）
2/24（二）	2/24（二）	2/26（四）	4/29（三）
3/10（二）	3/10（二）	3/12（四）	5/27（三）
3/24（二）	3/24（二）	3/26（四）	6/24（三）
4/7（二）	4/7（二）	4/9（四）	
4/21（二）	4/21（二）	4/23（四）	
5/12（二）	5/12（二）	5/14（四）	
5/26（二）	5/26（二）	5/28（四）	
6/9（二）	6/9（二）	6/11（四）	
6/23（二）	6/23（二）	6/25（四）	
7/7（二）	7/7（二）	7/9（四）	7/29（三）
7/21（二）	7/21（二）	7/23（四）	8/26（三）
8/4（二）	8/4（二）	8/6（四）	9/23（三）
8/18（二）	8/18（二）	8/20（四）	10/28（三）
9/8（二）	9/8（二）	9/10（四）	11/25（三）
9/22（二）	9/22（二）	9/24（四）	12/23（三）
10/6（二）	10/6（二）	10/8（四）	
10/20（二）	10/20（二）	10/22（四）	
11/3（二）	11/3（二）	11/5（四）	
11/17（二）	11/17（二）	11/19（四）	
12/1（二）	12/1（二）	12/3（四）	
12/15（二）	12/15（二）	12/17（四）	

每逢春節、端午節及中秋節，「榮民志工小組」，由作者帶隊，分赴慎修養護中心、救星教養院及關山療養院慰問關懷，致贈加菜金、水果等表達寸心之意。這三個單位的創立宗旨與發展簡介如后：

慎修養護中心：馬蘭榮家附設慎修養護中心，應前台灣省政府為加強境內身心障礙者養護照顧之需，由輔導會接受省政府委託於一九九四年十二月報奉行政院核定而成立，分兩期規劃整建，第一期一百六十八床，期逢精省，相關業務由內政部社會司概括承受。一九九八年由內政部核撥配合款進行第二期一百二十床整建，於一九九九年十二月完工啟用，至二〇〇四年十二月卅一日止，由榮家以任務編組，接受各縣市政府委託辦理身心障礙者之照護工作，為配合行政院訂定之促進民間參與公共建設法，委託民間經營。營運業務於二〇〇五年元月一日委由新北市「永和復康醫院」承接。其特色是以愛心、耐心及優良照護品質，發展以慢性病醫療、老人養護、洗腎為重點，甚獲各界好評。

最難能可貴的中心於二〇一三年七月，在台東縣政府協助下成立 VAVI「排笛社」樂團，由身障夥伴們成立的社團，以排笛、竹鐘等樂器，透過打擊樂器，肯定自己，欣賞自己，藉由音樂陶冶，朝向心裡重建與生理健康的目標邁進，VAVI 樂團對敲擊樂器日漸臻熟，擅用長處在各個角落，見證生命殘而不廢的精神，分享生命歷程，進而達到生命教育的價值。排笛社分別於二〇一四年十一月參加「心智障礙才藝大賽」取得花東第一名，代表花東參加全國比賽榮獲第二名及「不屈不撓」團體獎之佳績。中心主任涂春娥女士告訴作者：「現中心有教保組、保健組、生服祖與社工組。二〇一五年三月二十五日中心已屆十一週年院慶，在歷年衛福部評鑑均榮獲甲等，今後本中心全體職員工仍堅持著『服務、團隊、創新、感動』的四大宗旨，賡續為心智障礙者服務，盼望各界人士多給予指導、鼓勵。」

救星教養院：天主教會花蓮教區附設救生教養院（台東市山西路一段二〇七號）創院至今四十年，草創時期物質與專業不足，給予孩子僅能滿足生存條件，努力活下去。隨著時代進步，法令、教育、思維及環境進展催促下，救星引進專業團隊，力求生命尊嚴的維護、生活品質的提升，期使生活的自主性、自由度及幸福感倍增。院長高素雲有信心克服任何困難，努力推動的「合」心團隊，要將專業人力，家庭與外在環境的群眾整合起來，讓這群朋友可以回歸社區、融入社會，才是教養院的最大願景。

人們藉由參與休閒活動，能得到身心的疏解與滿足，身心障礙者與一般人同樣需要休閒生活，不能因為有障礙而剝奪其從事休閒活動的權利。因此，教養院設計多元化的社團休閒活動，設立了（一）點心社團—增加生活經驗、體驗點心製作的過程，享受美味點心（二）地板滾球社團—維持軀幹控制，促進手眼協調互動合作能力（三）電腦社團—學會電腦打字，上網找資料，FB跟家人朋友聯繫感情。中重度服務對象則在輔具協助下，學習操作電腦，嘗試和家人視訊（四）美容社團—學習臉部清潔、保養，維持身體潔淨，提升自信心。有些服務對象無法參與社團活動者，老師特別加開藝術體驗社，以一對一方式陪伴服務對象創作，做到量身打造的社團。針對每一個服務對象的需求與能力，不同的空間有不同的刺激與學習，每天必須轉換空間，孩子的肢體有更多訓練的機會。救星的孩子，是遲開的向日葵，學習的時間比較漫長、盛開的時程往往推移，但是「花開有時」，不要急著跟別人比較、也不需競速，只要用心陪伴與等待，在適當的時節，每一個孩子都會活出自己最精彩的樣貌。

關山療養院：天主教聖十字架療養院（台東縣關山鎮中正路五十五號）

在一九五五年五月五日，四位曾經在中國大陸工作的修女與白冷會的神父，一起來到台灣台東馬蘭傳播天主的喜訊。這四位修女是費玉範（Sr.Benigna Faessler）奧地利人、徐芝柏（Sr.Lima Sulzbacher）奧地利人、孟淑貞（Sr.Moderata ZwicKer）瑞士人、孟蘊范（Sr.Blandina Zwicker）瑞士人。五十年前的台東，人民生活貧困，物質匱乏，只能住茅草屋或鐵皮屋，修院的建築非常簡陋。交通只能以牛車、三輪車或自行車代步，修女們不畏艱辛，由歐洲遠渡重洋，無怨無悔的為落後、生活水準低落的民眾服務，彌補了當時醫療不足，對台東地區的醫療與文化貢獻巨大而深遠。經過五十年的耕耘與付出，修女們跨越國籍與種族籓籬，為愛付出一切的精神，贏得了國內極多的獎項，說明了台灣人民對他們的肯定與感激，也是對修會的讚美、欽佩。其中饒培德(Sr.M.Christine Lauber)修女，在台服務超過五十年，於一九九七年獲得第七屆醫療奉獻獎，二〇〇二年獲得貢獻獎。她一九三六年出生，瑞士籍，畢業於瑞士 Fribourg 護理學校，二十八歲即至台東服務，全部生命都奉獻在台灣，她說：「台灣是我的家，要做到每一絲力氣都用盡才倒下。」。

療養院目前院內四十位住民，泰半是中風、癱瘓、生活需要完全照顧的人。員工二十多人，每位的薪水比院長和所有修女都高，院長高德蘭說：「員工都領高一點，你們要養家，合情合理不過分。雖然難關重重，我們相信，只要用心去做，天主自會照顧。」對修女們而言，「困難」兩字幾乎不存在，因為他們的信仰與心志充滿了愛，沒有任何怨恨與成見，希望帶給所有人僅是溫暖與看顧。關山療養院所有修女最憂心的不是自己的生老病死，而是有誰能或是有誰願意，接下這沈重的擔子。我們深深的感嘆，為什麼有這麼多的國外傳教士和醫療人員，甘願為台灣付出一生，卻這麼少「台灣人」起而效法她們為台灣的付出呢？

「馬蘭榮家」現況簡介

一、沿革

1.馬蘭榮家面積八・二六一八公頃，成立於一九五五年七月一日命名為「台灣馬蘭榮譽國民之家」，隸屬於行政院國軍退除役官兵就養輔導委員會。

一九八一年七月一日起改隸行政院國軍退除役官兵輔導委員會，更名為「行政院國軍退除役官兵輔導委員會馬蘭榮譽國民之家」；二〇一三年六月依立法院三讀通過組織法案，整併馬蘭榮家及太平榮家，於二〇一三年十一月一日生效，分別更名為「國軍退除役官兵輔導委員會馬蘭榮譽國民之家」暨「國軍退除役官兵輔導委員會馬蘭榮譽國民之家太平分部」，迄二〇一四年十月二十一日止已疏轉淨空太平分部榮民至本家、屏東榮家及玉里分院等安置。太平榮家位處卑南鄉山麓佔地十一公頃，最多安置三千多名榮民，老兵逐漸凋零，奉令裁併，成立五十九年太平榮家走入歷史。

2.榮家總床位四〇八床，安養榮民二四八人，養護榮民一六〇人，現住安養一七一人（含民眾七人），合計三三一人，養護一六一人（民眾三十四人），佔床率八一．一三%，平均年齡八十四歲。榮家職員五十二人、員工四十四人，外包照護員、護理師、廚工警衛合計八十六人（二〇一九年二月統計）。

二、生活設施改善

1. 家區總體營造中程計劃工程。
2. 馬蘭健康照護園區整修工程。
3. 高壓路線分割改善工程。
4. 家區排水系統及駁坎道路改善工程
5. 廚房室內外排水溝渠改善工程。
6. 地下水井鑿設工程。
7. 養護榮舍屋頂防漏改善工程。
8. 安養大樓AB棟及廚房增設遮雨棚工程。
9. 消防管線暨設施改善工程。
10. 安養大樓地板磁磚整修工程。
11. 家區榮舍及設施整建工程。
12. 榮靈祠新建暨養護榮舍生活設施整建工程。
13. 安養榮舍樓梯加裝防颱窗暨增設遮雨棚工程。

14.養護榮舍C棟整建工程。

三、榮民生活輔導照顧：

（一）住民個別服務：

1.新進榮民由堂長與責任護士與個案及家屬實施聯合會談及評估，並針對個案問題研討個別服務計劃，以利堂隊服務照顧及增加家屬對榮家服務照顧之認知，與家屬建立關係緩解抱怨及糾紛的產生。

2.堂隊每日落實四清（早、中、晚及夜間清點）及交班，遇有特殊個案即列入加強關懷訪視。

3.保健、輔導緊密結合，針對住民身心靈，完成個別化評估服務計劃（家系圖、生態圖、初訪表、護理評估表等），優化服務品質。

（二）提升住民精神生活之團體活動：

1.依照堂隊不同之安養護性質，每日安排適宜之堂隊活動課程。

2.定期安排不同宗教志工團隊，每月進入本家實施宗教關懷活動或心理講座。

3.每年元旦、春節、清明節、端午節、中元節、父親節、中秋節及榮民節均運用資源至家區辦理活動。

4.每月分別於安養堂及養護堂舉辦慶生會。

5.每三節前夕舉辦家屬座談會及心理講座。

6.每半年舉辦榮民才藝競賽，邀請社區長輩及外住榮民共同參與。

7.每年與佛光山日光寺共同舉辦浴佛節活動。

8.二〇一四年起成立電腦平版專區規劃打地鼠等活動訓練感官，設置佛（教）堂提供榮民宗教休閒活動處所，另配合年節慶典活動辦理競賽活動、慶生會活動及邀請社會團體團隊演出，並定期舉辦電影欣賞活動，豐富休閒生活。

（三）帶動榮民至社區，增加社會參與機會：

1.不定期應社區機構或軍方單位邀請參加單位所辦理的活動。

2.每半年舉辦自強活動。

3.二〇一四年本家共計十位榮民參與文化部推動之國民記憶庫活動。

（四）二〇一四至二〇一五年本家實施樂齡學習活動之課程，如快樂學電腦、衛生健康講座、心靈成長、認識失智症；藝術創作、音樂照顧、音樂律動、園藝植栽、棋藝、書法、身心舒展、影片欣賞、高智爾球、茶道、咖啡品嘗、口布教學、音樂欣賞等。

（五）提供養護榮民一般、碎食、流質、半流質、管罐等伙食供應，並佈置『陽光走道畫展』用餐環境，各樓層均設有專人專責協助信件收發，證件申請、疾病送醫、疑難處理、資料填寫等日常生活服務，以愛心、耐心與關懷協助榮民解決生活及心理上諸般問題。

（六）二〇一三年成立門診服務，由專業復健醫生及復健生提供榮民醫療保健服務。

（七）二〇一五年四月引進衛政資源推動「遠距健康照護」系統，設立「健康測量站」，增進社區及住民之自我健康監控及疾病管理。

四、資源共享與聯結：

（一）關懷據點：

1.二〇〇六年九月一日結合馬蘭社區發展協會於本家成立社區關懷據點，迄今該據點仍持續活動。

2.二〇一四年四月結合台北榮總台東分院於本家成立樂智社區關懷據點活動。

3.本家自二〇〇九年八八水災起至二〇一五年已接受緊急安置一九一人次。

(二) 學校資源：

1.二〇一二年八月與普門中學合作至家區辦理生命教育關懷活動，迄今仍持續合作辦理中。

2.二〇一三年二月引進台東分院身心科日間病房師生至本家養護堂實施音樂活動表演。

3.二〇一三年起引進縣內高職、高中、國中及國小之學生至家區實施生命關懷教育活動。

4.二〇一四年與大仁科技大學合作辦理通識教育之服務。

5.二〇一四年九月及二〇一五年三月與國立台東專科學校簽訂合作支援協定，引進園藝科、品嘗咖啡等。

6.二〇一〇年起本家接受國立台東大學、稻江管理學院、東海大學及美和科技大學等校之社工相關學系學生至家區實習。

(三) 縣政府資源聯結：

1.二〇〇九年起接受縣政府委託緊急安置，二〇一五年本家釋出緊急安置床計十床。

2.二〇一四年起與縣政府簽定低收入戶老人安養之委託照顧計十二人。

3.參加縣政府辦理之社會工作人員在職訓練活動。

4.二〇一五年派員參加縣政府辦理之社工日活動。

五、緊急意外事故處理流程：

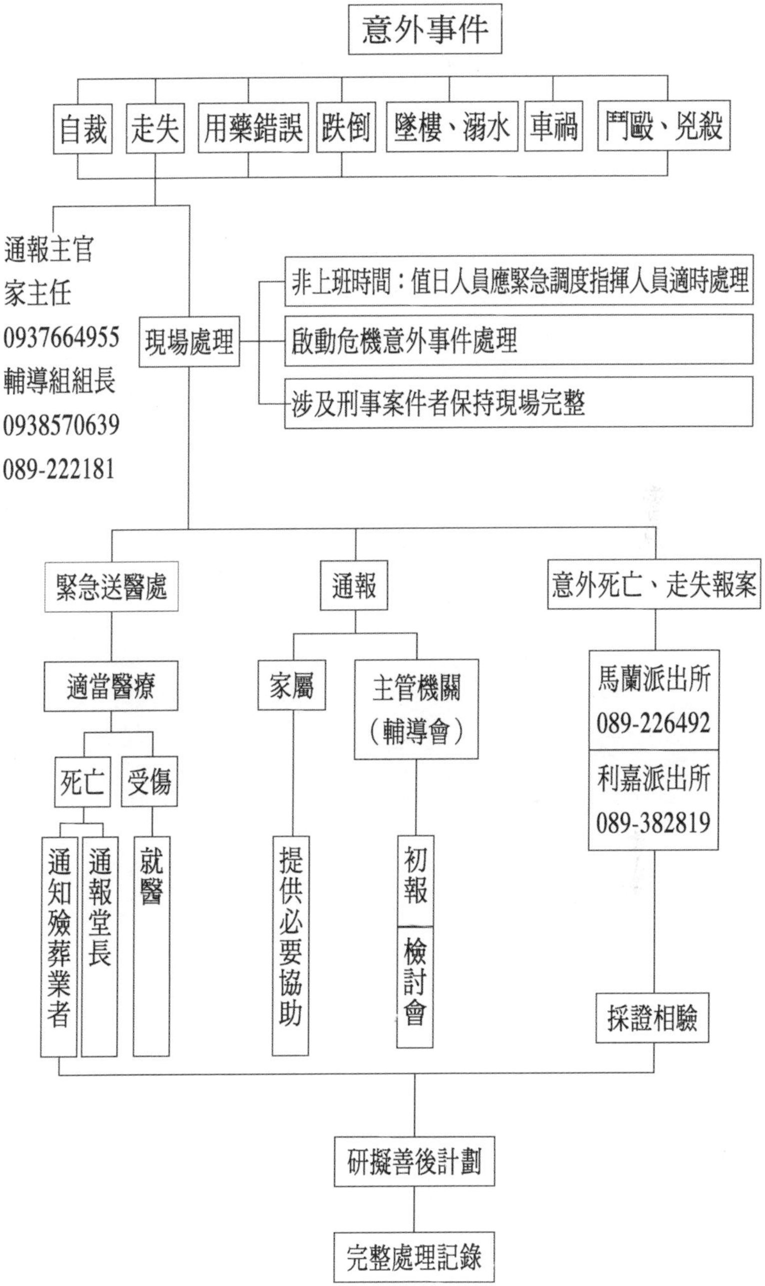

台灣史前文化博物館

位於台東新站附近的卑南遺址，是迄今所發現全台規模最大，地下出土文物最豐富的遺址，也是東南亞地區最大的墓葬遺址。由於卑南遺址的發現，仍有台灣第一個史前遺址卑南文化公園的設立以及第一座以史前文化、南島文化為研究、展示中心的國家級博物館「國立台灣史前文化博物館」的誕生。

「卑南遺址」大規模開挖，自一九八〇年至一九八八年止，長達九年的發掘工作，挖掘面積廣達一萬平方公尺，出土一千五百多座墓葬與兩萬多件陶器與石器，豐富的卑南文化遺產，完整呈現在國人面前。這座博物館位在南邊鐵路康樂車站的右側，佔地一〇·六公頃，是世界知名建築與室內設計大師英國麥可楊 (Michael Young) 的傑作。

孤懸在太平洋上的「蘭嶼」，為台灣第二大島嶼，僅次於澎湖，與綠島同屬於台東縣離島鄉。全島面積四五·七四平方公里，周邊長三八·四五公里，地理位置在台東東南外海，距離台東市區四十九浬，北距綠島四十浬，西距墾丁鵝鑾鼻四十一浬，南距菲律賓巴丹群島最北端的無人島僅四十浬，最高峰為五四八公尺的紅頭山。據文獻記載，荷蘭人曾於一六四四年（明崇禎十七年）來到 Botel 即蘭嶼之意，至於島上的達悟族人，則稱蘭嶼為 Ponso no Tao，意為「人之島」。

蘭嶼島上有四個村、六個部落，分別是椰油村、紅頭村（紅頭、餘人兩部落）、東清村（東清、野銀兩部落）及朗島村，鄉公所設於椰油村，島上有一所中學、四所小學，居民不到五千人，其中達悟族人約四千人。是台灣原住民族中，唯一的海洋原住民族群，也是單一地域族群。遠在數千年前，達悟族的祖先由菲律賓北方的巴丹群島遷徙至蘭嶼定居，和巴丹島上的伊巴丹族有很深的淵源關係，雙方居民及地方政府曾正式互訪，至今時常往來，交流密切。達悟族人生性善良，崇尚自由平等，與其他原住民族最大的不同，在達悟族沒有階級制度、無地位尊卑之爭議，人人平等和睦相處。達悟族是海洋民族，和海的關係密不可分，於是發展優美的海洋文化與獨特的傳統習俗。造型別緻、圖案美麗、色彩鮮艷的拼版獨木舟，表現達悟族人極精巧的造船工藝。達悟族人的三大祭典是「飛魚祭」、「祭神祭」及「小米收穫祭」，民俗祭儀別具特色。達悟族人不往高處，而在島嶼四周海邊建立聚落，山坡讓給樹木、草原；坡下的緩坡，各家分別開闢一塊塊面積不大的栗田、芋田，作為澱粉食物來源。動物蛋白取自濱海，初夏迎接南方黑潮北上的飛魚以及鮪魚、鬼頭刀等掠食魚類。部落漁場，有嚴格區劃，不能逾距，男女老少，各有吃的魚種，鍋具不能混合，這是自律、敬天而有節制的民族。

蘭嶼的生態豐美，白天的珠光鳳蝶、夜訪角鴞，是兩大特色；傳統人文景致，則非拼板舟、地下屋不可。拼板舟每艘刻繪圖形各不同，舟上紋飾除了人形紋，多由同心圓組成，太陽光芒般往外放射的眼睛，是舟上必有的「船眼」，刻繪在船頭與船尾兩側，船身多以紅、黑、白三色為主，圖騰展現強烈的民族風格與氣息。至於「地下屋」在野銀部落，每套有三間，包括建於地下的祖屋、旁立的工作房及涼亭，村內保有農作空間，隔絕村外熙熙嚷嚷的遊客及急速而過的機車。達悟族先民依地勢將房子地下化，不僅採光、通風、排水良好，更不怕房子被狂風暴雨吹走。地下屋是達悟族人生活智慧的結晶，是全球獨有歷史建築文化，最終目標要爭取登錄為世界遺產。

綠島依山面海，青山環繞，青翠的山巒，綿綿的草茵，不僅是山明水秀，自然景觀，神秘五彩繽紛的海底世界，地理環境得天獨厚的清新空氣，海水未受汙染，海洋生物種類繁多，海底景觀豐富，五顏六色珊瑚瑰麗，搭乘玻璃透明底遊艇，瀏覽壯觀的海底世界。綠島在台東東十六海浬的太平洋上，從台東搭乘小飛機十五分鐘可抵達，綠島有環島公路十七公里，擁有世界極少數的四處海底溫泉之一的「朝日溫泉」，另三處分別在日本、琉球及義大利。沿海天然岩洞林立，有大白沙、馬蹄橋、石朗、柴口等浮潛區，對喜歡玩水的遊客是一大享受。綠島過去設有監獄，關過不少政治犯，現址改為人權紀念公園，記錄台灣民主歷史發展的過程，另有綠洲山莊，可供遊客參觀，窺見昔日被關政治犯生活情景。

俗稱綠島「大香菇」，在十八公尺深海底，至今長了十公尺高、直徑五公尺寬；活體蓋頂，距離水面八公尺，只要能照到太陽的部分，珊瑚就能夠繼續生長。其綠島團塊微孔珊瑚，存在至今已兩千年，是全球壽命最長、體積最大的團塊微孔珊瑚，一直是國內外潛水愛好者必遊勝地，被國際潛水界評為世界十大潛點之一。

溫泉泡湯養身保健

溫泉養身早在神農時代，記載古人對溫泉的認識與利用，因溫泉富含陰離子，具有療癒神經系統、消化系統與循環器官疾病的功效。隨著溫泉發展從療養到休閒旅遊，各種以溫泉揉合調理與食膳的養生，使人寓養生於休閒之中，體驗溫泉潤澤感官的鬆馳。溫泉業者呼應現代大眾追求養身健康的理念，以複合式的經營形態，結合水療池、SPA按摩、三溫暖、藥浴等設施，讓溫泉泉質和物理刺激體內形成有益於治療作用，促進身體新陳代謝，注入豐富活力。

中國古代也講究泡溫泉，而且認為溫泉可以治病，是通行的民間保健醫學知識。酈道元（四七二年—五二七年）的《水經注》卷三十一，記滍水流經河南魯山縣一帶，就說到可以療疾治病的溫泉，特別有名的是皇女湯：

「又東，溫泉水注之。水出北山阜，七源奇發，炎熱特甚。闞駰曰：縣有湯水，可以療疾。湯側又有寒泉焉，地勢不殊，而炎涼異致，雖隆火盛日，肅若冰谷矣。渾流同溪，南注滍水。滍水又東逕胡木山，東流又會溫泉口，水出北山阜，炎勢奇毒。腐疾之徒，無能澡其沖漂。救養者咸去湯十許步別池，然後可入。湯側有石銘云：皇女湯，可以療萬疾者也。故杜彥達云：狀如沸湯，可以熟米，飲之，愈百病。道士清身沐浴，一日三飲，多少自在。四十日後，身中萬病愈，三蟲死。」

我們現在說起溫泉治病，經常引述日本的報導，好像是日本人發現的自然療法。其實。從魏晉南北朝一直到隋唐，道家修習養身的典籍中，有不少這類醫療的記述。

台灣溫泉的最早文字記錄，是清康熙三十六年郁永河所著「裨海紀遊」，他在一六九七年到台北北投來採硫，書中描述：「石作覽靛色，有沸泉，草色萎黃，無生意。山麓白氣謠，是為磺穴。穴中毒煙噴人，觸腦欲烈。」書中的「沸泉」，是指今日的硫磺及龍鳳谷溫泉。一八二五年「湯圍（礁溪）溫泉」被選為蘭陽八景之一。台灣主要溫泉區，都是在日治時期開發，例如一八九六年台灣第一所溫泉旅館北投「天狗庵」落成。一九一三年（大正二年）日本政府興建了北投溫泉公共浴場，即今日之北投溫泉博物館，一九二三年日本裕仁太子曾至北投視察溫泉。

台灣是全世界溫泉密度最高的地方，根據經濟部水利署統計，已知溫泉徵兆區達一二一處，目前除了雲林縣、彰化縣及澎湖縣，迄未發現有溫泉露頭之外，其餘各縣市均有溫泉分佈，其中以台東縣、宜蘭縣及南投縣分布之溫泉最多。

依據母校嘉南藥理大學歷年來的實地研究，這一二一處溫泉若以個數論，其PH質性質，以中性及弱鹼性溫泉最多。多數分布在雪山山脈、中央山脈板岩區與大南澳片岩區，少數分佈於西部麓山帶、蘭陽平原、海岸山脈、綠島、大屯火山區及龜山島。台灣溫泉依「所在的地質區」、「化學特性」與「溫度高低」等予以分類。

依溫泉所在的地質區分類：

1. **變質岩區**：是台灣溫泉最多的地方，其熱源主要是來自地溫梯度，只要有水的循環滲入，就易於形成高溫的熱水儲存於地底下並上湧到地表，因而形成溫泉。約有三分之二溫泉位於此區，即雪山山脈帶、中央山脈板岩區與中央山脈大南澳片岩區。

2. 沉積岩區：台灣有五分之一的溫泉屬於沉積岩區溫泉，其海拔最低、溫度偏低、數量也最少，但泉質特殊的名泉，如關子嶺和礁溪溫泉，除了溫泉具硫酸根離子外，多數沉積岩區溫泉均屬碳酸鹽泉或氯化物泉，泉質較單純。台灣地區從南到北、從東到西部有沉積岩或沉積物的出露。其中分佈最廣、出露最厚的是西部麓山帶，介於西部海岸平原和中央山脈之間的地區。

3. 火成岩石區：四分之一溫泉屬於火成岩區溫泉，除了綠島、龜山島兩個離島溫泉外，其他全集中在新北市大屯火山群，範圍和陽明山國家公園高度重疊。台灣的火成岩依板塊構造，分為三個區域：一是西部火山岩區；二是北部火山岩區；三是東部海岸山脈及綠島、蘭嶼的火山岩區；四是宜蘭外海龜山島自成體系。

依溫泉的化學特性分類：

依據溫泉化學成分中的陰離子：碳酸氫根、硫酸根與氯離子的含量，可將溫泉分成碳酸鹽泉、硫酸鹽泉與氯化物泉三大類。台灣溫泉大多屬於碳酸鹽泉，少數屬於硫酸鹽泉與氯化物泉。

依溫泉的溫度高低分類：

溫泉依流出地表時的溫度分類，為低溫溫泉、中溫溫泉、高溫溫泉及沸騰溫泉等四種。低溫溫泉介於49度C至高於年平均溫5度C間的溫泉；中溫溫泉出露地表的溫度若大約在50度C至74度C間；高溫溫泉出露地表的溫度若大約在75度C至96度C間；沸騰溫泉出露地表的溫度若高於97度C、泉水有沸騰現象，且常伴有蒸氣出現。

一般人都是天冷才去泡溫泉，其實在夏季泡湯在於陽光讓身體的末梢血管與肌膚毛細孔擴張，身體循環變好，促進新陳代謝，大量排汗，達到氣血通暢的養身效果。至於患有心血管與糖尿病患者，若要泡湯，建議半身浸在42度C以下，全身浸泡以40度C為宜，且一次不超過十分鐘。作者同學薛憲政教授夫婦，每週從桃園開車到烏來泡湯，每次看到他精神奕奕，健康硬朗。老少咸宜的泡湯文化，結合「溫泉」、「美食」與「在地特色」等主題，已成功帶動溫泉旅遊熱潮，讓民眾體驗泡湯的各種樂趣。以下是泡湯禮儀須知，提供民眾參考：

1. **脫衣**：在大眾池（大眾湯）泡溫泉，進入時應先將所有衣服脫下，連同大浴巾一起放進籃子裡，並拿洗臉用的毛巾進入浴場。

2. **洗淨**：大眾湯為公眾使用，因此衛生格外重要，進入浴場後，應先把身體洗乾淨再入池；若泡湯處沒有衛浴設備，可用水盆將溫泉水舀出使用。

3. **暖身**：以溫泉水洗淨身體除了衛生外，還有暖身作用，利用溫泉水洗澡或是初入池時，要從離心臟最遠的腳部開始淋水，待身體適應溫度後，再依序往上。這個步驟可預防血液突然集中腦部，避免引發暈眩的危險。

4. **入池**：入池後可先做一些輕鬆的運動，例如疏鬆手腳的關節、按摩手足的筋肉、彎彎腰部等，有助促進新陳代謝。並切記大眾池是公共空間，動作不宜過大，以免妨礙他人。

5. **休息**：充分享受泡湯的樂趣後，不必再沖澡，可使溫泉的效用維持得更久。泡溫泉其實會消耗許多體力，為了恢復身體狀況至少要休息半個小時，並多補充水分後，在從事其他活動。

健康小叮嚀：

1. 入浴前應先徹底洗淨身體。

2.患有心臟病、肺病、高血壓、糖尿病及其他循環系統障礙等慢性疾病者，應依照醫生指示入浴。
3.入浴前後應適量補充水分。
4.入浴應依序足浴、半身浴、全身浴，浸泡高度不宜超過心臟。
5.入浴後有任何不適，請立即出浴並通知服務人員。
6.長途跋涉、疲勞過度或劇烈運動後，宜稍作休息再入浴。
7.患有傳染性疾病者禁止入浴。
8.女性生理期間禁止入浴。
9.禁止攜帶寵物入浴。
11.孕婦、行動不便者、老人及兒童，應避免單獨一人入浴。
12.酒醉、空腹及飽食後，不宜入浴。
13.入浴時間一次不宜超過十五分鐘，總時間不宜超過一小時。
14.出浴後不宜直接進入烤箱。

人生「八十四」歲才開始

最近看了一本讓人啟發的好書，這是日本赤津董事長於二〇一四年元月，寫了關於他人生豐富閱歷自傳的書「人生八十四歲才開始」。他身為日本最大品牌瓦斯及最大瓶裝水配送事業的董事長，為戰後的日本與瓦斯能源的應用，開創新的面貌。這本書記錄了他精彩的豐盈生活態度：「我們短暫的一生，是不是需要有什麼能見證自己的活著要素呢？我認為那種氣概就是所謂『勇氣』。每一個階段都是一次人生重大的轉變，我認為失敗也行，一次兩次的失敗，第三次一定會成功」。赤津仍不斷為整個社會及他的人生奮鬥，關心地球未來的能源發展問題，要努力做到不能作為止的積極態度，透過這本書，傳達給社會大眾，激勵每一位讀者心中都能產生無比的勇氣。全書分三部敘述：

第一部要讓人生更加輝煌閃亮：他在八十五歲仍活躍於瓦斯經營，雖然曾歷經心臟停止跳動七分鐘的大手術，體內裝著人工血管，希望年輕人能抱持見證自己活過的勇氣。金錢帶來知性生活的原動力，要作六十歲後的生涯規劃，來培養共通的興趣，新穎的溝通會有嶄新的想法，找出有意義活下去的目標。工作上拼命的男人和女性之間的關係多姿多彩；生長在「大正」浪漫時代，為愛而活的男人；就是自由的現在才有改變人生的戀情。

第二部未來能源的演變：他在三十年前即著眼於家庭電能使用系統，其他公司不願做的系統，他的公司就來承接，為了能源的未來，反覆不斷的挑戰現況。以現狀的肯定，否定及變革三種觀點來思考，十年後的預測真正實現了，不要沉浸於現在特點的榮景，要放眼未來。他在石油衝擊下思考能源的發展，針對資源的浪費提出對策，研發汽電共生，解決了聲音和震動問題的燃料電池。為了讓消費者選作能源，他降低價格，推廣「高級優良天然瓦斯」的名號，廢核電，集結業界發展及汽電共生，為人類的未來開創能源多樣化的時代。

第三部我的人生：他出生於福島，東京長大，曾申請陸軍服役，到中國東北忍受嚴酷操練，也在南京、上海等地參戰。一九四五年派至中國大陸的陸軍總司令岡村寧次，公開宣布被俘虜的日本官兵「全員返國」，他是其中之一，那時才十七歲。返日之後，跑外務、會計、配送等工作，他向父兄徵求轉換跑道，孤軍奮鬥的瓦斯事業，他的眼光準確，看到都市化限定了煤炭的使用，石油爐不適用於廚房調理，他花費十年重整企業，挑戰便利超商事業，反對設立瓦斯分裝場，同時收購九州瓦斯公司，也跨足安全的飲用水宅配事業，成為全日本第一的水宅配。他相信熱能就是文化，人類使用煤炭、油、瓦斯的能源變遷，發熱效率愈高，文化水準要隨之提升。他一向遵守經營策略的基本原則，預測五、十年後的社會變化，為目標作研究、投資、把經營的信念，傳承下一代。

以台灣的張忠謀來說，他出生於一九三一年七月十日，現年八十八歲，浙江省鄞縣人。一九八六年他在美國有優厚待遇，當時總統府資政李國鼎之邀，來台成立「台積電」，開啟全球首創的晶圓代工。台灣積體電路製造有限公司董事長，也被稱為「台灣半導體教父」。他是麻省理工學院董事會成員和全國機械科學院院士，同時擔任紐約證券交易所、史丹福大學顧問，在西方社會工作生活將近四十年。他和夫人張淑芳差十三歲，她雖然沒有傲人學歷，但溫柔體貼，聰明慧黠與處世圓融，深深吸引張董事長的魅力。近年來開始義工及修禪活動，追求心靈上的平和寧靜。全世界的IC設計公司都成為他的客戶，市佔率逼近百分之五十，最熱賣的iphone和ipad裡，都藏著台積電的產品。董事長說：「技術領先、生產製造能力領先與客戶信任，才是公司屹立不搖的關鍵，我的經驗和習慣，是做世界級領導者，我還有雄心！」他的名言佳句：

- 「創新」不只是做出了不起的發明，而是勇於改變。員工不能崇尚個人英雄主義，要重視團隊合作。
- 不輕易承諾，一旦承諾赴湯蹈火履行，這是一種責任也是一種信譽。常因礙於情面或一時之利而勉強答應，結果除帶給自己很大的壓力外，亦可能造成嚴重的後果，故承諾之前當思之再三，切莫感情行事，造成難以彌補的遺憾。
- 不管人生或事業，都是像跑馬拉松，成功往往是長久的努力，不是一、兩年就能做到。
- 這一生最大財富就是培養學習的能力，這也是所有大學生都要學會、要具備。

- 中文與英文這雙語文要講的像母語一樣，不斷的反覆學習，才能應付裕如。
- 年輕人要開始思考未來從事什麼職業，學會什麼一技之長，這一生要訂下目標。
- 以前電腦需要半導體；現在雲端技術、手機及平板電腦，更需要半導體；台積電就站在半導體的中心。

兩次當選「榮民楷模」

二〇一五年十月份是國家的大「喜」月——十月十日國慶日、十月二十五日台灣光復紀念日、十月三十一日蔣公誕辰紀念日暨榮民節。亦是中華民國在一年十二個月當中，十月份是節日慶典最多且最熱鬧的月份。作者有幸，在這十月份裡，就參與了雙十國慶及榮民節，緊接著在十月三十一日參加了全國成人泳賽。僅將個人之感受抒懷列述如次。

一「喜」獲邀國慶觀禮

輔導會遴選十位榮民代表，參加慶典活動，作者受邀之一，我們於十月十日上午九時前往指定地點報到，經過三道關卡嚴密檢查，遂由銘傳大學連續擔任國慶禮儀服務已屆三十一年，美麗又端莊的同學，引領至南一區第三排就座。我們身穿「榮民代表」的紅背心，位置特別顯明。九時二十七分序幕展開，由國防部聯合樂儀隊精彩表演，指揮大隊長是一位優秀穩健的女性曹維琪上校。「聯合樂隊」是由國防部示範樂隊及陸、海、空軍樂隊編成，平時負責執行國家各項典禮演奏，外賓訪華軍禮，國宴及重大慶典表演；公勤之餘，組成管樂、弦樂、打擊、重奏等樂團，呈現多方位風格。「三軍儀隊」由陸、海、空軍儀隊編成，是國軍的「榮譽部隊」，主要任務為外國貴賓歡迎軍禮，國家重大慶典活動表演及駐防國民革命忠烈祠、中正紀念堂、國父紀念館、慈湖、頭寮等地擔任禮兵任務，其禮兵交接儀程莊嚴肅穆，聞名國際，去年吸引七五〇萬觀光人次，爭相目睹，展現國軍精實壯盛。

十時大會開始之際，五架空軍雷虎特技小組，以紅、藍、白三色勝利彩煙，四五〇公里速度，通過觀禮台，氣勢磅礡，向總統表達崇高敬意。雷虎小組成立於一九五三年，自一九八八年起，使用國人自制的 AT-3 自強號攻擊教練機，擔任飛行特技操演任務，以展示國防科技進步的工藝水準及宣揚空軍精湛飛行戰技，進而激勵國人民心士氣。唱國歌由景美女中領唱，此項殊榮是因該校拔河完成世界盃三連霸，為國爭光，贏得全世界的目光與敬重。

馬總統向全體貴賓、僑胞及各界觀禮人士，致詞的內容要點：第一、國家生日意義深遠，七年努力成果豐碩；第二、兩岸和平廣受支持，國際空間大幅開拓；第三、兩岸現狀維持不易，盼後人延續目前做法。提到五項原則—不統、不獨、不武、九二共識、一中各表；以台灣為主，對人民有利；先急後緩，先易後難，先經後政；對等、尊嚴、互惠。

兩個小時慶典活動，圓滿順利完成。與會人士，每人戴著大會分發旗帽及手執一面小國旗，洋溢活力陽光，熱情奔放，象徵國家生命旺盛，共創國家新未來。席上民進黨主席蔡英文，率領廿三名黨公職參加，這是國民黨執政七年來，民進黨第一次參加國慶，但願今後，每年國慶大典，能不分黨派，朝野目標一致，攜手合作，共同為中華民國而團結奮鬥。

二「喜」榮民楷模表揚

作者在台南榮家六年，曾當選過第卅三屆榮民楷模。二〇一四年八月一日始由台南榮家遷至台東馬蘭榮家。二〇一五年八月初，榮家輔導組組長李翠蓉告訴作者，家主任王世庚召集各一級主管，討論今年三十七屆榮民楷模，推薦人選，結果一致通過作者參加角逐。作者多次懇求表白推辭，已當選過就不必再薦舉，惟承辦部門說：「這一年來你在榮家貢獻最多，具體事蹟明確，請代表本家爭取榮譽」等語。就這樣「加油添醋」的事證資料配合多張照片呈報輔導會，又當選了楷模。本屆共有二十位榮民楷模，在十六個榮家當中，只有四個榮家當選，其餘十六人均為各地榮民服務處所推舉。王壽美同學由台南榮家推薦而當選，四人當中就有「曉園」二人選上，王同學的優良事蹟，更值得頌揚。作者在台南榮家擔任「自治管理會」首任會長，王同學續接第二任會長，據台南榮家主任范福平（十二職等）當面向作者稱：「你的同學王壽美，在榮家服務工作，表現甚為傑出，榮民楷模都被你們五期沾光了！」五期在台南和台東榮家為榮民長輩服務的精神，獲得輔導會長官的嘉許及榮民伯伯的稱讚。作者深感慚愧，個人只是盡一點心意而已，實在「微不足道」，爾後仍本著一切結緣，往「願力」向善。

十月廿九日下午二時至三時赴台北馥敦大飯店南京館報到，二十位榮民楷模準時報到完畢，每人分配一間套房，在飯店休息時，輔導會專門委員張長林，來房間向作者說：「下午五時總統接見楷模，主任委員董翔龍請你代表向總統致謝詞。」下午四時我們搭上巴士前往總統府，於五時許，總統蒞臨，除了榮民楷模之外，還有海外榮民代表三十人。作者安排總統右座，主任委員在左座。總統先與各楷模、代表逐一握手並贈送每人水晶製「總統府」模型乙座。總統致詞特別對榮民忠愛國家，擁護政府及關懷弱勢族群表達衷心感謝，也提及政府的政績，對兩岸維持和平之策略。總統致詞完畢，由作者代表致謝詞，內容大意是：一、總統百忙中撥冗接見，全體楷模、海外代表甚感榮耀，備極振奮；二、七年來總統無微不至關照榮民生活起居，身體健康狀況；三、今年是我們對日抗戰暨台灣光復七十週年紀念，政府隆重「頒勳」表揚榮民，深具歷史意義；四、四十萬榮民矢志「保家衛國」做政府後盾；五、促進社會更溫馨、更祥和。會後，總統與全體楷模、代表合照並分別和每位合影，值得珍惜留念。

下午六時三十分在台北市紅豆食府餐廳，舉辦歡迎餐會，由主任委員主持，席間，王同學代表致詞，內容生動、感人，博得會場楷模、海外代表熱烈掌聲。王同學、作者被安排與主任委員伉儷同桌，彼此敬酒頻頻交談，氣氛熱絡，至為愉快。十月三十日上午九時全體搭巴士，由飯店至輔導會，參加慶祝成立六十一週年暨卅七屆榮民節大會，在十時慶祝大會之前，輔導會安排作者接受「軍聞社」專訪錄影。我們二十位楷模，頒獎時一一上台，司儀唱名報告獲獎事蹟並與主任委員合影留念，每位備感榮幸。

三「喜」全國泳賽得獎

十月三十日下午二時楷模活動全程結束。作者「馬不停蹄」趕赴竹北和紅十字會「水安隊」會合，準備參加十月三十一日與十一月一日兩天的「全國成人分齡游泳錦標賽暨國際邀請賽」，於新竹縣體育場游泳館舉行。全國總共八十三隊報名競逐，其中男選手四九四人，女選手二〇四人，總共六九八人，日本、香港等地區也派選手參加，含八十歲以上廿四人，九十歲以上四人，老當益壯，志在參加，可喜可敬。作者說來是「常客」，老馬識途，南征北討，目的在健身，名次求其次，可從比賽中，汲取別人的泳姿技巧；從交談中，結交志同道合的「泳友」。游泳館設備完善，採光透明，水質清澈，選手區、觀禮台座位舒適寬敞，選手們十分滿意。

十月三十一日晚上六時，大會在竹北「江屋」日本料理店席開八十桌「選手之夜」大會餐。成人泳協總會長林添進在場邀請各縣市游泳隊，明年希望有更多選手參加在中部舉辦的比賽，會中還提到已與大陸相關部門研商，明年起兩岸愛好泳者，多方互動，切磋泳技，增進彼此感情。看樣子作者有機會「大展身手」到大陸各地競賽強身。

作者這次參加一百及兩百公尺自由式，兩式均第五名，獲獎狀乙幀。人家說：「藝高人膽大」，而作者藝不高，從容與別人較量而已。比賽進行中，要視本身的體能狀態，妥作配速，量力而為，看到有些選手，前段拼命游快，後段卻「暴胎」，無法游完全程。提醒喜愛游泳男女士們，不可好高鶩遠，健身第一，奪標其次。

附註

註一：余光中（一九二八－二〇一七）教授，福建泉州永春人，畢業於台大外文系、美國愛荷華大學藝術碩士。歷任東吳大學、師大、台大、政治大學及香港中文大學教授，中山大學外文系教授兼文學院院長、外文所所長。創作文類包括論述、詩、散文等，以詩歌創作為主，復以散文及評論揚名。最為人熟知的作品《鄉愁》象徵著許多大陸中國人和海外華人，感受到的苦痛分離、流離失所，以及對文化統一的渴望。

註二：夜鷺俗稱「暗光鳥」，因多在晨昏或夜晚活動覓食，發出粗啞「呱、呱、呱」聲音，是一種很聰明的鳥類。主要取食小魚、蛙類、蝦等水生動物，集群繁殖在樹上營巢，由樹枝搭建，內部墊以柔軟材料。夜鷺，雄雌同形同色，成鳥體長約四十至六十五公分，上體和雙翅為暗灰色，下體略帶乳黃色，頭頂上有兩到三根細長的白色蓑羽。

蘭嶼鄉

臺灣唯一的海洋原住民族群，原始奔放的海上公園。黑潮的飛魚，帶著海洋的祝福，睜著大眼的獨木舟，划出大海的情緒。飛魚祭、頭髮舞與小米祭，歌頌神祕的海洋文化之鄉。

綠島鄉

臺東遺世獨立的海上明珠，朝日溫泉是全臺唯一的海上溫泉，在溫泉中享受日出、月昇、燦星、綠山與藍海，懸崖與山丘開滿野百合，襯托純白優雅的燈塔，守望大海生命。

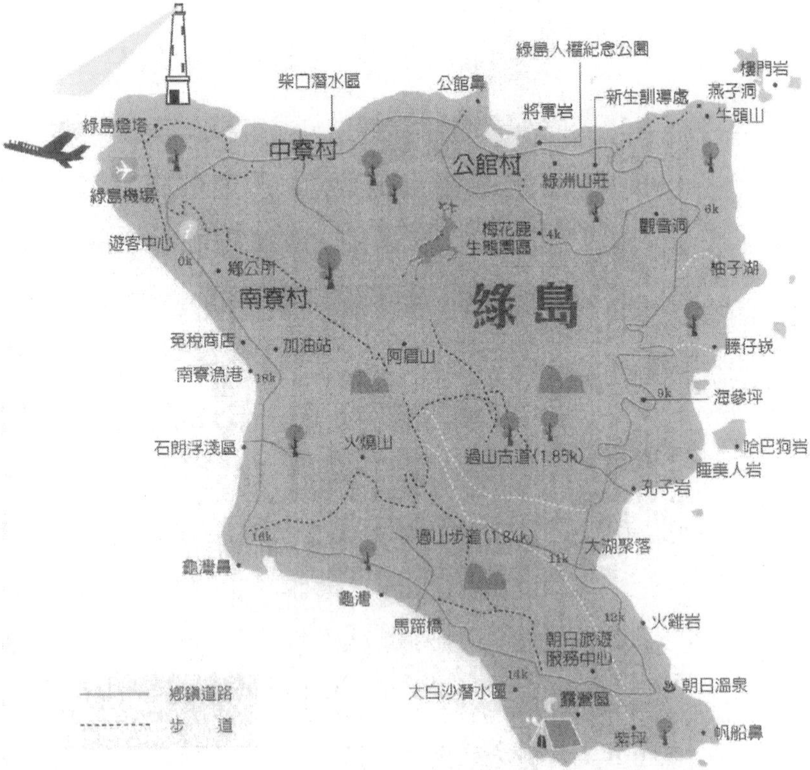

第十三章 紅十字會終身志工

「水安隊」光輝歲月

作者自二〇〇三年五月十一日接受紅十字會水上安全工作隊「救生員班」訓練，在三年之內，經過了高級泳訓班、游泳教練班、十式班等各階段之嚴訓，直至二〇〇六年五月七日正式取得第十期「救生教練」。十六年來，在「水安隊」曾擔任文書組長、副總召、台北市隊長、副總幹事及救生員班和高級泳訓班總教練、顧問等職務，不時向前輩請益討教，獲益匪淺，至感銘謝！總會副會長陳豐義先生（註一），經常前來慰勉志工，並屢次撥付訓練器材，為本隊同仁所推崇的一位令人尊敬的長官。本會成立於一九八五年元月二十六日，現有會員達五千餘人，其中救生教練五百餘人、游泳教練四百多人，每年五至九月赴三峽大豹溪（註二），服勤救溺每年平均五十五人。本會「教育訓練」構建表解與「水安隊歌」如下：

【教育訓練表解】

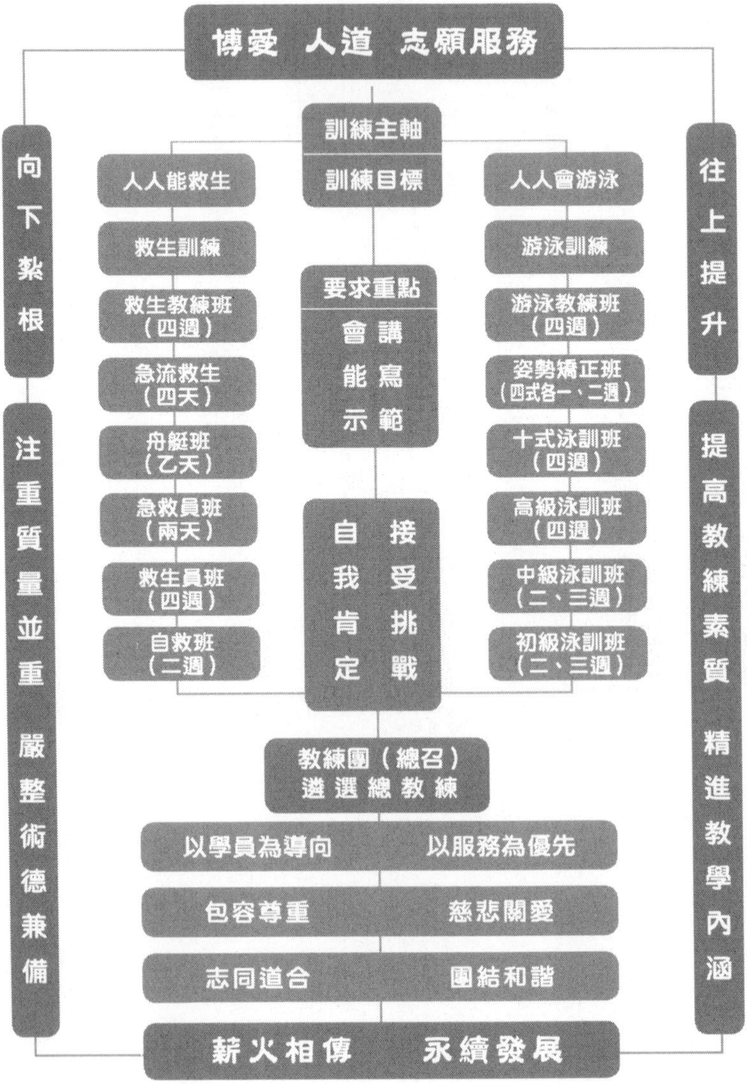

這是咱的水安隊

詞／曲 黃建銘

※ 前會長吳家煌於二〇一五年就任伊始，創立「合唱團」，十期李培俊教練捐獻十五萬元，並聘請黃淑惠老師，於每星期一晚上教唱。

最難能可貴的一件事，即二〇一八年本會產生了第一位女會長陳美芳，具有總會頒發之「救生與急救」兩種高級教練執照。她聰慧能幹，處事圓融，且體力過人，光環十足。總會常指派她赴大陸、港澳地區擔任講座，以「女強人」稱呼實不為過。作者除了參加會裡各項活動之外，不揣淺陋，將訓練心得，投寄每月出刊「會訊」上，藉以彼此觀摩，交換意見，吸取新觀念。僅將較具重要篇幅分別予以列述。

教練應有之涵養與必備條件

壹、前言

一個人雖然在泳技方面，比別人高超，但是在品德操守上，卻留有污點，那麼這個人在團隊裡面，不可能受同事的喜歡與大家的欽佩。「品格高尚、學能俱佳、樂於合群、泳技精湛」這才是我們水安隊的理想目標。

貳、應有之涵養

一、樹立正確觀念

學習游泳除可健身體魄，還可教人喜樂，要做到「作之師、作之親、作之友」之心態，像老師無怨無悔的教導，如親人無微不至的扶持；有如朋友情誼待之，每當學員「開花結果，苦盡甘來」之時，就是教練「滿懷喜悅」的心境。

二、親切關懷學員

教練給人的第一印象，就是「親切的態度」，面容常帶微笑，如沐春風，與人見面微微點頭，打招呼，這都是教練常受學員「歡迎」的法寶，惟多數人忽略了，不是倔傲不理，就是一付「高高在上，唯我獨尊」的模樣，很難令人起敬。人與人之間，貴在相互關心，您關照學員，打從心底學員會無限的感念。

三、愛之深說之切

學員不會游泳才來學習，教練沒有誠意細心的話，學習成果大打折扣，僅記「沒有學不會的學員，只有沒盡職的教練」。對每位初學者，視其反應之靈敏、手腳配合度、吸收能力等不同差別，作反覆練習，「一回生兩回熟」，用懇切的語氣，多慰勉鼓勵，使學員從「怕水、嗜水進而能游、會游」。

四、不爭功不諉過

少數教練，好大喜功，對交付任務，完成之餘，不時自我「表功」，在團隊中，我們不希望「英雄式的個人」而只有「整體團隊的發揚」，如此，才能可大可久，維繫不墜，永續發展。遇到工作有疏漏之處，要勇於表白承認，最怕「有錯不改，硬拗搪塞」。

五、不蜚言不讒語

在團體裡大家相處久了，最忌「道三說四」，尤其未經查證之事，不斷傳聞流長，使原本寧靜平和的日子，形成漣漪，以訛傳訛，破壞了彼此的情感，置道義於不顧。有一份證據，說一份話，謊話說多了，終有被拆穿的一天，不可不慎。

六、以「水安隊」為榮

身為教練，寄責任與義務為本份，受人尊崇，榮耀在身。我們已具有二十五年悠久而輝煌的歷史，我們何其幸運，能在這個「溫馨的大家庭」服務，榮辱與共，情感相連，是一生「福慧善緣」，我們更要珍惜、維護、經營、拓展。

參、必備條件

一、處處以身作則

所謂「十目所視，十手所指」，教練的一舉一動，一顰一笑學員隨時在看望，不能做出有損「為人師表」的行為。教練訓練秉持「有教無類」的傳道精神，苦口婆心，以真誠感動學員，讓學員「心服口服」，尊教練為一位值得信服的「師長」。

二、不斷充實學能

「學無止境，不進則退」，在這日新月異的智識時代，教練除涉獵游泳專書之外，相關的如心理學，預防運動傷害，保健衛生及人際關係等書籍，亦應抽空閱讀，否則今後面對著大學生以上的智識份子，不僅教導游泳技巧，在學識上還可「侃侃對談」，讓學員「另眼相看，刮目叫好」，提高水安隊無形聲譽。

三、愛心博取信任

談及「愛心」連想到「博愛」，教練必須「心口一致」，絕不可說一套做一套，花言巧語，是經不起時間考驗。「真愛」發自內心，您肯「一步一腳印」熱心的去教導學員，人是感情動物，「真誠」可撼動人心，一日為師，終身為師，學員必定跟隨您，以您為「馬首是瞻」。

四、學理實用兼得

教練不僅對游泳技能的探討，還要隨時運用在訓練學員身上，期使「理論與實際」相結合，從學理上來印證操作的功效，因此，做一位「稱職」的教練，要達到「會講、能寫及下水示範」三項要求，缺一不可，充分將「豐富的經驗與獨到教學」潛力，發揮淋漓盡致。

五、心安不求回饋

我們參加「水安隊」，是一群「志同道合」的伙伴，沒有利害關係，亦無任何奢望，既不求名也不求位，全心全意付出個人的心願，默默耕耘在水乳相容中，只有「您先進，我後來；您學長，我學弟」之別，在共同的領域上，彼此切磋琢磨，貢獻所能，不求回報，不逐權利，一切求心之所安。

六、待人謙讓為懷

有些教練覺得自己「很棒」，從他的言行上，使人不敢恭維，「人外有人，天外有天」，教練忌諱「依恃泳技，目中無人」。一位真才實學的模範教練，總是「學然後知不足」的謙虛，更加勤奮惕厲，力求精進。只有不知「天高地厚」的鈍人，以為自己了不起。古人有云：「滿招損，謙受益」，當教練的我們，特別「虛懷若谷，多加請益」，絕不能有驕傲之偏頗心理。

肆、常犯的缺失

一、選擇性的教導，以成年人為對象，疏離幼童或年紀較大者。

二、盛氣凌人，不苟言笑，致使學員心生害怕。

三、沒有愛心，同理心，對學習過程中遲緩者，沒耐心，用心施教。

四、消極欠主動，對學員泳姿不正確，視而不見。

五、凡事好大喜功，將訓練成效，獨攬個人「成就」。

六、常批評同仁教學缺點，另方面暗示自己「泳技超群」。

七、服儀不整，不修邊幅，披頭散髮，在「禁煙區」吸煙。

八、以所學為滿足，不求上進，固步自封。

九、一般教練在「講授、示範」表現尚佳，唯「寫作」上有待加強。

十、在同仁間「說大話」，吹毛求疵，一旦領受任務，且推三阻四。
十一、待人欠和靄友善，親和力不夠。
十二、對工作「眼高手低」，輪到自己來做，不懂要領，張慌失策。
十三、對學員動作欠熟練者，口出惡言，傷害其自尊心。
十四、同仁正在教學進行時，以個人主觀意識，直接干予。
十五、帶班常「遲到早退」，欠缺團隊紀律。

伍、結　語

以上所述，為本人在水安隊七年來的一些體驗與淺薄的看法，僅提供各位教練拋磚引玉的參攷，不週延之處，請不吝指教。綜合來說，要成為一位「勝任而傑出」的教練，必須：第一、高尚的人格節操；第二、豐富的智識學能；第三、認真的教學態度；第四、游泳熟稔的技巧；第五、重視團隊的凝聚力；第六、協調合作的配合；第七、良好的人際關係；第八、「做功德」的潛行修煉；第九、保持團隊倫理的延續；第十、個人事小，大局為重。末了，由於您參予「水安隊」，豐厚了我們無限的「源水」；增進了我們無窮的「活力」，水安隊以您為榮，以您為傲！申致十二萬分的感謝！（本文為第七期游泳教練班授課講稿）

「救生員班」總教練應有之使命感

去（二〇〇九）年年底，渥蒙多位前輩「勸進」與志工夥伴「驅使」，在今（二〇一〇）年上半年，始由會長張洸輝，具文函寄「台南榮家」，囑咐作者請公假回來擔任救生員班總教練，在盛情難卻和自我使命兩相意念激盪之下，遂向現駐地台南榮家請示、溝通，獲單位首長朱主任允准並向作者說：「你在我們榮家是模範榮民亦是優良志工，希望在紅會也能多付些心力，我們十分贊成你的義行！」

開班日期從七月四日至八月一日止，在這整整一個月當中，由於教練團的全心投入，學員訓練紮實，從結訓座談會上，可看出學員報告受訓心聲的端倪。我們培養了一批三十八員救生新力軍，團隊充分發揮了「真與誠」、「熱與愛」的大無畏精神。此次訓練，帶給作者是一項淬鍊、理則、驗證的試金石，在個人生命歷程是很難忘懷的回憶。現僅將作者認為一位總教練應有之使命感，略述如次，敬請指正。

壹、在理智柔性的認知上

一、是責任的加重，不是意氣風發

一個班期的訓練成敗，總教練必須負起全責，一切要有擔當，有作為，不能遇到差錯就推諉塞責，只有勇於承擔，雙肩挑起，矢志以「決心、信心、用心、細心」去突破逆境。責任是指「堅定無比的魄力，衝破艱難險阻，不達預定目標，絕不終止」。

二、是群體的合作，不是唯我獨尊

往昔所謂「單打獨鬥」的老觀念、舊思維，已不適用於今日，在這講求效率，促進功能的新時代，唯有「協調合作、上下一心、群策群力、貢獻智能」來發揮總體戰鬥力。群體是代表「有組織、有機體、有綱紀；能動員、能應變、能突破」銳不可擋的雄壯威武常勝軍。

三、是精神的提振，不是紀律鬆散

在短短時日的一個月內，欲將不同年齡階層、教育程度高低、家庭社會背景因素、個人性向差異等項之學員，建立「信仰、信任、自信」三信心，實在不容易。胥賴教練團妥善運用統合能量，因人因地制宜，適時給予「機會」教育，俾激揚學員榮譽感與向心力。一支精神萎靡，紀律蕩然的團隊，終究經不起嚴酷考驗。

四、是情感的交流，不是分散意識

能把全體學員的心志昂揚展翅，你肯付出「愛心」，學員才能「饋心」回報，你的言行舉止，一顰一笑，學員看在眼裡，記在心裡。蓄養內蘊的情感，自然引起「連鎖」效應，在爾後水安隊上，就可獲得無限的「迴響」，人同此心，心同此理，必將每位學員逐一融入、沐浴我們水安大家庭。

五、是包容的氣度，不是隨興所欲

「志工」純粹是樂活互動的功德，要使學員在潛移默化，逐漸改變氣質。教育訓練全程，絕不可有「咆哮吼叫」粗魯舉動，如能「以德服人、以理說教、以身示範」，學員自動自發「群起效尤」水到渠成意料之中。包容不是「縱容」更不是「懦弱」；而是啟發式，引領帶上的教育，不是讓人「無地自容」。有容乃大，可容納百川，逆耳忠聽，期使學員為我們所用，替我們效勞。

六、是自我的錘鍊，不是折磨喪志

「不經一事，不長一志」，「天外有天，人外有人」，一般人常有眼高手低，對別人刻意挑剔，批評多，不屑鼓勵，輪到自己來做，才知「原來我不如你，還是你比我強多」。總教練是團隊的核心，具有「固磐發酵」磁性，始終保持冷靜頭腦，不偏不倚，以「智勇雙全」心態，面對學員。若「志長而心短」，那只是曇花一現，無法風起雲湧，挑戰極限！

貳、在實務運作的要領上

一、計劃要周延，不可粗枝大葉

事前要有全般性的構想，具體來說概略分為（一）慎選教練團成員（二）擬訂課程內容（三）介聘授課教練（四）接洽野外場地（五）膳食供應支援（六）所需文件表格之準備（七）適時召開協調會（八）與幹事部密切連繫等要務，儘量做到十全十美，鉅細靡遺，「不掛一漏萬」。

二、訓練要精實，不可敷衍粉飾

一般學術上的教育，僅是傳授智能的啟迪或技職專長之開拓，但「水上救生」必須講求個人救生技巧之熟稔及臨場突發狀況之應變，在有限的時間點上，作最斷然妥處。因此，每日之訓練，「嚴而不苛，求精求實」，悉依符合教材的正確動作，否則日後遇到真實情境，不但無法「救人」，甚至連累自身遭「滅頂」之虞。正常嚴謹的訓練，看來是「短空而長多」整體效果是正面，具有深遠教育之價值。

三、分層要負責，不可別出心裁

「設官有職」分層負責，副總教練除擔任各該周期的訓練工作，還兼有指導管理（助理）教練之責；而管理（助理）教練，在擔任課目示範外，得協助副總教練訓練事宜，能在「邊做邊學」當中，增進本身處事的決斷力與待人接物的圓融度。總教練不可隨意干涉教練所作所為，因為「當場磨鍊」就是最好的擷取經驗，遇有閃失教練，給予個別疏通告誡。教學相長貴在「切磋琢磨，知己知彼，對症下藥」。

四、事權要統一，不可引起紛擾

只要遵守下列五點，大家在規定範疇內，按步就班，步步為營：

（一）人的衡量：對學員一視同仁，不厚此薄彼，公私分明，獎懲公正（二）事的要求：迅達、確實、安穩、效率，今天事，今日畢，絕不推拖至明日（三）時的標準：按時操課、休息，不提前，不延後，切忌冗長乏味訓話（四）地的不變：場地區域劃分責任區，整齊清潔，別疏忽遺忘復原（五）物的考量：「一物一架一包一位」，位置固定，排列有序，不可零亂。學員最怕「朝令夕改」，故事權始終貫徹，使學員心悅誠服。

五、規章要執行，不可自我設限

所有教育訓練，均遵照總會所頒之「水上安全救生訓練教材」、「急救理論與技術」、「紅十字會訓練規章彙編」及依照本會所訂之規章徹底執行，不可「因人而異，各行其事」，否則將使學員無所適從。概以「有法規依法規」，沒法規「按往例」，絕不可擅作主張，破壞制度。至於「窒礙難行」，確已不合時宜的規定，隨時建議本會審勢修訂。一套良好的規章要「符人性、易推行、合學員、居公正」。

六、安全要防範，不可造成意外

訓練全期，固然把全力精神、意志皆貫注到每位學員，目的不外培養一批具備「德操高尚、技巧精湛」的優秀救生員，來為社會服務。但安全上一旦出現罅隙，全部訓練成果，就留下了污點，故「防範安全於萬一」，是全體教練團不可怠忽職責。從開訓日至最後結訓，皆必須「叮嚀再叮嚀、檢查再檢查、巡視再巡視、追踪再追踪」，讓學員「快快樂樂來訓練，平平安安取證照」，任何人發生意外，將造成終身的遺憾！

總之，對任何工作之要求，端視其屬性，把握六項（六個W）問題，予以深入慎密思慮，研處探究：**1. what** 何者 **2. who** 何人 **3. where** 何地 **4. when** 何時 **5. why** 如何 **6. how** 為何。總教練全期全程，要能做到講好課（真）、立好事（善）、存好心（美），在教育性、知識性、趣味性、啟發性的人文藝術，促使全體學員「提高學習意願、增強個人能力及創造訓練功效」為鵠的，但願「有志一同，獻身水安隊」好伙伴，共勉之！請謹記—「水安」是志工淬鍊成長的進入港；而「志工」是水安永不枯竭的泉水源。

游泳與救生之體驗

從小因環境使然，先父在台糖公司服務，宿舍距離台糖泳池近在咫尺，養成了喜愛游泳的運動。那時和一群年幼的小朋友，在池中戲水，只是「土法煉鋼」，沒有教練指導，根本談不上正確姿勢，僅僅會游而已，以致影響了成年日後泳姿，要矯正其缺點困難度頗高。

救生要有良好的游泳基礎，否則只會救生技巧，游泳的深度底蘊不足，在水中或海上，想救一個人沒那麼容易，所謂「技高人膽大」，具備游泳潛能，無形中就可降低救生風險，本身條件不夠好的話，只逞「一時之勇」去救人，可能人沒救起，而自己先遭溺斃，不得不慎！每年五至九月每逢週六、日，水安隊均派二百人救生員赴三峽大豹溪，擔任救生護衛工作。游泳與救生就如同「手足相連，靈活運用」，缺一不可，有如魚得水純熟的泳技再配合精巧的救生術，你才可以是稱職的教練。

為了進一步提升泳技與救生術，作者下定決心，在六十八歲於二〇〇三年五月參加「紅十字會水上安全工作隊」救生員班訓練一個月，同年七月接受高級泳訓班，再於二〇〇五年五月陸續參與游泳教練班及該年九月的十式班，隔兩年經嚴格篩選，於二〇〇六年正式接受最高階層的救生教練班深造訓練。因年歲稍長，唯恐趕不上班隊同學，每日清晨不管是在泳池或赴野外海域訓練，無不戰戰兢兢，除了當場筆記，回家再綜合整理，思索教練授課的內容，經常在午夜夢迴中，針對各種水上狀況，複習處置要領。

游泳分為四式，即蝶式、仰式、蛙式及捷式（自由式），在泳池中多數人只游自由式與蛙式，至於仰式較難學，蝶式要具有肌力、躍進力及四肢平衡感度之配合，蝶泳極富韻律感的游動，它美感表現在技巧，力量與柔軟完整的結合，配襯驅幹協調之波浪動作，快速穿越在浪花之中。蝶泳需要較強的雙臂和腰腹部力量及雙腿打水的協調性，持之以恆不斷反覆練習，始能達到連貫而流暢的姿勢。

「漂浮」是水上求生必備技能，不論遭遇任何狀況，都要做到鎮定、信心、忍耐及希望，才能利用最少的體力維持最長的生存時間，達到求生的目的。救生員之訓練，其課目含括入水法、防衛法、接近法、帶人法、解脫法等，其他諸如潛泳、救生板救生、小船施救、動力救生艇操作以及CPR、AED之親身實際練習，不是短時間就能完成的。培養一位符合標準的教練，須經過各階段不同班次的磨鍊，循序漸進，不但在泳技與救生術相互激盪下，使每位學員，健全身心靈的契合，從個人不同稟賦資質，融入團隊匯合群體智慧，產生無限的動能。一般對體適能(Physical Fitness)的定義，可視為身體適應生活、活動與環境（如溫度、氣候變化或病毒等因素）的綜合能力。體適能較好的人在日常生活或工作中，從事體力性活動或運動皆有較佳的活力及適應能力，不會輕易產生疲勞或力不從心的感覺；反之體適能較差的人，則較易產生疲勞感。

截至目前為止，參加橫渡日月潭活動，共有兩次：第一次是一九九五年（六十歲）九月三日舉辦的第三屆萬人橫渡；第二次是第廿五屆二〇〇七年（七十二歲）十月廿三日，其泳距都是三三〇〇公尺。記得第一次薛兆庚同學也在行列，迄今兆庚兄仍每日不輟至北市東門泳池晨泳，他比作者大兩歲，體格健壯，行動力韌強，這與他數十年來游泳的恆心有關，令人欽佩。橫渡日月潭活動，每年在九、十月舉辦，參加人數逐年遞增，從六、七歲至九十歲者皆有之。二〇一三年作者應邀擔任第三十一屆救生護航工作，眼見下水一批一群男女老幼泳者，甚至外籍人士絡繹不絕，頭戴大會所發黃色泳帽，奮「泳」向前，湖面一覽無遺，至為壯觀，據悉，愛好游泳者，有人已橫渡十多次。

憶及二〇〇二年七月七日（六十七歲）曾參加澎湖縣政府舉辦的第一屆泳向澎湖海灣，泳程分為三千公尺與六千公尺，作者毫不考慮報名六千公尺，當天海浪波濤洶湧，全程整整游了四個小時，滴水未沾，過程艱辛，若沒有堅強的意志力和堅定的信心，是無法竟全功。每人的體質、體能及適應力各有差異，能多一分準備，就可少一分折磨，從而認知體力配合心理狀態的重要性，去領略「挑戰自我，超越極限」的生活美學。

作者一向願意奉獻「泳技之長」免費教學，曾經擔任過初中級班、高級泳訓班及救生員班等各班次的總教練。平素就作者觀察，多數教練喜歡選擇二十歲左右，不諳水性的青年來教導，這些年輕同學領悟力較強，施以訓練容易。而作者把七、八歲小孩或五、六十歲「阿公阿嬤」納入泳訓對象，這批幼小、年長者，訓練起來比常人大費周章，沒有「愛心、耐心與熱心」的胸懷，是難以達成教學任務。教練要能環顧四周，照拂全班，運用本身學養，將累積的經驗結晶，把「秘訣」傾囊傳授並不斷反覆練習，爐火純青的技能必指日可待。教練的格言，就是要對訓練與管理，讓學員達到「身心放鬆、心領揣摩、精神集中、融會貫通」的涵養，期使在有限時程，使學員領會竅門，獲得最佳效果。至於少數反應遲緩，四肢協調配合性不足的學員，基於有教無類，絕不輕言放棄，作者認為，沒有教不會的學員，只有不講方法，挫折感的教練。訓練學員應針對個別反應力與吸收度效果，加強輔導，觸類旁通，絕不可使較差學員，對學習游泳熱誠之希望幻滅，因而灰心喪志。

作者赴國內外旅遊時，必攜帶泳褲、泳帽、泳鏡，只要有泳池，趁機下水游泳，偶遇到不太會的游泳旅客，不吝「獻技」相機傳授，經過指點，很快就能加長泳距，帶給泳客的自信心。記得二〇〇〇年五月偕內子遊賞阿拉斯加，搭乘「愛之船」，雖然船外凜冽冰冷，但作者仍獨自一人在泳池來回小游數趟，起身之後，受到船上各層旅客熱烈鼓掌，心裡十分窩心。

六十年來，作者每日沖冷水澡，一年四季晨泳，冬天亦「冬泳」如昔，依作者的深切體會，平日若洗熱水澡，冬天就不敢下水游泳。全年洗冷水浴，可使身體血液暢通，擴大肺活量，增強抵抗力，減少病痛，感冒也不易染身。進入冰冷水中會讓皮膚血管急速收縮、舒張，可以改善血管的彈性。且具有抵抗細菌毒素、清除血液中大分子異物的免疫球蛋白也會增加。為了洗冷水浴是否對身體各關節有害之疑慮，作者請教多位中西醫大夫，異口同聲皆謂「冷水浴」對身體甚有益處，但對心血管或心臟不適的人，還是切忌冬泳。台大醫學院前內科教授陳萬裕，九十二高齡一直維持早晨沖冷水澡的習慣，因此精神矍鑠，健步如飛。

作者於二〇〇三年應邀加入「水上安全工作隊」競賽組，每年「南征北討」參加全國成人分齡泳賽，其中成績最佳是二〇〇六年二百公尺四式混合，榮獲全國第二名，其餘各式單項比賽，拿金牌機會不多，究其原因，作者抗壓力不夠，爆發力亦不強，比賽成績難以突破，有待再琢磨，檢討缺失改進。

總之，擔任一位稱職的教練，不僅泳技好，還要會講解，能示範，充份配合掌握全場，透視學員需求，運用活潑教學，提高學習意念，終將獲得預期功效。總括來說，身懷「游泳與救生」技倆，可得到下列幾項啟示：

從訓練中豐富了生活機能

從競技中體認了生命價值

從奮進中孕育了人性光輝

從教學中累積了寶貴經驗
從逆境中激發了挑戰動力

編撰「創會二十三週年」專刊

二〇〇八年會長劉慧明上任伊始，邀作者茶敘懇談，研議出刊會史事宜，以見賢思齊，群起效尤，彰顯先進前賢艱辛創建之歷程，使全體會員瞭解與認識，本會悠久光輝之史頁！作者有感劉會長具有宏觀胸懷，關心本會之赤誠，個人雖才學不敏，見識淺薄，惟忝為會員之一份子，自當敬謹接受此一重擔，義無反顧，責無旁貸，戮力以赴。遂於同年元月二十日向歷任會長簡報，提出「本會會史暨歷任會長生平事略」兩部份架構，作較完整性的全般構想論述，將編纂要旨逐項說明並針對主客觀環境變遷，綜合勾勒本會的理念願景，具體精進指標，大面向思維來撰寫。

值此創會二十三週年紀念，專刊標題為《薪火相傳，永續發展》編撰內容區分為會史全般概念、歷任會長生平事略、歷程紀要暨永恆的追憶，配合照片集錦，凸顯真實性與可讀性。自接受總編輯任務之後，彷彿「萬千重擔壓肩頭」，將近一年的期間，除正常之工作與個人私事之處理，幾乎都埋首沉思編撰工作及協調聯繫上。在這過程中，遭遇不少瓶頸，因資料闕付，時間久遠，搜集不易，為達成終極任務，雖屆耄耋之年，仍然老驥伏櫪，不斷深思熟慮，採取約時趨府專訪、見面晤談、口述紀錄、電話訪談、問題交談、意見交換、查證疑點、拜訪請益等可行方式，竭盡腦汁，從點點滴滴、片言隻字中尋找資料來源，期使人、事、時、地、物可靠信實，從搜集、整理、分析、研判加以比對核實，多次修正校對使全程構思能一脈相成，不致遺漏。全刊不完備之處，尚請先進、志工大德不吝指正，作為爾後續編再補實修正之參考。

整本書刊之樣稿出爐，旋即於十月十三日再請歷任會長審定，結果皆認「忠於史實、誠於客觀、圖文精美」之評語。當專刊順利付梓完成，作者如釋重負，心情特別興奮，對歷任會長之付託，有所交代；對全體志工來說，筆者以一種學習試煉態度和大家共同分享二十三年來的果實。（據悉：本會創會專刊，在全台二十六個分支會及一五三個志工團隊中，是一本內容充實，論述教具完備的專刊，甚獲總會佳評）。

會長王清峰與紅十字會

中華民國紅十字總會於一九四九年隨政府遷台，一九五一年元月由總統蔣中正選派醫學博士劉瑞恆擔任會長，開啟了台灣地區「博愛、人道、志願服務」的正常運作。歷年來總會因應時代環境的變化與社會實際需求，陸續推廣各項尊重生命和關懷社會的服務工作。每一個階段都有不同的工作重點，諸如制度組織化、志工專業化、服務普及化與深耕社區化等，企能建立更具健全的服務網及完整救災體系。

王清峰生於一九五二年，台南市人，政治大學法學碩士、日本別府大學榮譽博士，曾任法務部長、監察委員。原本從事律師，一九八八年成立「婦女救援基金會」、「慰安婦申訴專線」及「婚姻受暴婦女專線」，長期為雛妓、慰安婦救援照顧，走上街頭為婦女發聲並推動修法。將婦女的眼淚、兒童的哭聲、阿嬤的傷痕，當成自己的志業，傾全力付出。一九九六年和陳履安搭配，參選第九任總統選舉，是我國史上第一位參選總統選舉的女候選人，惜未當選。在擔任法務部長期間，堅決反對死刑，他從憲法、人權角度，認為生命權必須被保障，不能剝奪，還引用甘地「以眼還眼，世界只會更盲目」名言，強調「殺人償命，仍償不了命，徒使另一個家庭陷入傷痛」。

王清峰於二〇一二年四月接任紅十字總會第二十屆會長，始終兢兢業業，夙夜在公。六年多以來，積極在基層紮根、援助國內外賑災與二十六個分支會協調合作、厲行人事精簡、行政效率提升及財務公開透明等，均付出相當多的精神與決斷力。本（二〇一六）年四月二十二日，眾孚所望被二十二名理監事推舉連任，這代表她過去服務熱誠的肯定，也意味承擔更艱難的重責大任。面對挑戰，堅定信念，帶領紅十字會繼續為所有「受苦受難」的人，奉獻智力、心力。

會長任職期間，遇到國內外重大災難，在她不懈不怠，處事明快果決之下，僅列舉五件真正成效：(一)二〇一一年日本地震，總會於福島、宮城、岩手三大重災縣，投入援建，成果獲日本高度肯定(二)二〇一三年強颱海燕橫掃菲律賓中部，造成六千三百人死亡。總會在緊急救援階段，隨我空軍、海軍運輸機，載運物質至災區賑濟，援建二五〇戶核心住宅(三)二〇一四年高雄發生氣爆，總會專案勸募金額加計利息，共二億二二九七萬八二七九元，全數用於傷亡慰問、生活扶助、心理支持、屋損修繕及強化救備災能量等項目(四)二〇一六年二月南台震災，協助高雄市、台南市、屏東縣、嘉義縣市等二十九所國高中、小學修繕重建，已支出一億三一四萬一六七九元(五)二〇一六年七月尼伯特颱風，挾帶十七級破表風速肆虐東部，暴雨摧殘，釀成台東嚴重災情。總會結合全台二十六個分支會及北中南四個救災大隊備戰。共動員志工一六〇人次，協助清路樹、恢復市容。對屋損受災戶，每戶慰助一萬元。另外紅十字會，平日開班的計有：急救訓練、水上安全救生訓練、居家照顧訓練、防備救災訓練、青少年服務訓練以及身心障礙者游泳復健訓練等各項專業技能班次。為了完備國內防備救災體系，完成台東、嘉義、花蓮三大備災中心，現正積極建置大台北備災中心。

關於社會之捐款，迭遭置疑，會長鄭重懇切的說明：「若捐助受災國，金額較少，可直接匯給受災國紅十字會，而金額較大，我們有能力協助後續重建工作，就必須掌握全局，從規劃、設計到施工、驗收，通常要好幾年，付款時間也會拉長。在年度內尚未支付的錢，會計上列入『應付保留款』，以致引起外界所謂暗槓。總會每筆款項都公開在網站上，而且每三個月公布一次並經會計師查核報告，絕對不會中飽私囊」。

紅十字會已有一五〇年悠久而輝煌的歷史，是社會資產，目前志工有一萬五千人，這是紅十字會的人才寶庫，年輕人以作為紅十字會一名志工為榮。人道工作只有「付出、再付出」，無「權」與「利」可享。會長剴切的盼望媒體，客觀良善的報導，嚴謹的監督和批評指教。人道的光輝永不熄滅，會長殷切期使紅十字會全體志工夥伴的努力與付出，受到社會人士的肯定，弭平不理性的紛爭，用愛跨越政治、種族及意識型態的藩籬。

設置「志工楷模」獎金

作者有感於「水安隊」上千志工伙伴，犧牲假期，投入公益活動，為社會大眾服務，「不求報酬，只願盡力」，默默付出，義行德風，令人欽佩！為了激揚志工「利他」精神，作者於二〇一六年元月一日設置「志工楷模」獎金。其荐拔要則為：

壹、設置目的：

一、本隊(水安)成立迄今已屆三十週年，培養優秀志工達五千餘人。訓練卓越救生與游泳志工，服務社會貢獻良多，樸實精純的優良團隊，獲得各界好評。

二、本隊秉持「薪火相傳 永續發展」的精神，為激勵志工同仁奉獻的心志，特設「志工楷模」獎金，希冀眾志成城，繼往開來，為本會再創燦爛而輝煌的史頁！

貳、設置規定：

一、基本條件：

1. 入會滿三年以上。
2. 每年按時繳年費。

二、遴選標準：

1. 當年服務(勤)時數達五百小時者。
2. 當年於各班次中，至少帶兩個班以上且表現優異者。

3. 擔任年度各班次授課教學，深受學員敬仰者。
4. 擔任急救教練，教學認真，表現優異者。
5. 參加全國泳協舉辦之各項游泳比賽，獲得前三名者。
6. 擔任年刊、會訊等編輯，主動負責，熱心參與者。
7. 編輯相關法規、教材、作業程序等參考書籍者。
8. 擔任大豹溪勤務，救溺義舉足堪表率者。
9. 擔任年度各組志工，工作積極，協調合作，績效卓著者。
10. 擔任地方救援(風災、水災、震災、救溺等)犧牲奉獻，足為表揚者。
11. 奉總會指示擔任重大服務工作，為本隊爭取榮譽者。
12. 參加龍舟競賽，充分發揮團隊精神，奮勇向前者。
13. 其他：舉凡對內向外，均能表現本隊優良團隊精神者。

參、評審委員及荐拔：

一、荐拔區分「自荐」(個人申請)與「組荐」(各組舉薦)。
二、由承辦單位研訓組於每年十月份評議委員會上提報最優四名表揚。

肆、表揚：

一、於每年十一月「年會」上隆重表揚。

1. 每年表揚四位「志工楷模」。

2. 每位各頒發獎狀及獎金壹萬元

二、「志工楷模」可「連選連獎」不受次數限制。

三、「志工楷模」優良事蹟刊載於「會訊」及「年刊」以資效尤。

伍、附則：

一、本荐拔要則自二〇一六年元月一日起實施。

二、本要則列入重要文件，每年「年刊」登入。

三、本要則如有未盡事宜，隨時修訂之。

頒發「志工楷模」獎金，原為一樁美意，沒料到於二〇一八年十月二十一日教練團會議上，有教練提議取消此項獎勵，認為志工不宜領取獎金。「志工楷模」獎金也就無疾而終。

心肺復甦術(Cardio Pulmonay resuscition)

台灣每年約有二萬名患者，到達醫院前就沒有心跳，學習簡單的 CPR 加 AED 救命術，可在四分鐘黃金救命時間內搶救人命。台灣自從在救護車上裝置 AED 後，救活比率從百分之一提高到百分之五。據美國心臟學會二〇一〇年公布的準則，針對非創傷猝死病患應立即採取包括：求救、實施心肺復甦術(CPR)、電擊去顫，進行高級救命術及整合性復甦後照顧，如此存活比率可更加提高。救人五招「叫叫 CABD」1.叫喚受救者，確認其有無意識及呼吸 2.大聲呼救並通報一一九尋求協助（向一一九說明狀況，盡速取得 AED）3.胸部按壓（Compressions）三十下，按壓深度至少五公分，按壓頻率每分鐘一百—一百二十次。若不進行人工呼吸，持續胸部按壓 4.暢通呼吸(Airway) 5.(Breathing)吹兩口氣 AED 取得前，繼續進行胸部按壓 5.使用 AED 即自動體外電擊去顫器(Automated External Defibrillator)，依照機器語音指示進行急救。大腦及重要器官缺氧四至六分鐘便會開始受損，超過十分鐘即難以復原。如能對呼吸及心跳突然停止者，緊急施予心肺復甦術，存活率就會提高。

美國海防救難隊座右銘「So Others May Live」勉勵大家，「我所做的，是要別人活下去」。自二〇〇〇年開始設置 AED 後，患者存活率高達百分之六十一。紅十字會呼籲：救人並不困難，但急救無法重來！只要正確操作 CPR 與 AED，每一個人都可以站在第一線「救我、救你、救大家」！作者記得在「台南榮家」安養時，有一天早餐，餐廳的一位王介伯伯，忽然從座位上昏倒，作者毫不猶豫，趕緊施予在紅會水安隊所學的 CPR 救人步驟施救，一方面請同仁立即通知保健組醫護人員前來，結果伯伯被救醒了，他還不知自己到底怎麼回事，四周圍繞這麼多人。作者也因此在榮家「月會」上受到家主任朱嘉義表揚。

不忮不求　張建雄

建雄出生於台中后里簡樸家庭，取得中央大學電機碩士，即貢獻於科技界，懍於社工之重要性，決然加入紅十字行列，經過多層關卡，取得了高級救生教練與高級急救教練資格，開啟他往後的志工生涯，服務過程中，渥蒙總會和水安隊多次畀予重任，均能克服困難，激發他對緊急救護工作的熱誠，進而成為新北市消防局救護志工、台大醫院急診室志工、水意外災害防治教育學會志工等義行。在與熱情、積極、勇敢的志工伙伴長久相處中，他感受到付出的愉悅，被需求的成就感，喚醒沉睡的「志工魂」，更全身投入廣大社會人群。近年來陸水急救與水上救生教學，都超過了上百場，也因過度投入，親友還誤以為「志工」是他的職業，他從不計較別人的眼光，似乎生活總是那麼繁忙，但他卻心無罣礙，顯得怡然自得，無比歡喜，只期望能以「小愛」的力量，將人道救援的正確觀念，推廣至社會各個角落。

二〇〇六年作者和他是救生教練班第十期同學，深覺這位總有滿滿正能量胸懷的志工，能激勵著後輩仿效學習。二〇一〇年作者開設救生員班，擔任總教練，請他綜合各項協調開班事宜，他任勞任怨，鉅細靡遺，毫無差忒使得開班全期整個流程，相當順利。他有句勉勵教練的話：「要將學員當成自己的兄弟看待」，這正是他教學的熱愛態度，希望用同理心與誠信引領，使水安才能永續發展，紮根茁壯。他所帶過的班次，結訓後常持續連繫、聚會，水安同仁只要提起建雄，無不稱許，由此足見他做人處事的獨到慧眼。

二〇一五年期間，水安隊邁向「三十而立」之際，作者提出了擴大紀念專刊之構想，聘請他接下這項任務，在他謙遜而勇於承擔負起總編輯工作。誠如聖嚴法師所寫下〈菩薩行〉偈頌「為利眾生故，不畏諸苦難；若眾生離苦，自苦及安樂」，他是一位虔誠佛教徒，在水安隊十餘年來，秉持著他電機專業背景，一步一腳印，踐履篤行，一切求完美，有助於人間之義行為其最大心願。人與人之間，所看角度不同，或許有些歧見，建雄願意藉這機會，誠懇向大家表達：「對不起，請多諒解，請多包容，感謝志工大德的支持與關愛！」

兩篇文章以正視聽

針對現役美軍早已進駐美國在台協會與「釣魚台」主權兩個問題，眾說紛紜，莫衷一是，為釐清真相，作者於二〇一七年三月一日、三月三日投稿蘋果日報「駐軍台灣？台美關係如何發展」及「釣魚台主權不容漠視」兩篇文章，全文刊載內容如下：

一、駐軍台灣？台美關係如何發展

在華府智庫「全球台灣研究中心」（GTI）研討會中，前美國在台協會（AIT）台灣辦事處長楊甦棣(Stephen Markley Young)透露，座落在內湖金湖路的新館，占地六·五公頃，斥資三億美金打造的新址完工後，陸戰隊將駐守，負責安全維護，持續深化對台灣的承諾。這將是展現對台灣友好的象徵與實質的意義，對台美關係未來發展具有政治與軍事意涵。

新館區將建造「陸戰隊之家」，作為外交聯誼中心。在台協會公告招標工程中，說明要建供陸戰隊衛兵營房，安全標準比照美駐各邦交國的使領館，除採堡壘式設計主建築外圍，築起高聳圍牆外，內部設置斜坡車道、多處安全崗哨，以有效嚴密管制通訊與人車進出。

美依據《外交機構法》，自一九四六年起授權海軍陸戰隊駐守駐外使領館，隊員隸屬「陸戰隊使館安全駐衛隊」（Marine Corps Embassy Security Guoup）負責維安任務。全球總兵力千餘名，由編制上校指揮官統一指揮九個分部，在一三五國一五〇個分遣隊駐點，其中東亞、太平洋十八個駐點，由泰國曼谷連部負責。這一向是美國的傳統，駐館兵力通常是六至七人或是十二人，最多二十五人，稱小型護衛隊（Squad）而非較大規模部隊（Troop）。

衛戍海外館處首要任務有三：一是維護美駐外館內機密文件、重要設施與館員、館產及反恐之安全。二是發生緊急事件，迅即保護僑民。三是國內政軍首長到訪、參與人身護衛。一九七九年美國和我斷交之後，在台灣協會聘僱便衣保全人員擔任警衛工作。二〇〇五年才派武官進駐台北辦事處，但在「非官方關係」之下，武官保持低調，以便服代替軍裝。至於我外交部，目前在所有外館中，並無派駐憲兵護衛，唯有各駐地均派有三軍武官，但其職責是與在地國作軍事交流。越戰期間，作者曾於一九六八年在「越南共和國」安全部門，工作兩年餘，美國駐越大使館，屢遭越共襲擾，而其陸戰隊員「英勇」之表現，為世人所敬仰。

反觀我國陸戰隊，亦是一支勇猛驃悍的勁旅，在屢次演訓中，整體表現並不遜色，值得國人信賴。近年來，由於我國安單位及外交部不斷與美國交涉，持續斡旋，使台美提升了「重要的安全與經濟夥伴」關係，是斷交迄今，美方對我國提出最重要的「戰略再保證」。如二〇一五年我參謀總長嚴德發和海軍司令李喜明兩人，受邀夏威夷美軍太平洋艦隊指揮官交接典禮；二〇一六年美眾院外委會通過決議「對台六項保證」首列法案及通過「國防授權法案」，允美台高級軍事交流與高層互訪，更難能可貴的歐巴馬簽署「國防授權法案」，突破現役軍官與國防部副助理部長以上官員，不得訪台之限制。台北辦事處前處長司徒文(William Anthony Stanton)接受訪問時表示，基本上美台關係會更好，而在美國內，不論民主黨人或共和黨人，對於中國政府的滿意度卻逐漸降低。

國家利益中心資深研究員茲安尼斯更呼籲川普總統，協助台灣建立可靠嚇阻能力，在潛艦、新式戰機，甚至薩德飛彈防禦系統（Terminal High Altitude Area Defense，THAAD）上支助台灣，讓台灣成為敵人不敢輕易進犯的大刺蝟。衷心盼望國人，眾志成城團結奮發，支持國家政策，共同創造嶄新的局面。

〔後記〕：美國在台協會於二〇一九年四月四日發佈，五月六日台北市內湖新館啟用。AIT 發言人孟雨荷(Amanda Mansour)表示，新館維安將如同 AIT 現址一樣，由少數美方人員搭配人數較多的當地聘僱人員，與地方當局合作，負責新館的維安。她並指出，二〇〇五年起，派駐AIT的美國政府人員就有現役軍人，包括陸海空軍與陸戰隊。這也是AIT首度證實此事。據了解，二〇〇五年起AIT駐台的聯絡事務組增編一名陸戰隊軍官，功能完全比照邦交國武官，而非管處配置陸戰隊的使館守衛。AIT內有技術組與聯絡事務組，前者前身為美國斷交前的美軍顧問團，後者前身則為大使館武官處。

二、「釣魚台」主權不容漠視

美國總統川普與日本首相安倍發表共同聲明，強調美國不可動搖的同盟關係是亞太和平、繁榮和自由的基石，美國防禦日本的承諾絕不動搖。川普在聲明中確認，釣魚台（日稱尖閣諸島）適用美國《安保條約》第五條範圍，美國反對任何企圖損害日本行政的片面行動，展現美日同盟，致力於維護日本及其行政權下所有領土的安全，足見日本審時度勢，靈活運用外交策略的奏效。

釣魚台距基隆市約一九〇公里，東西長三·六四一公里，南北寬一·九〇五公里，面積三·九一平方公里，最高海拔三六二公尺，由七座主要附屬島嶼與三個大島礁及七十一座小島礁所組成。基隆、蘇澳地區漁民，每年季節性出海前往該地區捕魚，近年來常遭受日本非理性驅離，漁民十分憤慨。一八九五年元月甲午戰爭滿清戰敗，跟日本簽訂「馬關條約」，割讓台灣全島及所有附屬各島嶼給日本。第二次世界大戰結束，日本無條件投降，依據開羅宣言、波茨坦公告及日本投降書，三大國際性歷史文件，終將台灣與釣魚台一併歸還中華民國。美國政府逞一己之私心，在二十世紀五十年代初期，擅自擴大托管範圍，把屬於我國領土的釣魚台及其附屬島嶼非法劃歸琉球群島；接著七十年代將釣魚台「施政權」歸還日本。

幾十年來島嶼主權歸屬之問題，爭議迭起，美國受日本唆使之下，聲稱釣魚台適用於美國《安保條約》，嚴重偏離美國本身曾經承諾恪守的中立公正立場。據權威地質學家估計，釣魚台及其周邊島嶼，海底石油礦產資源相當豐富，甚具經濟價值，是東海大陸架棚礁層世界儲量最豐盈的油田之一，未來可能成為「第二個中東」，其石油儲量超過一百億噸，另外又發現約有二千億立方公尺的天然氣，尚待開發的錳、鈷、鎳及其他礦產資源的數量也十分驚人。釣魚台地處中國大陸、台灣與琉球群島之間，從軍事地理角度看，可視為第一島鏈上的支撐，作為東南沿海軍事防禦之前哨，軍事戰略上極為重要。總統府日前由發言人黃重諺回應，釣魚台列嶼是我國領土，相關各方秉持「擱置爭議、共同開發」原則，以和平方式解決東海地區的爭議。

籲請執政當局盱衡情勢，將釣魚台有關史料文獻，無論是正史、方誌、中外學者論文專著、檔案及地圖等，逐一列舉，旁徵佐引，提出有利於國家的證據，公諸於世，同時召集相關部門，速謀對策、據理力爭、嚴正交涉，不容鴕鳥心態，以致喪失主動積極的「話語權」！

附註

註一：陳豐義（一九三九年）南投縣人，中興大學公共行政系畢業。一九八八年隨陳履安進入經濟部，擔任參事，曾任國防部參事、調查局簡任督察、紅十字會副會長兼秘書長，於二〇〇八年回任監察院秘書長。二〇一三年七月李復甸、馬以工兩人監委，提案彈劾陳員銷毀一六五四卷，涉嫌違反檔案法案，經台北地檢署偵查，認為陳員並未違反檔案法，處分不起訴。院長王建勛籲監委「不要殘害忠良」。

註二一：三峽大豹溪在大義橋附近，北二四縣道一、五公里處，右側河谷中，有一巨石狀似豹頭，像一頭豹俯伏在河邊飲水，據說這便是「大豹溪」名稱的由來。傳說中該大豹石原為豹精，與蟾蜍精（有木里）、大象精（十八洞天）在大豹溪流域作亂，危害居民。鄭成功在除害鶯歌的鸚鵡精（幻化成鶯歌石）與三峽的肉鳶精（三峽鳶三）之後，便來到大豹溪為居民除三害。三妖見到國姓爺便立即跪地求饒，願化為巨石，鎮住大豹溪，讓居民永不受水患之苦。

第十四章　考取「世新」博士班

有志者事竟成

為了報考世新大學中國文學系博士班，一年前就準備相關考試資料及撰寫研究計劃等，在二〇一七年六月四日接受五位口試官的面試，其中一位是所長張雪媃教授，她是美國威斯康辛大學（University of Wisconsin）東亞語言暨文學系中國文學博士。另外有位頗富盛名的本校榮譽講座黃啟方教授，他曾經在台灣大學中國文學系擔任系主任及文學院院長。五位口試官交叉提出問題，針對作者撰寫「李白詩歌及其思想特質」內容，深入逐一質問，作者戰戰兢兢，始終抱著「知之為知之，不知為不知」心態，不隨便應答。雖然面試過程嚴肅，但也有輕鬆一面，如黃教授在質詢中詼諧有趣的說：「佩服你，你的身體很健朗」等語，似乎語意作者年紀超過八十了，還有勇氣來

「提筆上陣」！

考試分為「書面審查」佔百分之六十，「面試」佔百分之四十。終於在七月二十五日接到世新大學教務處通知正式錄取。世新大學每年文學系博士班均錄取三名，作者僥倖，心有戚戚焉。

從第一學年上學期平均成績九十二分及下學期平均成績九十分顯示學習日漸進步，智能有所增長。在必修的「文史專題」課程，蘇怡如教授於手機群組勉勵作者：「林將軍您的勤奮好學足為我們大家表率，也讓人感動。或許，不存在任何功利性的學習才是最純粹的，也能得到最多的喜悅。」

第二學年，作者選修曾永義教授的「韻文學」專題討論，本課程以研討中國文學史上居於主流地位的「韻文學」，即唐詩、宋詞、元曲、戲曲以及說唱文學為主要內容，藉由對歌謠、近體詩、說唱文學、古典戲劇的逐一解析，探討歷代韻文學發展脈絡，讓同學進而能從事專題研究。

曾教授一九四一年出生，國家文學博士，現為中研院院士，在台大、北大等十餘所大學擔任客座教授，亦曾在哈佛大學、荷蘭來頓大學、德國魯爾大學及香港大學擔任訪問學人及客座教授，學術著作二十餘種、散文集七種、戲曲劇本創作十八種及通俗著作十餘種並長年從事民俗藝術之維護與發揚工作，另外四十多次率團赴歐、美、亞、非、澳等國家，推行文化交流。

曾教授教學嚴謹，深入淺出，要求同學做學問「知其然還要知其所以然」，將「知性與感性」融入人生理念。教授上課常引經據典，從無冷場，加上幽默譬喻，使同學「會心一笑」。教授從不疾言厲色，以啟發性問題，引導同學充分發表見解。作者拙於詞令，思考欠周，教授不但不咄咄逼人，甚至讓人緩緩「下台階」，使同學羞赧不已！憶及二〇一八年十二月二十六日課堂上，教授親自賦詩與同學分享，詩題是《述志》：

人所拋之我取行　自然與世可無爭
相欣相賞還相顧　足下蓮花步步生
平生喜好作人師　桃李春風灼灼枝
偉立梗柟參天地　芝蘭苑裏露花滋
無可奈何竿影裏　洐葩頁扈酒杯中
相攜並舉三生石　野驥雲鵬萬里風

過了一週，教授告訴同學，前一晚他在夢中作了兩首《睡夢感懷》的詩：

（一）凍雨飄瀟歲末天

行將耄耋感凄然
浮生卻耗芸窗裏
志業惟成濁酒前
擁抱滄波懷激烈
驅馳曠野逆風煙
蜩塘莫使空悲恨
綠水青山尚我憐

（二）歲月居諸瘋跨年

新年舊歲只隔天
舊新年歲天何易
冬去春來地自旋
我亦攻書惟恐後
誰能逐利不爭先
人生過處莫存悔
一往欣欣直向前

另外還有「教學熱心」指導教授群，蔡芳定教授講授「治學方法」，將他畢生治學要領逐一傳授，同時對論文撰寫疑竇之處，解開鎖鑰，使碩博士生茅塞頓開，如獲至寶；丁肇琴教授的「俗文學」與「古典小說」專題討論，訓練同學掌握賞析、作品之技巧與能力，解說透澈，讓同學聚焦問題熱烈討論；「日文」課郭心華教授，為了使同學能多開口說日文，分組交互對話，只有找機會練習是唯一進步的良方。郭老師不厭其煩，將「暢遊日本語」課文冗長內容，自編化繁為簡範本，同學直接受惠；蘇怡如教授的必修課「文史專題」討論，針對各篇著作，啟發同學找出問題之癥結，提出個人見解，藉以訓練思考力與判斷力。作者愚懵鈍拙，幾乎每天清晨五時許，就起來讀書、念日文，只望「以勤補拙」的方法，實踐力行，精進思考作為與寫作能力之提昇。

為了年度研究生學術「論辯會」，系主任張雪媃教授指定作者擔任主持人，在多次協調會上，主任指導相關議題明確深入、分析清晰，使參與論辯同學能很快進入狀況。論辯當天（二〇一八年）三月十四日下午一時至三時，在舍我樓舉行，題目是：「高中國文教材的文白比例問題」，正方有一辯韓佩琪同學（碩一）、二辯葉思維同學（博三）、三辯及結辯莊詠晴同學（碩一）；反方有一辯任樂宜同學（碩一）、二辯黃偉哲同學（碩一）、三辯及結辯蔡晏榕同學（博三）。雙方經過兩個小時之辯論，雖然過程不是很激烈，美中不足的是未能針對「對方」提出之論述，予以批駁，在結束講評時，蔡芳定教授提出寶貴箴言，彌足珍惜，同學獲益良多。

中文系有四位大陸來的交換生，只有一學期於二〇一八年元月十八日學期結束之後返回大陸。作者在必修「治學方法」課程上，共有九位碩博士同學，芳名有陳露、朱藝佳、張鏡水、邵曉雪（以上四位將返回大陸）、任樂宜、韓佩琪、莊詠晴、黃偉哲和作者。為了增進同學情誼，作者於元月十五日邀請全體同學來寒舍茶敘、便餐，四位大陸同學異口同聲的說：「來台灣第一次受將軍邀宴，能到府上感覺有如回家溫暖的氣氛」等語，其中陳露同學返大陸前一天，寄信給作者，內容如下：「將軍爺爺，您好！我是來自遼寧大學中國當代文學專業的陳露，我是新疆人，很開心，能夠來到台灣，認識您和可愛的同學、老師們，我真的好佩服您的精神和勇氣，八十多歲還努力鑽研學術，這也給了我極大的鼓勵，我也會努力考博士班，向您看齊！我要回去大陸了，心中十分不捨，時間過得太快，希望您身體健康，天天開心，如果來大陸要聯絡我喔，我的手機號碼+86 18699442692，您可以讓大家幫您註冊 **wechat**，這樣我們就能隨時聯絡，祝一切安好」。

陳露　二〇一八、二、二十二

為了中文系慶祝成立二十週年，除了系辦各種有意義的活動之外，也還出版「特刊」，作者為文學系學生，於二〇一八年三月二十二日主動投稿，標題是「寄語中文系同學誠摯之言」，全文如下：

欣逢中文系二十周年系慶，系辦各種有意義的活動慶祝，作者忝為文學系學生，在歡欣鼓舞之餘，願提出五點淺見和同學共勉：

第一、砥礪品德修養：

孟子曰：「人之有德慧術知者，恒存乎疢疾。獨孤臣孽子，其操心也危，其慮患也深，故達。」有德行、智慧的人，往往是在憂患之中成長，考慮問題比別人深遠，因此，求學、處事都能通達事理，臻於圓融。自己的心性行為，不管在任何地方，任何時空，都不能放蕩不拘，否則被物欲蒙蔽。在這花花世界，極易陷入罪藪深淵，不能自拔。近年來吸毒染毒，不但瀰漫社會各個角落，甚至滲透到校園，戕害學生，以致身敗名裂，家庭破滅，繫入囹圄。

第二、奠立中文素養：

中文是一切學科之根本，沒有厚實而滋養的中文內蘊，在各種學科之探討與論作上，只會產生詞不達意，欠缺人文之練達，有損該學科之風格。至於文白比率問題，以作者多年經驗，認為不可偏執於文言或白話一方。要以文言文雋美豐盈的精髓，活用於白話文通俗清新之中。具有文白兼修淬煉的同學，未來在社會上各個層面服務，必然如魚得水，勝任愉悅，受到器重。

第三、崇尚敬仰師長：

「一日為師，終身恩師」，老師教我們立身處事，學不厭教不倦。老師和同學之間，有如手足之親沐，涵詠於智識之傳授解惑與啟迪生命之光輝。老師孜孜教誨，循循善誘，無不希望同學「恨鐵不成鋼」，百尺竿頭更進一步。將來同學能在社會上立於不敗之地，出類拔萃，就是老師平日所付出的心血與代價。老師高尚的人格、豐富的學驗及親切熱忱的教學，同學耳濡目染，自然根植於每個人的心坎。作者有位在中部頗富盛名的大學，擔任教職朋友，曾經面告：「貴校文學系教授陣營堅強，你有福了，要多加珍惜」。的確，「名師引進門，修習在個人」，不要荒廢寶貴的青春歲月，勤奮學習，全力以赴。

第四、關懷社會動態：

個人若脫離人群索居，一切訊息狀況，無法獲悉，閉塞的結果，你獨善其身，孤立無援。同學除專注於學業，也要多關心國事及社會動態。有一天你會從事於政府機關或社會各階層工作，各行各業，都離開不了人際關係。作者曾在軍中奉獻三十七年歲月，退役迄今，在社會上也逾二十三年之久，先後接觸各大專院校畢業者，不知凡幾，而母校畢業校友，表現十分優異，工作效率精神亮眼，比起他校有過之而無不及，作者與有榮焉，「世新」之光已在社會普遍受到高度肯定與重視。作者一直在紅十字會擔任終身志工，十五年來和許多有志青年，一起在社會上協助弱勢團體，獻身公益活動。「及立立人，及達達人」的宿願，永無止境，美好的社會，友善的人間，需要你我去灌溉，去關愛。

第五、闡揚春秋之筆：

孔子著春秋，寓褒貶，別善意，而亂臣賊子懼，故謂嚴於褒貶的文字為「春秋之筆」。我們處在這動盪時代裡，週圍環境複雜，近朱者赤，近墨者黑，易走入歧途。我們是文學尖兵，秉春秋之筆，絕不作謏詞譏語，傷天損人之事。明辨是非，真理愈辨愈明，只有大公無私，開誠佈公，以理服人，以義正邦，必能贏得大眾之信任。

最後寄盼望在師長教導與啟發之下，和中文系同學，在理想抱負、思想觀念、品德節操、學習環境、人際合群及危機處理等議題上，共同切磋琢磨，相互討論，奮勉邁進，為中文系再增添更燦爛的花朵，替「世新」拓展更輝煌瑰麗的願景！

今日儘管科技、資訊日益翻新，它所開發產品的基礎架構與學理體系，仍以人文為核心創造出符合人性的需求。人文面向涵蓋極廣，就以語文的學習來說，從涵詠文學之豐厚、透過思辨推理，誘發學子的思考與表達，進而瞭解古今中外國學博大精深之涵蘊。在社會上各領域，人文所影響生命的過程，絕非財力所能比擬，需要長時間浸濡累積。盼望在校莘莘學子，隨時內省反思自己，體察社會生活，關照人與社會、環保、能源及土地等息息關連的依存性。

創辦人成舍我先生

本校創辦人成舍我先生於清光緒二十四年（一八九八年）出生於南京，本名希箕，又名漢勳，在北京大學就學時，改名平，以舍我為筆名。因皆以「成舍我」為名發表文章，因此漸漸的就以舍我自稱，而不用原本名字。

舍我先生和報紙結緣很早，年少時，因父親被人誣陷入獄，所幸上海《神州日報》駐安慶記者方石蓀，撰文報導真相，形成輿論讓他的父親獲得平反，這是舍我先生第一次感受到記者的力量。

舍我先生自十四歲起，便向《民碞報》投稿，正式開啟新聞工作生涯，先後進入《健報》、《民國日報》、《益世報》等報社從事新聞工作，並創辦了「世界報系」，包括：《世界晚報》、《世界日報》、《世界畫報》、《上海立報》、《香港立報》、《自由人》半週刊、《小世界周刊》、《台灣立報》等，是近代中國新聞史上辦過最多報紙的報人，也是集政治家、教育家於一身的知名學人。

大陸易幟後，舍我先生於一九五二年舉家遷臺，因當時政府實施禁報政策，以致無法如願辦報。於一九五六年在台北木柵溝子口創辦「世界新聞職業學校」，其後升格改制為專科學校、學院，最後改名為「世新大學」。

世界新聞職業學校開學第一天，舍我先生對僅錄取的六十三名學生、十來位教職員表示，他要將未來的生命全部奉獻給這個學校，而往後的歲月中，每一個與他共同經歷過相同時光的世新人也的確親眼見證了他的誓言。

舍我先生將一生奉獻給新聞事業和新聞教育，以「終身記者」自許，直到晚年病中口不能言，仍以筆書寫「我要說話」四字，正是舍我先生心志及事業寫照。

立校精神

一、創校校訓

本校創辦人成舍我先生於一九三三年在北平創辦「北平新聞專科學校」時，希望培育理論與實務兼備之新聞人才，採用「德智兼修、手腦並用」為校訓。一九五六年來臺創辦「世界新聞職業學校」時，仍繼續沿用同一校訓，目的是培養品德高尚、允文允武的新聞人才。

1. 世新創辦人成舍我先生手寫校訓「德智兼修、手腦並用」。
2. 世界新聞專科學校時期校徽。
3. 世界新聞傳播學院時期。

1.

德智兼修
手腦並用
成舍我

2.

3.

二、校徽

世界新聞專科學校時期校徽沿用至今。

地球象徵世界、「筆」是新聞從業人員必備的工具，本校創辦人成舍我先生，一生緊握正義之筆，堅持「富貴不能淫、威武不能屈、貧賤不能移」的理念，成為本校最高之精神象徵。

三、世界新聞傳播學院時期校徽

一九九一年世新改制為「世界新聞傳播學院」，採用的新校徽是從原有校徽演變而來，沿用至今，設計理念如下：

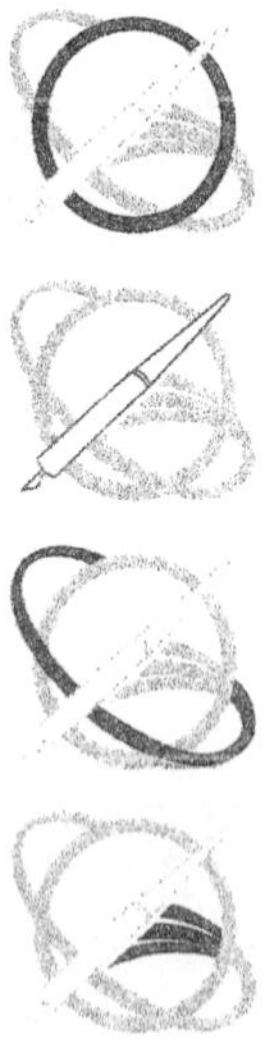

(1) (2) (3) (4)

(1)外圓：本校創校校名為「世界新聞職業學校」，校徽中外圓即代表「世界」，象徵與世界同步的自我期許。

(2)筆：「筆」是新聞從業人員必備的工具，本校創辦人成舍我先生，一生緊握正義之筆，堅持「富貴不能淫、威武不能屈、貧賤不能移」的理念，成為本校最高之精神象徵。

(3)環繞外圓之圓弧：環繞外圓之圓弧，代表日新月異的傳播科技及傳播資訊網路，宣示本校學院時期建構全傳播環境的教育目標。

(4)從圓弧延伸出來之三條線：圓弧延伸出來之三條線，表徵知識、品格、體魄三者整合的教育理想，具有繼往開來的深遠意義，寄望培育出二十一世紀新視野、新觀念、高瞻遠矚之全方位人才。

世新六十周年慶歡樂頌

原曲：貝多芬
作曲：曾永義

1=C 4/4

3 3 4 5 | 5 4 3 2 | 1 1 2 3 | 3· 2 2 — |
翠谷蒼蒼 世新昂昂 六十年慶 暢 榮光
3 3 4 5 | 5 4 3 2 | 1 1 2 3 | 2· 1 1 — |
資訊羅網 學術芬芳 竿頭已上 豔 朝陽
2 2 3 1 | 2 34 3 1 | 2 34 3 2 | 1 2 5 — |
虎臥龍藏 騰 躍 飛揚 子 弟 菁菁 皆 棟樑
3 3 4 5 | 5 4 3 2 | 1 1 2 3 | 2· 1 1 — ‖
翠谷蒼蒼 世新昂昂 六十年慶 暢 榮光

歷任校長事蹟

第一任校長成舍我先生（一九五六年十月─一九七五年七月）

成舍我先生（一八九八─一九九一），一九五六年創辦「世界新聞職業學校」（一九九七年改制為世新大學），一九八八年報禁解除，以九十一歲高齡創辦《台灣立報》，一九九一年病逝臺北。

一九五六年十月十五日「世界新聞職業學校」開學日，創辦人成舍我校長以濃重的口音與堅毅的眼神對師生說：「我們一定要加倍努力！老師認真教，學生認真學。」「我並有信心，靠著這些努力，會使學校升格，由職校，而專科、學院、大學、以至研究所。」成校長的話音在山谷中迴盪，像一句句誓言，久久不歇。如今，當年那所「小學校」已成了一所堂堂大學。

成校長任職期間最大的貢獻是訂定各種制度與規章，像是教務、訓導、總務及會計等，並擴充實習及教學設備。

成舍我校長的勤儉是出了名的，但其實成校長的「勤儉」特質，與「獨立」、「自由」的信念是互為表裡、相輔相成的。與其說他勤儉，不如說這是

「無欲則剛」的實踐，成校長不負債、不借貸，「我用各種方法處理經濟問題，精打細算，省吃儉用，絕不浪費一分錢」，因為「有獨立的經濟權，才可以理直氣壯的做人做事。無論辦報、辦學校，都是從『勤儉起家』四個字做起」。

第二任校長洪為溥先生（一九七五年八月—一九八〇年七月）

江蘇江都人，國立清華大學社會學系畢業，曾任教育部秘書、督學、專門委員。洪校長擔任校長前，即在本校擔任教職教授「社會學概論」，除在本校任教外，曾任國立中山大學、省立法商學院、淡江文理學院教授多年。初任校長時年六十五歲。

洪校長在職五年期間，平素對師生敬業精神，尤為注重，一本「德智兼修，手腦並用」之校訓，諄諄告誡，愛學生如子弟，為本校樹立樸實誠敬的風氣，其恭勤奮勉的精神作風，深為全校師生愛戴。洪校長任內最大的貢獻是，為本校各科訂定課程綱要，以及建立行政資料檔案。洪校長卸任後，以董事兼任教職身分，繼續用其所學，教誨後進，直至一九九一年因病去世為止。

第三任校長周良彥先生（一九八〇年八月—一九八一年七月）

福建閩候人，早年畢業於北平燕京大學政治學系，後赴美進修，先後在華盛頓大學及哥倫比亞大學研究，獲碩士學位，供職於美國蒙特里國防部語言學院為監督教授，一九七三年退休後，轉任蒙特里國際學院政治系主任及研究所所長。一九七五年，應東吳大學之聘，返國任教，為政治系教授，並兼本校政治學教授，曾兼代東吳大學政治學系主任。

第四任校長張凱元先生（一九八一年八月—一九九〇年七月）

廣東蕉嶺人，世界新聞專科學校三專第三屆新聞科畢業，美國田納西州立大學教育學博士，一九七三年回國返校擔任副教授兼教務主任，在教務推展上建樹良多。一九八一年八月，周良彥校長辭職，張教務長代理校長職務，十月四日董事會議全體一致通過成董事長舍我先生提案，正式任命其為第四任校長。舍我先生於二十五周年校慶上提到，將學校交由校友來辦，一直是他最大的願望，所以他向董事會推薦張凱元校友擔任校長。

第五任校長林念生先生（一九九〇年八月—一九九一年七月）

第五任校長林念生為福建省人，一九六五年，五專第二屆廣電科畢業，在校期間曾在世新電台主持熱門音樂節目，畢業後進入空軍電台服務，一九七〇年赴美留學，一九七八年獲得美國威士康辛大學廣播電視電影學博士學位，先後在南伊利諾大學、德州拉瑪大學任教，一九八五年應香港浸信會書院聘為大眾傳播系系主任。一九八九年返國後，擔任淡江大學、銘傳專校大專科教授，同時擔任中影公司顧問、執行製片。林念生學識淵博，實務經驗亦很豐富，曾獲新聞局「優良廣播節目」優等獎，並編導數部新聞記錄片，如《轉變的西藏》曾在美國公共電視臺、香港亞洲電視臺、紐約公共圖書館及多次學術會議中放映；《歷史的傳承》曾於中視頻道播出。

第六任校長成嘉玲女士（一九九一年八月—二〇〇一年七月）

祖籍湖南湘鄉，出生於天津市，台灣大學經濟系畢業，美國夏威夷大學農業經濟學博士。曾任政治大學、中興大學教授，東吳大學經濟系、企管系主任、商學院院長、世界新聞專科學校教務主任、夜間部主任。

一九九一年，世新改制學院時，成嘉玲被董事會聘為改制後首任校長。當時正是台灣社會民主化、劇烈轉型的階段，成嘉玲展現強烈企圖心，提出具體規劃方案，使世新脫胎換骨，於一九九七年進一步獲教育部核准改名為大學，較原先的校務規劃提前了四年，被認為是成嘉玲校長任職校長期間最具指標性的成就。

二〇〇一年春，成嘉玲以「在世新的階段性任務完成」，期望「新人新政把世新推向另一個成就高峰」，因而向董事會請辭校長職務。由於辭意甚堅，董事會最後改聘時為國立東華大學校長牟宗燦博士接任校長一職。

第七任校長牟宗燦先生（二〇〇一年八月—二〇〇八年七月）

國立台灣大學經濟系學士，美國內華達州大學經濟學碩士、加州大學經濟學博士。曾任中華民國僑選立法委員，歷任美國加州州立洛杉磯大學教務副校長、國立東華大學校長、世新大學校長、世新大學董事會董事、私立大學校院協進會理事長、國立大學校院協會理事長、財團法人高等教育評鑑中心基金會董事、社團法人台灣評鑑協會理事、中國新聞學會理事長、財團法人大考中心主任。

牟宗燦校長在世新大學期間，為世新大學修訂各種規章，建立完善行政制度，並推動全球e化建設，讓世新的e化系統變成其他學校學習的典範。並在前任成嘉玲校長所奠定的基礎上，繼續努力增加師資，有效改善世新師生比，並延攬多名學術界的泰斗到校任職講座。此外，牟校長所提出的「教師俱樂部」、「升等免授課」、「新進助理教授減授鐘點」等計劃，在後續的「中長程校務規劃」評鑑中，屢獲訪評委員讚賞。二〇〇八年，牟校長更率全校師生團隊接受教育部舉辦的各大學系、所評鑑，通過率在全臺各大學中排名第六，成果卓著。同年，牟校長以任期屆滿請辭校長職務，當時的董事長成嘉玲女士以「功在世新」為牟校長歷年建樹作為總結。

第八任校長賴鼎銘先生（二〇〇八年八月─二〇一四年七月）

輔仁大學圖書館學系學士、文化大學史學研究所圖書文物組碩士，一九八七年赴美進修，獲美國威斯康辛大學圖書館與資訊科學研究所博士。

一九九〇年回國後，歷任淡江大學教育資料科學系教授，世新大學圖書資訊學系主任、圖書館館長、教務長，於二〇〇八年接任世新大學校長。校長卸任後，獲聘為臺灣媒體觀察教育基金會第六屆董事長。

賴鼎銘校長到世新大學任職後，於每一個行政階段都盡心盡力為校努力。任職圖書館長期間重新規劃圖書館空間，同時朝人性化服務，並開圖書館界先河，系統性的搜集大陸圖書。任職教務長期間配合牟校長理念，推動教學卓越計劃，訂定世新邁向教學卓越大學的基礎。

第九任校長吳永乾先生（二〇一四年八月迄今）

國立臺灣大學法學士、美國華盛頓大學法學碩士、博士，曾任世新大學副教授兼學務長、臺灣觀光學院董事、亞太創意技術學院董事、長庚大學公益監察人、厚生基金會執行長、臺北市有線電視公用頻道協會理事長、中華民國新聞評議委員會主任委員、行政院公民投票審議委員會主任委員、公務人員退休撫卹基金管理委員、行政院大陸委員會諮詢委員、原子能委員會核能研究所諮議委員、中華民國新聞媒體自律協會理事長、世新大學教授兼終身教育學院院長。

吳永乾校長在本校服務二十餘年，見證了成嘉玲、牟宗燦、賴鼎銘三位校長的卓越領導及治理績效，認同世新大學創立宗旨、辦學理念、發展願景及自我定位，積極從歷任校長所奠立的良好根基出發，依循「貫徹理論與實務並重的教育方針」、「堅持傳播貫穿各學門的辦校特色」、「完善激勵措施以強化師資陣容」、「擴大招收東南亞及大陸留學生」、「提升行政效能確保整體執行力」等校務發展理念與方針，為世新大學確立及鞏固永續經營的利基。

學校願景

世新大學已是過了六十二周年（至二〇一八年校慶是十月十五日），這是校史發展的重大里程碑，學校雖然沒有巍峨的建築，卻是能以較小的空間，包容最大的多元。是一所可以使師生共同築夢和沉思的理想大學。如今學校有四個學院、二十二個系所，學生一萬一千五百五十六人（二〇一六年統計）、教職員共六百五十七位，規模已非昔日可比，連續十二年獲得教育部評定為「教學卓越」的高等學府。在高等教育全球化的趨勢下，學校不斷鼓勵師生參與兩岸及國際合作交流活動，並且與多達一百五十所以上的大陸和國外大學建立密切的學術夥伴關係，拓展全球視野，加強國際接軌。積極與美國、日本、韓國、捷克、義大利、馬來西亞、香港、澳門等地的大學進行國際交換生計劃。近年來，學校的國際知名度不斷提升，外籍生招收人數也逐年增加。六十多年來，培育逾八萬名校友，不僅在傳播界獨領風騷，在其他學術界、政治界、企業界及演藝界等都有傑出表現，他們是世新品牌的最佳代言人，也是世新人「勤勉踏實」精神的表徵。

學校自二〇一五學年度起，積極投入校務研究工作，正式啟動校務研究機制，未來將建構「世新雲端化育全人智慧平台」與議題分析，建立資料導向（**Data-driven**）及循証基礎（**Eridence-based**）決策支援體系，落實治校理念與辦學特色。

本校校務研究以學生學習成效為核心，強調巨資微觀、多元決策，研究議題包含：

一、智慧雲端橋接：橋接即智慧平台之建置，為校務研究重要基礎，後續展開議題分析，將學生學習成效與在校各項表現資料串流後，進行教學、輔導與學生學習成效關係檢定，以作為校務決策參考。

二、生源動態剖析：在少子女化的競爭環境下，學生生源為各校重視校務議題之一，學校規劃透過智慧平台，進行各項招生入學分析，以擬定合適招生策略。

三、跨界學習足跡：包含課程類與非課程類的學習成效分析與運用，對學生未來就業或整體學習表現的影響，皆為校務研究範圍，分析結果可作為系所規劃課程或校務資源配置的參考依據。

四、團隊體腦適能：學校重視學生團隊能力與實踐力培養，鼓勵學生參與活動或競賽，經由完整記錄學生學習歷程軌跡，結合全方位生職涯輔導與畢業生流向問卷調查，將各項學習成效與就業相關資訊進行關聯性分析，回饋教學單位課程與非課程改進。

五、教師多元升等：學校推動多元升等制度，鼓勵教師投入教學工作與產學合作，將創新教學，研發技術專利成果，與教學內容密切結合，以提升學生學習成效。透過校務研究分析了解教師開設課程採用多元教學方案，對於其提出教學實務升等的影響，或教師升等制度對學生學習成效分析之結合程度。

林恒雄大事記年表

民國	西元	大事記
二十五	一九三六	•出生於日治時代台中大雅（昭和十一年、丙子年）
三十二	一九四三	•就讀忠孝國小一年級，次年轉讀台中國小
三十四	一九四五	•從台中住宅，疏遷至霧峰躲空襲 •轉學霧峰國小三年級 •十月二十五日抗戰勝利，台灣光復，日本宣布無條件投降
三十五	一九四六	•父親進入潭子糖廠（一九一八年落成，一九六九年八月改為台中加工出口區）工作 •轉學潭子國小四年級，學習國語注音符號，導師賴金池
三十八	一九四九	•七月九日潭子國小畢業，校長林茂崙 •考入豐原初商職校，導師陳慶崇 •大陸變色，國民政府播遷來台，十月一日中華人民共和國成立 •十月二十五日共軍登陸金門古寧頭，直至二十七日晨，胡璉十二兵團肅清殲敵，共軍萬人陣亡，四千人被俘
三十九	一九五〇	•十月二十六日晚上七時三十分，共軍登陸大二膽島，營長史恒豐中校，率三百名官兵應戰，經一夜血戰，國軍俘虜二百五十二人

民國	西元	大事記
四十	一九五一	•四月三十日加入童子軍行列，實踐「日行一善」以服務為目的
四十一	一九五二	•七月四日自豐原初商畢業，校長廖五湖（後曾任台中縣縣長） •在校三年參加「合唱團」，由音樂老師蓬靜辰負責訓練兼指導（蓬老師日後在文化大學任教） •八月考取台中新民第一屆高商職校（二〇〇〇年改為新民高中），導師王心平 •五月母親當選潭子鄉「模範母親」接受表揚
四十二	一九五三	•元月十三日加入「反共救國團台中市支隊，支隊長張明將軍（退役後於一九七一年創辦勤益工專，一九八七年捐獻政府，二〇〇七年改為國立勤益科技大學） •第一批預備軍官一〇四五人於成功嶺接受一年軍事訓練
四十三	一九五四	•「三二九」青年節前夕，代表全校到台中軍中廣播電台，向大陸同胞廣播 •參加救國團暑期青年「軍中服務」活動，啟迪從軍志向心願

民國	西元	大事記
四十四	一九五五	•元月十九日共軍攻下一江山，指揮官王生明殉職 •六月十五日參加第四屆全國珠算能力檢定第二級合格 •在校三年，每學期均獲學校「獎學金」 •九月十日為響應「太平艦」復仇運動，投筆從戎，甄選進入「政工幹部學校」第五期，隊長孫德安中校、訓導員王一道少校
四十六	一九五七	•六月九日畢業典禮，校長王昇（化行）中將，主持並授少尉官階，男女畢業同學四三二員，分發三軍擔任基層政戰工作。副校長王和璞將軍，為留日傑出將領
四十七	一九五八	•七月十日隨五十八師移防金門，師長張錦錕將軍、主任鄭長樂上校 •八月二十三日十八時三十分，共軍瘋狂濫射金門，震驚世界
四十八	一九五九	•元旦晉升中尉，擔任一七二團步三營營部連指導員 •十月九日祖母楊積玉辭世，享年八十五歲，因戰備整備，不克返台，引為憾事
五十	一九六一	•元旦晉升上尉，調砲指部三營營部連指導員 •六月十六日取得屏東潮州「空降訓練中心」雄風案，跳傘及格證書，指揮官余伯音將軍

民國	西元	大事記
五十一	一九六二	•十月七日自大直「軍官外語學校」英文儲訓班畢業，校長汪子清將軍 •調任第九訓練中心上尉參謀，指揮官楊書田將軍、主任賀雨辰上校
五十三	一九六四	•八月二十二日取得政工幹校三年制專科學資，校長田樹樟中將
五十四	一九六五	•調裝二師二指部參謀，師長劉明湘將軍、主任胡志直上校
五十五	一九六六	•元旦晉升少校 •十月十七日考取「國防語文學校」越文班第一期，校長鄒宇光將軍
五十七	一九六八	•元旦經親戚王阿標先生介紹和豐原「開元醫院」醫師張前海次女張富女結婚 •六月自成功嶺預二師少校參謀，奉派我駐越軍事顧問團安全局與社會局服務。司令柯遠芬中將（後接任者徐汝楫中將）、參謀長趙本立上校、大使胡璉上將 •七月十九日長男建邦出生於豐原市
五十八	一九六九	•七月一日榮獲美駐越軍援團司令艾布藍 (Gen.Creightonw.Abrams) 上將褒狀 •七月二日榮獲韓駐越作戰司令李世鎬 (Gen.Lee-Saeho) 中將褒狀

民國	西元	大事記
五十九	一九七〇	•元旦晉升中校 •七月在越南兩年餘屆滿返國，調澎湖二四九師中校科長，師長林仲連將軍、主任胡樹明上校
六十	一九七一	•七月十二日女兒芬蘭出生於豐原 •九月二十七日考取「政治作戰研究班」二十二期深造，校長張建勛中將、班主任郁光將軍
六十二	一九七三	•三月二十九日美軍撤出越南，結束十一年越戰
六十四	一九七五	•七月自三十三師支指部中校處長，奉派高棉（現稱柬埔寨）軍事顧問團，團長郁光將軍、參謀長趙中和（後接任者王道烓上校）、大使董宗山，後續任為孔令晟中將 •北越坦克部隊攻入西貢總統府，越南共和國投降，越戰結束
六十五	一九七六	•高棉局勢急速惡化，奉令自金邊倉促搭機返台 •調台北第八軍政二科科長，軍長李君志中將、主任羅漢文將軍
六十七	一九七八	•元旦晉升上校 •軍部官兵移馬祖守防，馬防部司令官李明萱中將、主任陳浩聲將軍

民國	西元	大事記
六十七	一九七八	•奉調一二七師上校副主任，師長黃幸強將軍（後歷任陸軍總司令、副參謀總長兼執行官及駐希臘大使）、主任譚保中上校
六十八	一九七九	•美國和中華人民共和國正式建交
六十九	一九八〇	•次男建興出生，因助產士疏忽，引發嚴重腦痲痺症
七十	一九八一	•自花蓮美崙二一〇師移防馬祖莒光，師長戴義雨將軍（駐防兩年返台不久因肝癌病逝三總）
七十二	一九八三	•自二一〇師再調重裝二八四師上校主任，師長甯福田將軍，後繼任者湯元普將軍
		•利用假日返回政戰學校補修學分，依教育部大學法規定，獲頒文學士學位，時任校長林強將軍
七十三	一九八四	•二月奉調馬防部副主任，司令官趙萬富中將、主任李建生，後接任為趙萁夏將軍、連江縣縣長李麒麟同學
		•當選「保舉最優」，接受國防部頒發獎章
		•當選「政戰楷模」，返台接受總政戰部表揚，總長宋長志一級上將頒獎

民國	西元	大事記
七十四	一九八五	•五月二十四日奉總長郝柏村上將核定，率團遠赴中美洲瓜地馬拉擔任軍事顧問團團長
七十五	一九八六	•在瓜國任務結束，榮獲瓜國頒授十字勳章乙座 •駐瓜期間，全體團員表現優異，均獲郝總長頒發陸光甲種獎章乙枚 •九月二十七日自陽明山「實踐研究院」十八期結訓，兼班主任蔣經國、副主任吳俊才博士（曾派駐印度大使）
七十六	一九八七	•四月一日自陸勤部運輸署（署長李一華將軍）調裝甲兵訓練指揮部暨裝甲兵學校，指揮官羅文山將軍，後繼任者胡家麒中將 •紅十字總會，受理大陸探親登記 •七月總統蔣經國解除戒嚴令，十一月宣布開放民眾赴大陸探親政策，榮民無不額手稱慶 •八月五日父親當選台中市第一屆「模範父親」獲頒匾額乙面
七十七	一九八八	•元月三日經國先生遽逝，全民哀痛逾恆，享年七十九歲 •十月調第六軍團，司令陳廷寵中將（後歷任陸軍總司令、總統李登輝參軍長）

民國	西元	大事記
七十八	一九八九	•元旦晉升少將並調任母校政戰學校教育長，校長何清中中將 •十月五日老校長化公自巴拉圭返國述職，前往晉謁，聆聽教益 •日皇昭和過世，明仁登基（第一二五位日皇）
八十	一九九一	•調升副校長，校長鄧祖琳中將（後歷任總政戰部上將主任、退輔會主委及駐波蘭大使）
八十二	一九九三	•三月二十四日在三軍總醫院切除膽囊 •四月一日自政戰學校副校長職務退休，隨即受聘財團法人「黎明文化公司」副總經理兼總編輯，董事長兼總經理張明弘、續任為許明雄同學 •四月二十日接獲退輔會主委周世斌派令，聘任研究委員 •十二月三日建邦和玟琪結婚，在台北英雄館設宴招待親友，請潭子同鄉監察委員陳孟鈴先生福證
八十四	一九九五	•四月十四日被推舉台中縣豐原市「信望愛智能發展中心」第二屆董事，董事長杜義雄 •六月五日次男建興器官衰竭往生，十七年歲月內子備受煎熬，母性光輝充分顯露 •九月三日參加第十二屆泳渡日月潭萬人活動，縣（會）長林源朗

民國	西元	大事記
八十五	一九九六	•十一月十五日父親年老體弱，走完了八十四年歲月，兄弟姐妹傷心欲絕
八十六	一九九七	•二月十四日當選「中央軍事院校」第五屆理事，理事長朱致遠 •十月一日辭黎明公司工作，返回台中「居家照護」中風母親 •十月二十日芬蘭和李松吉在中和舉行婚禮
九十二	二〇〇三	•五月十一日參加紅會水安隊自強第一期救生員班訓練，總教練莊振春，會長林清雄 •七月六日參加第一期高級泳訓班訓練，總教練楊金明 •八月六日母親撒手人寰，往極樂世界，享年八十八
九十三	二〇〇四	•六月二十三日左腮腺腫瘤在台中榮總開刀
九十四	二〇〇五	•四月二十七日「新民高中」建校七十週年校慶大會上發表演說並將畢生勳章、文物捐獻母校（校史館特設專櫃留存紀念） •五月八日參加第二期游泳教練班，總教練陳才正 •九月二十五日參加十式班，被推選為學員長

民國	西元	大事記
九十五	二〇〇六	•四月二日參加第十期救生教練班，擔任學員長，總教練李坤城，會長林瑞新 •擔任本年水安隊文書組組長，總幹事劉慧明
九十六	二〇〇七	•當選水安隊第二屆理事，理事長鄭茂鴻 •十月二十三日參加第二十五屆日月潭三千三百公尺長泳
九十七	二〇〇八	•元月二十日應歷任會長付託，以一年時間編撰本會會使，於十一月二十三日「慶祝創會二十三週年紀念暨年會」上，配發人手乙冊，書名「薪火相傳，永續發展」。會長劉慧明特頒「功績卓著」獎牌嘉勉 •基於地緣關係，受邀參加台中市「八二三戰役」戰友協會，理事長孫金霞，總會會長中和市長呂芳煙 •十一月二十六日偕內子住進台南市「榮民之家」博愛堂安養，榮家主任十二職等盧文龍
九十八	二〇〇九	•五月二日於台中豐樂雕塑公園，接受總統馬英九，紅十字會「志工表揚」 •七月十五日新任首長朱嘉義自輔導會二處處長調本榮家

民國	西元	大事記
九十九	二〇一〇	•二月十一日榮家開闢「龍的天地」藝文走廊揭幕，撰文闡述「龍的天地」意涵 •七月四日至八月一日擔任水安大隊自強三「救生員班」總教練，學員三十八人，會長張洸輝 •八月二十九日至九月二十六日擔任自強二「高級泳訓班」總教練，學員三十五人 •十一月一日出版「泳難忘懷」救生與游泳訓練手札，贈送水安大隊七百冊、新竹與桃園水安大隊一百冊
一〇〇	二〇一一	•十月十九日當選第三十三屆「榮民楷模」於總統府接受馬總統表揚
一〇一	二〇一二	•當選榮家「生活自治管理委員會」首任會長創辦「榮民樂活」講座，每兩週乙次
一〇二	二〇一三	•六月二十二日榮獲「嘉南科大」理學碩士學位 •九月六、七兩天擔任日月潭長泳活動，水上救生小組

民國	西元	大事記
一〇三	二〇一四	•三月三日家主任范福平履任新職 •五月三日接受紅十字總會優良志工表揚（十年） •五月三日十八時於三軍軍官俱樂部參加藝文界為李奇茂大師九十嵩壽祝嘏 •五月十三日由作者主辦三天兩夜「榮民眷金門知性、戰蹟、文化」之旅活動 •八月一日偕內子自「台南榮家」遷移至台東「馬蘭榮家」，主任王世庚 •十二月二十五日作者參加水安隊第四次「三十週年專刊」編撰協調會，聘請張建雄擔任總編輯
一〇四	二〇一五	•元月二十七日前往臺東市「救星教養院」慰助 •元月二十九日前往關山「聖十字架療養院」慰助 •三月三十日將六人座電動車捐贈「馬蘭榮家」，提供榮民伯伯服務 •四月二十五日於台東文化中心聆聽嚴長壽總裁講演「未來教育新焦點」，輔導組組長李翠蓉陪同

民國	西元	大事記
		•七月十六日家主任王世庚退休，張明晏接任 •十月六日捐贈「流動書櫃」給榮家，內含八十本書、四十本雜誌 •十月二十九日前往台北接受第三十七屆「榮民楷模」表揚 •十一月六日內子富女在家昏倒，送台大急診室，迄至二十六日始轉入普通病房
一〇五	二〇一六	•元月二十八日起內子在中和「忠祥醫院」每週一、三、五上午洗腎 •三月十四日上午九時參加第一殯儀館陸以正大使公祭 •十月二十四日清晨赴花蓮參加「新民高商」軍訓教官黃元龍公祭 •十一月十六日下午陪會長林欽鐘和陳美芳前往總會，拜見王清峰
一〇六	二〇一七	•擔任紅會水安隊台北市隊長 •七月二十五日「世新大學」通知正式錄取中國文學系博士班新生 •十一月四、五兩天，參加台大「中國文學、歷史與社會的多重對話」國際學術研討會

民國	西元	大事記
一〇七	二〇一八	● 元月五日參加「復興崗」建校六十六週年紀念大會，由國防部部長馮世寬主持 ● 元月二十一日和內子富女結婚五十週年紀念 ● 三月十四日主持研究生「論辯會」，系主任張雪媃教授指導 ● 三月二十二日為中文系慶祝成立二十週年，特刊登出作者一篇「寄語中文系同學誠摯之言」賀文 ● 六月四日親臨母校「復興崗」頒發本人每年捐助之「獎學金」給品學兼優在校同學 ● 七月十八日晚上，為紀念「八二三六十週年」於國家音樂廳聆聽「大漢天聲」音樂會 ● 八月五日和吳家煌、莊麗芳參加苗栗「明德水庫」長泳 ● 八月七日「曉園」第五期同學「金門行」，首批上大膽島觀光，張建雄教練受邀參加 ● 九月二十五日於台大聆聽曾永義教授「戲曲歌樂基礎」之建構演講 ● 十月四日下午於「國立台灣圖書館」演藝廳，應內政部金門國家管理處之邀報告「八二三」戰役給我們的啟示暨座談會

民國	西元	大事記
一〇八	二〇一九	• 元月二十九日獲邀返回「台南榮家」和榮民伯伯歡渡「春節聯歡暨餐會」 • 三月十一日本家族一起在台中「五湖園」靈骨塔祭祖（每年清明節前夕） • 四月二十八日下午前往士林「台灣戲曲中心」觀賞由曾永義、王瓊玲兩位教授，新編昆劇「雙面吳起」 • 五月十七、十八兩天參加本校主辦第十二屆「兩岸韻文學學術研討會」 • 五月二十九日世新博士生論文發表會：《探討李白戰爭詩芻議》 • 九月出版回憶錄《願力長在我心》 附註： 作者已於二〇二〇年六月六日榮獲世新大學文學博士。